# DICTIONNAIRE
# AMOUREUX
# DU
# JUDAÏSME

JACQUES ATTALI

# DICTIONNAIRE
# AMOUREUX
# DU
# JUDAÏSME

*Dessins d'Alain Bouldouyre*

Plon/Fayard
www.plon.fr

COLLECTION DIRIGÉE PAR
JEAN-CLAUDE SIMOËN

*La liste des ouvrages
du même auteur
figure en fin de volume*

ISBN : 978-2-259-20597-9

« Le monde est comme un pont très étroit
et l'essentiel est de ne pas avoir peur. »
Nahman de Bratslav, XIX<sup>e</sup> siècle.

Quand Jean-Claude Simoën m'a proposé de m'ins-
crire avec ce livre dans la collection qu'il dirige, j'ai
d'abord refusé net, paralysé par le sujet : je lis
l'hébreu, mais le parle mal, et le judaïsme n'est
qu'une des dimensions de ma culture, de mon histoire et de mon regard sur le monde. Bien des gens
sont plus compétents que moi pour écrire un tel livre.
J'ai d'abord proposé d'écrire à la place un *Dictionnaire amoureux de l'avenir* ; puis, j'ai réalisé que
telle était au fond la meilleure définition du judaïsme :
le judaïsme est amoureux de l'avenir. Alors j'ai
accepté. Sans doute aussi parce que le judaïsme est
transmission et qu'il me renvoie à mon enfance, à
l'amour, à mes enfants, c'est-à-dire à l'essentiel.
Sans doute enfin parce que, bien qu'il soit le socle de
tous les autres monothéismes, il reste caricaturé et
très mal connu. En particulier aujourd'hui où des

forces antijudaïques redeviennent plus actives que jamais, de par le monde.

Je me suis d'abord interrogé sur le sens des mots :

*Dictionnaire* : étrange vocable qui renvoie à l'idée d'énoncer, de définir, de classer, de regrouper. Les juifs font cela depuis toujours ; ils savent que rien n'est plus important que les lettres et les mots : la vie s'y trouve, dit le judaïsme comme s'il avait deviné la génomique. Ils savent aussi qu'il n'est pas de survie possible, pour une communauté à l'identité fondée sur un livre, sans classement, interprétation et transmission des mots. Ils savent encore que, pour transmettre un savoir, il faut d'abord l'agencer de façon cohérente. Tel est d'ailleurs le fondement de la pratique juive : en premier lieu avec le Jardin d'Éden, rassemblement de toutes les manifestations de la perfection divine ; puis avec l'arche de Noé, dictionnaire amoureux de la vie ; puis avec la Torah elle-même, qu'on nomme la Bible en grec, encyclopédie de l'avenir (qui n'est pas un « Testament », encore moins un « Ancien Testament ») ; ensuite avec les premiers commentaires (la Mishna et la Gemara, formant le Talmud, dictionnaire du savoir juif au Ve siècle de notre ère), et avec tous les commentaires ultérieurs, de Saadia Gaon au rav Kook en passant par Rachi, Ibn Ezra, Maimonide, Ramban, Abraham de Posquières, Luria, le Becht, le Gaon de Vilna, Nahman de Bratslav, entre tant d'autres dont il sera question ici.

Puis, quand certaines élites commencent à s'éloigner de la vie communautaire, apparaissent, pour les y ramener, des encyclopédies du savoir juif : cela débute, à la fin du XIIe siècle de notre ère, avec le *Guide des*

*Égarés*[197]* de Maimonide, interprétation rationnelle de l'univers et de la foi ; et, dans un sens opposé, avec le *Zohar*[10] de Moïse de León, explication mystique des textes sacrés. Sans omettre bien d'autres travaux de synthèse dont ceux du magnifique et subtil rabbi David Azoulay au Moyen Âge marocain. Au début du XVIIIe siècle surgissent les encyclopédies juives au sens moderne du mot : dans la première moitié du siècle, avant même celle de Diderot, un rabbin et médecin de Ferrare, Isaac Lampronti, écrit en hébreu le *Pahad Yitzhak* (« La Crainte d'Isaac »[178]), encyclopédie énonçant les principes du Talmud et les pratiques de son temps. De 1860 à 1901, à Leipzig, le rabbin Jacob Hamburger écrit seul en allemand une *Real-Encyclopädie für Bibel und Talmud*[133] en trois volumes, pour donner aux familles juives germanophones assimilées un accès à la culture juive. Quelques années plus tard, la *Jewish Encyclopædia*[17], conçue sur le même principe, commence à être publiée en anglais, essentiellement pour ceux qui vivent désormais en Amérique ; et la *Yevreyskaya Entsiklopediya* pour ceux qui sont encore enfermés à l'intérieur de la clôture russe[17]. D'autres paraissent à la fin du XIXe siècle en yiddish, alors la langue parlée par la moitié des juifs du monde, puis en d'autres langues, dont le français. Aujourd'hui, une des références mondiales est l'*Encyclopædia Judaica*[18], publiée d'abord en anglais ; il va sans dire que, pour vérifier tel ou tel point de doctrine, je l'ai largement consultée comme tant d'autres livres de théologie, de philosophie et d'histoire cités dans la bibliographie figurant à la fin de ce livre.

---

* Les numéros placés après un titre renvoient à la bibliographie en fin d'ouvrage.

*Amoureux :* tant de mots différents pour nommer l'amour en hébreu ! De l'amour physique, qui se dit du même mot que « connaître », à l'amour de Dieu qui se dit du même mot que « penser ». Aimer, attitude profondément juive : le judaïsme est amoureux de la vie, de l'homme, du savoir, de l'avenir, et par-dessus tout de l'amour. Parce que tout ce qui existe et existera vient de Dieu (ou de l'homme, Sa création), et doit donc être autant aimé que Dieu Lui-même ; parce que toute découverte scientifique est une façon de se rapprocher de la compréhension de ce que Dieu a voulu faire ; parce que toute relation humaine, toute tendresse est divine ; parce que le peuple hébreu pense avoir été choisi par amour (« *L'Éternel vous a choisi* [...] *parce qu'Il vous a aimés* », Dt 7, 7-8). Parce que, dit le Lévitique, bien avant Jésus (dans cette phrase où rabbi Akiba voit le meilleur résumé du judaïsme), l'homme a reçu l'ordre de s'aimer lui-même : « *Tu aimeras ton prochain comme toi-même : L'Éternel est ton Dieu* ». « *Comme toi-même* » (chapitre 19, verset 18) : ce qui veut dire qu'il est impossible d'aimer les autres si on ne s'aime pas d'abord soi-même. « *Si vraiment tu aimes Dieu, cela se reconnaît à ton amour des hommes* », dira encore au XVIIIe siècle, en Pologne, le fondateur de l'hassidisme, le Ba'al Shem Tov.

Être amoureux du judaïsme est pourtant un défi au bon sens : dénoncé comme la doctrine des assassins du Messie, la pratique des usuriers du monde, des comploteurs et des suceurs de sang, prétexte à des millions d'assassinats, le judaïsme est encore vécu pour l'essentiel comme une souffrance ou un devoir.

Pour ma part, né juif dans l'Algérie française à peine libérée des nazis et de leurs séides français par le débarquement des troupes américaines, au moment même où tant d'autres mouraient en Europe, j'aurais pu m'oublier, disparaître dans la société française comme l'ont fait tant d'« israélites français » dont le judaïsme n'est plus aujourd'hui qu'une dimension encombrante de leur personnalité. J'ai choisi de ne pas le faire. Non parce que je pense que le judaïsme est une religion d'exception : peut-être ne l'aurais-je pas choisi si je n'y étais pas né. Mais parce que je crois que chaque homme est comptable de ce qu'il a reçu ; et qu'il doit le transmettre, même si cela ne l'intéresse pas outre mesure, pour accorder aux générations ultérieures une chance de s'y intéresser à leur tour. Parce que, aussi, le judaïsme est inséparable des êtres qui me sont le plus chers et que mon devoir est d'être loyal à leur égard, de transmettre ce que j'ai reçu d'eux. Enfin, bien sûr, parce que ce que j'y ai découvert m'a fasciné, donné à réfléchir, inspiré.

J'ai en effet appris à devenir curieux – c'est-à-dire, en fait, amoureux – du judaïsme ; de son histoire, de sa façon de penser, de ce qu'il dit du monde, de ce qu'il permet aussi de penser, de comprendre, d'imaginer. J'aime aussi la façon dont il accueille toutes les critiques et dont il doute sans cesse de lui-même. J'en suis devenu un « *amateur, avec toute la connotation amoureuse du terme*[187] », comme dit Emmanuel Levinas à propos du Talmud. J'aime la façon dont il me fait réfléchir, comme beaucoup d'autres grandes cosmogonies, aux grands invariants du monde ; j'aime aussi les histoires de tant de personnages de la Bible et de l'Histoire, fidèles à leur foi même quand on les force à la quitter ; j'aime aussi ces petites histoires qu'on appelle juives, éclairantes autodérisions. Enfin et peut-être surtout, j'apprécie dans le judaïsme qu'il ne soit pas jaloux, mais tolère bien d'autres amours.

*Judaïsme...* Tant de questions à régler pour le définir : Peut-on confondre Israël et Sion ? Juif et israélite ? Faut-il parler des juifs ou des Juifs ? Faut-il confondre la nation et la communauté ? Le judaïsme est-il une religion, une pratique, une philosophie, un peuple, un ensemble de communautés, une culture, une histoire, une langue ?

Pour répondre à ces questions, avant même de sélectionner les entrées de ce dictionnaire, je me dois de cerner ma propre définition du judaïsme.

D'abord, je ne suis pas de ceux qui en font le centre du monde, le pivot de l'humanité : il existe bien d'autres voies, tout aussi admirables et passionnantes, vers la morale et la sagesse. Je ne suis pas non plus de ceux qui voient le judaïsme derrière tous les actes de tous les juifs : il y a une littérature juive, mais il n'y a pas de football juif ou d'architecture juive. Il y a même assez peu de peinture ou de musique juives, sauf quand elles concernent des thèmes juifs, avec Chagall qui peint des thèmes juifs, avec la musique de Schönberg quand il y revient à la fin de sa vie, ou avec celle de Victor Ullmann qui compose et meurt à Terezin.

Je crois cependant qu'il y a une explication par l'histoire juive de la présence de très nombreux juifs, au XX^e siècle, dans de très nombreux domaines du savoir ; qu'en particulier il y a une explication par le judaïsme au fait que près du tiers des prix Nobel, depuis la création de ces prix, ont été attribués à des juifs. Et si je ne considère pas le judaïsme comme une race, ou une nation, ou un peuple, c'est parce qu'il est ouvert, accueillant, disposé à convertir, sans se montrer pour autant agressivement prosélyte.

Le judaïsme est donc un ensemble humain partageant volontairement une histoire, une culture, une différence et un avenir ; il est infiniment divers dans le temps comme dans l'espace ; sans cesse transformé, sans cesse repensé, en permanente résilience, doutant assez de lui-même pour se renouveler ; s'aimant assez pour résister à tous les dénigrements ; forcé parfois, par ceux-là mêmes qui le haïssent, à apprendre à s'aimer.

Et comme il est une culture, il est d'abord fait de souvenirs, d'une langue, d'une vision du monde, de pratiques et d'une histoire.


## Le judaïsme est d'abord un ensemble de souvenirs

Ceux des prières de mon père, rabbin par sa culture sinon par profession ; ceux des récits de ma mère qui enseigna l'hébreu et la Bible aux élèves d'une école de l'Alliance israélite universelle, à Alger. L'un et l'autre traduisant l'hébreu en français en passant par l'arabe, langue dans laquelle, pendant plus de quinze siècles, près de soixante générations juives ont commenté la Bible. L'un et l'autre nés français en Algérie, ayant l'un et l'autre cessé de l'être le 7 octobre 1940, quand le gouvernement de Vichy en fit des « juifs indigènes » privés du droit de vote, du passeport et du droit d'exercer comme instituteurs, professeurs, avocats ou médecins ; l'un et l'autre redevenus français le 31 octobre 1943, jour où le décret qui avait accordé cette nationalité à tous les juifs d'Algérie en 1870 fut enfin rétabli, malgré bien des réticences des gaullistes et des giraudistes, près d'un an après le débarquement des troupes américaines à Alger[30], à peine vingt-quatre heures avant ma naissance et celle de mon frère.

Ce livre commence donc par un retour vers mon père, nous emmenant pour la première fois à la synagogue, à Alger, un jour de Kippour, puis nous faisant découvrir l'Ecclésiaste et le Livre des Pères (Qohelet et *Pirké Avot*) ; vers ma mère, nous apprenant à lire les premiers rudiments d'hébreu avant même que nous n'apprenions à déchiffrer le français ; et vers ma ville natale, Alger, dont l'essence juive, si vibrante, chaleureuse et intense, a depuis lors totalement disparu. Il se continue par un autre voyage, à l'âge de douze ans, vers la « métropole » et Paris où je n'ai jamais eu à souffrir de l'antisémitisme, si manifeste en France jusqu'au XIXe siècle, si tragiquement combiné à la lâcheté pendant l'Occupation, aujourd'hui encore présent, au moins de façon souterraine. Ce livre se poursuit encore par un voyage vers ce pays né après moi, Israël, dont j'ai appris très jeune à aimer les paysages et les habitants, juifs et arabes, israéliens et palestiniens, de Tibériade à Gaza, de Jérusalem à Naplouse, de Bethléem à Eilat. Il continue encore par un autre périple dans l'immensité d'une culture, en commençant par les auteurs juifs préférés de mon père : les historiens Simon Doubnov et Jules Isaac, les romanciers Sholem Asch[32] et Arthur Koestler[173], les philosophes et poètes Gershom Scholem[265] et Edmond Fleg, et surtout les textes eux-mêmes…

Un voyage aussi vers toutes les synagogues du monde : celle, magnifique, de la rue Saint-Eugène, à Alger ; puis celle, si solennelle, de la rue de la Victoire, à Paris, où j'ai fait ma bar-mitsva ; puis celle, si touchante, de la rue Saint-Lazare, tout à côté, où mon père avait retrouvé sa place parmi ses amis, rapatriés d'Algérie six ans après notre arrivée à Paris ; puis celles de la communauté libérale qui m'est si chère ; enfin celles de toutes les villes du monde où j'ai

cherché des traces du judaïsme : Prague, Ispahan, Mumbay, Venise, Budapest, Cordoue, Fès, São Paolo, Berlin, Varsovie, Moscou et tant d'autres.

Souvenirs enfin de toutes les connivences ambiguës, implicites, avec des gens qui n'avaient en commun avec moi que cette généalogie : étrange dîner avec Bruno Kreisky, alors chancelier d'Autriche, dans le salon même où s'était déroulé le congrès de Vienne, dîner pendant lequel, devant ses collaborateurs interdits, la conversation entre nous tourna vite à une comparaison taquine des caractères des Ashkénazes et des Séfarades ; plus étranges encore, les conversations avec une très vieille dame

dans une synagogue d'Ispahan ; avec un médecin à
Cuba ; avec un haut responsable du Comité central du
Parti communiste de l'Union soviétique dans la salle
Saint-Georges du Kremlin, ou avec un juif libyen devenu
ministre vénézuélien puis grand patron de presse aux
États-Unis. Souvenirs, enfin, de mes conversations avec
tant de sages : Henri Atlan, Manitou, Élie Wiesel, le rabbin Steinsaltz, le rabbin Eisenberg, le rabbin Farhi, entre
tant d'autres. Et surtout le grand rabbin Sirat, mon maître
admiré depuis tant de décennies et qui a bien voulu, avec
mon frère Bernard, Claude Durand, Daniel Farhi, Lucien
Lazare[179], Victor Malka, Denis Maraval et Pierre-Henri
Salfati[260], relire en détail ce manuscrit.

## Le judaïsme est une langue

Langue très simple en apparence, dont les consonnes
sont empruntées à l'alphabet phénicien et qui renvoie à
des pictogrammes sumériens ; dont les voyelles n'apparaissent ni dans la majorité des documents religieux, ni
dans l'hébreu moderne. Une langue dont chaque lettre,
on le verra, constitue un univers. Une langue qui a
continué à être calligraphiée pendant vingt-cinq siècles ;
une langue qui n'a jamais cessé d'être lue, mais dans
laquelle n'ont écrit, depuis deux mille ans, que quelques
rares écrivains, en particulier, au XIe siècle, comme Ibn
Ezra et Yehudah Halévy. Une langue qui a cessé presque
totalement d'être parlée il y a dix-huit siècles, hormis par
ses dérivés (le ladino, le judéo-arabe et le yiddish), avant
de resurgir à la fin du XVIIIe siècle à Königsberg, puis, au
XIXe, à Odessa avec Bialik[51], Jabotinsky[160] et
Tchernikhovsky[291], et au XXe, en Palestine, d'abord à
l'école puis à la radio, dans les romans d'Agnon[28] et de

Shlonsky[272], lors d'une renaissance littéraire magnifiquement illustrée dans ses romans par Amos Oz[230].

## Le judaïsme est un Livre

Ce livre est la Torah, que les Grecs nommeront la Bible. Cinq « chapitres » (Genèse, Exode, Lévitique, Nombres, Deutéronome) et des « annexes » (telles que les Prophètes, Ruth, Qohelet, les Psaumes, le Cantique des Cantiques, etc.) dont on donnera plus loin le détail. Écrit, dit la tradition, par Moïse. Écrit, disent les historiens, si contestés, en quatre fragments : le « Yahviste », au temps de Salomon, qui parle d'un Dieu proche d'un peuple et des hommes ; le « Elohiste », rédigé vers – 850, donc un siècle après, dont les Prophètes sont les principaux héros, qui contient le Décalogue et où le peuple juif ne joue aucun rôle particulier ; le « Deutéronomiste », écrit sous le règne d'Ézéchias, vers – 715 ; enfin le « Sacerdotal », écrit à Babylone vers – 550. L'ensemble, mis alors en forme en cinq livres à Babylone, est ensuite commenté en détail, à partir du Sanhédrin, deux siècles avant notre ère, à Jérusalem. L'obsession est désormais de n'en plus changer une virgule. Puis se fixe au Ier siècle de notre ère l'adjonction, ou le rejet, de textes annexes au Pentateuque. On admet les Psaumes, les Cantiques, Ruth, les Prophètes mais pas Henoch et d'autres.

Texte martyr, puisqu'il est ensuite sans cesse brûlé, détruit, et qu'on n'en connaît aucune version complète en hébreu antérieure au Codex du Caire, qui date de l'an 916 de notre ère[203]. Les découvertes les plus récentes (en particulier celles des documents de la Genizah du Caire et ceux de Qumran en 1947), confirment d'ailleurs que le texte de la Torah est resté inchangé en hébreu depuis au moins l'an 550 avant notre ère. Les traductions de la Torah en grec puis en latin, puis en d'autres langues, se fondent sur cette version du VI$^e$ siècle avant notre ère, puis sur la version latine de saint Jérôme. Et, on le verra : traduction, trahison...

## Le judaïsme est une théologie

Elle repose sur deux principes : une foi et une mission.

Le premier principe se résume par le plus célèbre verset du Deutéronome : « *Écoute Israël ! L'Éternel est notre Dieu, l'Éternel est un* » (Dt 6, 4), par lequel commencent les prières du matin et du soir et qui doit être prononcé par tout juif au moment ultime. Dieu. Le mot même n'existe pas en hébreu ; Il n'est, pour le judaïsme, ni une personne ni un mythe, à peine un concept ; Il est unique (même si le premier des mots qui Le désigne, *Élohim*, est un pluriel) ; Il est éternel (un autre des noms qui Le désigne, le Tétragramme, est composé du verbe « être » conjugué à tous les temps). Il est enfin abstrait, et inconnaissable. Il est universel car, comme le dira magnifiquement au XIX$^e$ siècle un rabbi polonais, Mendel de Kotzk : « *Dieu habite partout où on Le laisse entrer.* » Universel aussi parce qu'Il est celui de tous les hommes ; comme le dira Emmanuel Levinas : « *Les descendants d'Abraham, d'Isaac et de Jacob, c'est l'humanité qui n'est plus enfantine.* » Il n'exige pas la conversion de tous au judaïsme ; Il ne demande pas à l'homme de prier pour son salut. Il est énigmatique, enfin, parce que, étant unique, le Mal ne peut être imputé à une autre divinité et semble donc faire partie de Son projet : « *L'Éternel a tout fait en vue de sa fin, et même le méchant pour le jour du malheur* » (Pr 16, 4).

Le second principe s'exprime dans la mission reçue par les juifs : « distingués » à un certain moment de l'Histoire pour être Son intermédiaire auprès de tous les hommes, ils ne prétendent pas être « élus », comme le veut le discours chrétien et ses dérivés antijudaïques. Ils sont choisis pour être placés au service des autres hommes, comme le sont, en d'autres religions, certaines communautés monachiques. Ils auraient bien voulu ne pas recevoir cette charge dont ils mesurent chaque jour, depuis 3 000 ans, la lourdeur et les dangers ; mais elle ne leur incombe, dira le *Zohar* au XIIIᵉ siècle, que parce que tous les autres l'ont refusée avant eux. Comme le soulignera encore Emmanuel Levinas : « *Ce n'est pas par le fait d'être Israël que se définit l'excellence, c'est par cette excellence – la dignité d'être délivré par Dieu lui-même – que se définit Israël[185]. »* Mais dans quel but sont-ils ainsi « distingués » ? Les rabbins répondent : « *Nous ne savons pas pourquoi l'univers existe, mais, maintenant qu'il y a quelque chose, faisons en sorte que cela se passe le mieux possible.* » Aussi les juifs doivent-ils, à leur place, sans se considérer comme supérieurs, aider à ce que « *cela se passe le mieux possible* » ici-bas, sans rien attendre de Dieu ni d'un éventuel Paradis.

D'où, dans la pensée juive, la passion de l'autre, le non-juif ; le désir de le comprendre, de le servir sans pour autant se perdre en lui. D'où encore l'importance majeure du principe énoncé il y a vingt et un siècles par l'immense rabbi Hillel, lui aussi avant Jésus : « *Ne fais pas à autrui ce que tu ne veux pas que l'on te fasse. Ceci est la Loi.* » D'où encore l'idée qu'Israël ne peut être heureux si tous les autres le sont avant lui. D'où aussi l'interdiction de dire du mal d'autrui, et la haine de la médisance, dont parlent si bien les auteurs du Talmud de Jérusalem quand ils écrivent : « *Le langage tue trois personnes : celle qui rapporte la rumeur, celle qui l'écoute et celle qui la répète.* » D'où l'ambition de réparer le monde, mission universelle, pour le bien de tous. D'où l'idée que la nature ne mérite pas un respect absolu, car il faut lui préférer les œuvres humaines. D'où encore la passion du judaïsme pour l'écriture, la lecture, le savoir, le progrès. D'où son attitude bienveillante à l'égard du progrès : pour le judaïsme, le scandale n'est pas la richesse, mais la pauvreté. D'où, aussi, son attitude à l'égard du temps, socle de l'action, cadre de la création et de la réparation du monde, source de toutes les impatiences. D'où encore la bataille sans cesse recommencée entre la transgression et le repentir, l'une et l'autre nécessaires. D'où, enfin, l'attente d'un agent de l'espérance qui pourrait être un homme, voire un événement, ou seulement résulter de l'action des hommes assemblés. Un Messie qui, pour les juifs, n'est pas encore venu et ne saurait être un fils de Dieu.

## Le judaïsme est une pratique

Très longtemps, le judaïsme, religion prosélyte, ne s'est défini aux yeux des autres, que par la pratique qu'il imposait à ses fidèles. Pratique particulièrement exigeante : alors que, dit le Talmud à propos de Noé, les non-juifs ne doivent respecter que sept lois portant sur l'interdiction de la violence, les juifs sont, quant à eux, tenus d'observer 613 commandements.

L'essentiel de ces pratiques vise à perpétuer l'identité juive, à permettre de rester autonome, en dépit des vicissitudes de l'exil ; sans pour autant s'enfermer.

La première des pratiques, celle qui détermine le reste, est l'obligation d'apprendre. Et d'abord

d'apprendre à lire et à écrire. Aucune autre communauté humaine ne s'est ainsi donnée, depuis trois mille ans, sans interruption, cette mission. Apprendre à écrire et à lire de ses parents, apprendre à écrire et à lire à ses enfants, apprendre en même temps les prières, les histoires bibliques, et surtout apprendre à raisonner, à douter, à vivre en société ; apprendre un métier, puisque personne, pas même le plus grand des théologiens, n'est autorisé à recevoir de l'argent pour l'exercice d'une activité religieuse. Une belle histoire talmudique raconte d'ailleurs que la judéité d'un homme ou d'une femme se juge à ses enfants, et non à ses parents. Autrement dit, pour toute personne, juive ou non, le plus important n'est pas ce qu'elle reçoit, mais ce qu'elle transmet.

La deuxième des pratiques est l'obligation de vivre en communauté : être au moins dix pour prier ; mettre en place un certain nombre d'institutions : l'école pour apprendre, la *tsedaka* pour garantir la dignité à tous, la synagogue pour prier, des tribunaux pour faire appliquer les lois et qui doivent, selon un commentaire magnifique, obliger les membres d'une communauté « *à se rendre réciproquement tous les services compatibles avec leur propre intérêt* », permettant aux communautés d'appliquer partout, depuis plus de vingt-cinq siècles, en tous lieux du monde, la même jurisprudence, de suivre le même calendrier, de lire chaque semaine le même passage de la Torah, sans qu'aucun organe central n'ait à en décider.

La troisième des pratiques est l'ouverture aux autres : le judaïsme ne peut survivre que s'il accueille des nouveaux venus, s'il accepte les conversions. Oui, le judaïsme est ouvert. Il n'est pas secret, ni comploteur, ni fermé, comme tant de gens ont voulu le faire croire. Il n'est écrit nul part dans le Pentateuque qu'il se transmet par les femmes, et il existe bien d'autres voies que la filiation pour devenir juifs. Les conversions, individuelles ou de masse, sont souhaitées, encouragées, bénies, jamais forcées. Quiconque souhaite partager cette mission est bienvenu, même si les deux autres monothéismes, venus bien après lui, font tout, depuis leur apparition, pour empêcher les conversions au judaïsme ; et même si les comportements de certains rabbins ultra-orthodoxes sont aujourd'hui particulièrement restrictifs.

Car rien n'est plus contraire au judaïsme que le mur dont l'édification est décidée par les autres et qui leur rappelle qui ils sont, même quand ils voudraient l'oublier ; la fermeture reste une décision des non-juifs. Elle commence au moins dès l'exil à Ninive il y a vingt-six siècles ; elle continue avec le *mellah* dans le monde arabe ; elle prend le nom de ghetto à Venise, où les juifs sont regroupés sur une île, dans les plus hauts immeubles de l'Europe, puis séparés par un mur passant au milieu d'une rue à

Francfort ; isolés dans d'immenses enclos dans les empires allemand, autrichien, polonais et russe où près de neuf millions de juifs se retrouvent prisonniers, en septembre 1939, quand Hitler fait de leur enfermement la dernière étape avant leur anéantissement. Aujourd'hui, le mur érigé par Israël pour se protéger efficacement des attentats-suicide pourrait aussi en faire, s'il n'y prend garde, le plus grand ghetto de l'Histoire.

Le judaïsme n'est donc pas une race. Il n'y a jamais eu quoi que ce soit, dans le génome humain, qui détermine qu'un individu est juif ou non juif ; il n'existe en particulier pas de séquence d'ADN commune à tous les juifs et absente chez tous les non-juifs. Il faut donc parler du juif sans majuscule, car ce mot ne désigne qu'une façon d'être.

Bien d'autres pratiques s'ajoutent à celles déjà énumérées : pour rappeler le passé et l'avenir, célébrer des fêtes qui décrivent et rappellent la mission juive (Pessah, Chavouot, Rosh ha-Shana, Kippour, Soukoth, Hanoukka, Pourim) ; respecter le chabbat qui rappelle la séquence de la création de l'Univers ; ne pas consommer de produits fabriqués hors des exigences de ce qu'on appelle la kashrout – ce qu'on nommerait aujourd'hui, pour l'essentiel, l'hygiène, et qui englobe tout ce qui vient de la bouche, c'est-à-dire tout ce qui se mange et tout ce qui se dit.

## Le judaïsme est une façon de penser

Comme les Upanishad, comme les récits cosmogoniques des Amérindiens, comme la mythologie grecque et bien d'autres textes sacrés, le judaïsme est d'abord une mise en question de la condition humaine, une interrogation sur la nature du temps, de la matière, de l'esprit, et sur les conditions de la création de l'Univers.

Mais, à la différence de beaucoup d'autres cosmogonies, il n'est pas un dogme : il est une interrogation, non une réponse. D'où l'obsession juive de douter, de ne jamais se contenter d'une affirmation, même du plus lettré des rabbis ; de toujours discuter, fût-ce avec Dieu ; de refuser de ne lire la Bible qu'au premier degré, mais d'y chercher sans cesse des messages secrets. Avec, chaque fois, une réponse derrière toute question, une question derrière toute réponse. D'ailleurs, dans le Talmud, personne n'a jamais le dernier mot ; toute question reste ouverte et renvoie à une autre, à l'infini, sans qu'aucune interprétation ne l'emporte jamais sur les autres.

En cela le judaïsme participe au premier chef à la mise au point de la méthode scientifique : comme il se veut l'art de chercher ce qu'on appellera ensuite Dieu (qu'il appelle l'Universel) derrière l'homme (qu'il appelle le particulier), il rejoint la pratique du chercheur scientifique qui recherche l'abstraction derrière l'expérience. D'où la relation naturelle, dans le judaïsme, entre la réflexion philosophique et le doute scientifique, entre la métaphore et la vérité, entre la foi et la raison. Comme le dira à Jérusalem, au IIe siècle de notre ère, le rabbi Yehouda Hanassi : « *Emet mashal haya* » – ce qui veut dire à la fois « *La vérité est métaphore* », mais aussi « *La métaphore est vérité* »...

## Le judaïsme est une histoire, d'abord mythologique

Le judaïsme ne se réduit donc pas à une foi. Bien des juifs sont d'ailleurs devenus athées sans cesser pour autant d'être profondément juifs. Même si le judaïsme commence par l'histoire du rapport batailleur d'un peuple avec son dieu.

Si l'on en croit le récit et le calendrier bibliques, évidemment imaginaires, le peuple juif commence il y a environ quatre mille ans (quatorze générations après Adam, quatre générations après Noé, chaque génération jusqu'à Noé vivant cinq à huit siècles). Cette partie de son histoire débute en Anatolie avec un berger nommé « Evel », descendant de Noé et de son petit-fils Sem. Selon les démographes, l'ensemble de la planète est alors peuplée d'environ cinq millions d'individus. « Evel » est un mot essentiel : il veut dire à la fois : autre côté d'une frontière, commencement, embryon, inachevé, nomade, homme de passage. Mais aussi, et c'est l'essentiel, on le verra, *transgression*. On retrouve ce thème du voyage dans bien des mythes originels des peuples les plus variés : leur fondateur vient d'ailleurs ; le premier de leurs dieux protège les voyageurs et règne sur la communication et l'échange, conditions de la paix et de la confiance.

Le peuple hébreu ne déroge pas à cette règle et son histoire théologique commence par un voyage : Evel transhume en Anatolie et y croise les Hittites qui affrontent les Sumériens en Mésopotamie ; il traverse les premières cités-États (Ourouk, Lagash, Girson et Kish) où sont adorés des divinités liées à la fertilité (Baal, Ashéra, Milkom, Astarté). Ses enfants prennent le nom de « Ivri » ou « Apiru », qui désigne ceux qui sont en servitude, ou les marginaux. Nomades, ils sont marchands caravaniers, éleveurs d'ânes, pasteurs ; ils prient à chaque étape l'ancêtre immédiat qui les accompagne et les protège en échange de sacrifices d'animaux.

Six générations plus tard, en Anatolie, l'un des descendants de cet Evel, Abram, devient Abraham et reçoit d'un nouveau Dieu, Élohim, l'ordre de croire en Lui, et en Lui seul, de chanter ses louanges sans remettre en cause l'existence d'autres divinités pour d'autres peuples. On retrouve exactement au même moment, cette exigence d'un Dieu unique, d'un Éternel indicible, expression de la totalité des forces traversant l'Univers, dans la *Parramatta* des Upanishad et dans le « Sans Nom » de la *Bhagavad-Gita*. Certains vont même jusqu'à chercher un lien entre l'étymologie d'Abraham et celle de Brahmane...

Élohim donne à Abraham l'ordre de quitter Harran, aujourd'hui en Irak, pour s'installer plus à l'ouest, en Canaan. Cette partie du monde, aujourd'hui Israël et Palestine, n'est pas choisie au hasard : c'est déjà un territoire stratégique, au carrefour des principales routes commerciales de l'époque ; c'est aussi la région côtière la plus proche de la plaine agricole la plus fertile : céréales et poissons, jardin d'Éden. C'est aussi le lieu où, selon les historiens, l'agriculture a commencé, il y a douze mille ans.

Les habitants de Canaan sont alors des tribus sémites : Amorites et Jébuséens, et la région est occupée par les troupes des pharaons de la douzième dynastie.

Abraham obéit à Dieu. Il s'installe à Hébron, en Canaan, avec sa femme Sarah et leur fils Isaac. Il se sépare, dit-on, de son autre femme, Agar, de leur fils, Ismaël puis de son neveu, Loth. Dieu refuse à l'ultime instant le sacrifice d'Isaac qu'Il a demandé à Abraham, interdisant à jamais les sacrifices humains. Abraham achète alors la grotte où il enterre Sarah, pour marquer sa propriété de la région. Son petit-fils Jacob combat un ange qui lui donne le nom d'Israël (« le combattant de Dieu »), nom qu'il transmettra à sa descendance. Puis Jacob répartit les terres achetées par son grand-père et son père entre ses douze fils : douze tribus.

Il y a environ trente-huit siècles, selon la Bible, dix d'entre ces fils de Jacob partent, chassés par la famine, pour l'Égypte où ils retrouvent leur cadet, Joseph, qu'ils avaient vendu un peu avant comme esclave et qui était devenu conseiller de Pharaon. Eux et leurs descendants y sont bien traités jusqu'à l'arrivée en Égypte, vers – 1700, d'un peuple nouveau, les Hyksos, venus du nord, dont les archives confirment l'existence et qui prend le pouvoir grâce à sa maîtrise de la roue, de l'acier et du cheval. Les Hébreux deviennent alors des esclaves et leur vie tourne à l'enfer.

Cinq siècles plus tard, vers 1200 avant notre ère, on approche d'une période historiquement vérifiable. Selon la Bible, les Hébreux sont toujours en Égypte, quand leur Dieu, Élohim, se révèle à nouveau (cette fois sous le nom de Yahvé) à un autre esclave juif devenu (lui aussi, comme Joseph) prince égyptien : Moïse. En montrant, par dix fléaux, la supériorité de son Dieu sur ceux des Égyptiens, Moïse obtient de Pharaon la liberté pour son peuple et le droit de le ramener en Canaan.

Pendant quarante ans d'errance dans le labyrinthe du désert, ce peuple (et ceux des Égyptiens qui l'ont accompagné) reçoit le Décalogue, après l'épisode du Veau d'or. Après la mort de tous les Hébreux ayant quitté l'Égypte (y compris Moïse), son successeur, un redoutable chef de guerre nommé Josué, entre en Canaan. Il y rencontre un autre peuple nommé Cananéen (que la Bible fait descendre de Canaan, fils de Cham, petit-fils de Loth, parent d'Abraham) qui s'installe au même moment le long de la côte méditerranéenne, d'Ugarit à Gaza.

Peu à peu, l'Histoire rejoint le mythe. La région est alors peuplée d'environ un demi-million d'individus : pour l'essentiel des Cananéens et des « Philistins » (de l'hébreu *Peleshet*, « Peuple de la Mer »), divisés en petits royaumes, sous le contrôle non plus des Égyptiens, mais de la nouvelle grande puissance orientale, les Hittites.

Au terme d'affrontements d'une extrême violence, les douze tribus repoussent Philistins et Hittites, et s'installent sur la plaine côtière entre Jaffa et Gaza. Après Josué, d'autres chefs (Déborah, Jephté, Samson et Gédéon) dominent l'assemblée des Anciens et des généraux. Ils agrandissent leur territoire les armes à la main. Plusieurs de ces juges disent rêver de Dieu et sont reconnus comme prophètes.

Vers 1020 avant notre ère, sous la pression du peuple, le dernier d'entre ces juges, Samuel, choisit au hasard, contre son gré, le premier roi, Saül ; puis, déçu par lui, il le remplace par un autre, David, premier personnage biblique dont la réalité historique semble établie.


## Le judaïsme est une énigme historique

Cette histoire commence comme celle de tous les peuples de la région : par un, puis des royaumes. Elle continue, à partir de l'an 600 avant notre ère, par une diaspora ; d'abord sans État, puis en soutien à un État fragile. Elle continue, à partir du premier siècle de notre ère (au moment où elle aurait dû se perdre), par une diaspora sans État, d'abord centrée sur la Babylonie pendant mille ans, ensuite sur l'Espagne pendant cinq siècles, puis sur la Pologne et la Russie pendant quatre autres siècles, enfin autour du rêve américain et du rêve sioniste.

Voici maintenant les principaux repères de cette histoire. Ils faciliteront le voyage dans les diverses entrées de ce dictionnaire. Ils permettent en particulier d'expliquer le choix des mots : par exemple, ceux qu'on appelle aujourd'hui les « juifs » sont appelés les « Hébreux » jusqu'à la mort de Salomon (vers 930 avant notre ère) ; ils se divisent alors en « Israélites » et « Judéens » ; au VIe siècle avant notre ère ne survivent que les « Judéens » qui, trois siècles plus tard, deviendront les « juifs ».


### Un, puis deux États

À la mort de David, vers – 970, un de ses fils, Salomon, bâtit un temple à Jérusalem et conforte un État aux frontières reconnues. La Torah n'est pas encore, semble-t-il, entièrement rédigée. Elle est cependant déjà scrupuleusement transmise depuis au moins deux siècles. À la mort de Salomon, vers – 930, le royaume d'Israël fait sécession, regroupant dix tribus sur le territoire de la Cisjordanie et de la Galilée d'aujourd'hui, avec Samarie comme capitale ; cet État est dirigé par des rois élus. À Jérusalem, le royaume de Juda, plus petit et plus austère, reste dirigé par des descendants de David et de Salomon. Les deux peuples se nomment désormais les « Israélites » et les « Judéens ». Les deux royaumes, attaqués de toutes parts, en particulier par les Iduméens – c'est-à-dire des tribus arabes –, tentent de se réunir. Pour y parvenir, un des premiers rois d'Israël, Achab, donne en mariage au fils du roi de Juda sa fille Athalie (on m'en a tant parlé !) ; le rapprochement politique échoue, mais les deux royaumes conservent la même religion en échangeant rabbis et prophètes. Nombre d'Hébreux s'installent aussi en Égypte, en Syrie, à Babylone, en Afrique du Nord, en Europe même, faisant commerce de métaux et d'étoffes. Plusieurs prophètes (est prophète celui qui reçoit en rêve des visions inspirées de Dieu) se manifestent, dont Amos vers 780 avant notre ère. Le premier de ceux qu'on nommera ensuite le « prophète Isaïe » prononce vers – 765, depuis Jérusalem, des paroles qui seront répétées pendant des millénaires dans toutes les communautés juives dispersées : *« Il lèvera l'étendard vers les nations pour recueillir les exilés d'Israël et rassembler les débris épars de Juda des quatre coins de la terre »* (Is 11, 11-12). En fait, l'éparpillement des juifs à travers le monde ne fait que commencer. Et les textes sacrés, répétés de génération en génération, commencent à s'écrire, dans ces communautés, sur des rouleaux de parchemins.

Vers – 722, la première puissance du moment, les Assyriens, dirigés par le roi Sargon, envahissent le royaume d'Israël, trop insouciant. Ils détruisent Samarie et déportent les dix tribus israélites à Ninive, sur les rives du Tigre et de l'Euphrate, près de l'actuelle Mossoul. Ces dix tribus ne reviendront, semble-t-il, jamais au judaïsme : dix tribus perdues, sans cesse recherchées depuis.

En – 612, Ninive s'effondre à son tour sous les coups d'un autre empire dirigé par Nabuchodonosor, dont l'une des capitales est Babylone. En – 597, ce roi envahit le royaume de Judée et exile à Babylone un premier groupe de dirigeants du royaume. Parmi eux, en – 593, le jeune Ézéchiel prophétise depuis Babylone, cependant que Jérémie prophétise depuis Jérusalem. En – 587, comme l'un et l'autre l'ont annoncé, Jérusalem est occupée par les Babyloniens. Le Temple bâti par Salomon quatre siècles plus tôt est détruit. En – 576, tous les Judéens sont déportés en Babylonie.

À cette date, le judaïsme aurait dû disparaître : plus d'État, l'essentiel des membres des douze tribus disséminés, exilés et convertis. Pourtant...

## *Six siècles en Babylonie et à Jérusalem*

Premier sauvetage : en – 539, Cyrus, vainqueur des Babyloniens, permet à ceux des Judéens qui le veulent de retourner à Jérusalem et de rebâtir le Temple, soixante-dix ans après sa destruction, exactement comme l'a prévu Jérémie. Un cinquième seulement d'entre eux effectuent ce voyage de retour (même proportion que ceux qui auraient suivi Moïse à la sortie d'Égypte). Les autres restent à Babylone, devenue l'une des capitales perses, sans perdre pour autant leur identité, à la différence des dix premières tribus assimilées à

Ninive. Libres de s'administrer, de vivre leur religion, d'écrire leurs textes et même de convertir d'autres personnes, ils inventent là, sans le savoir, les principes de leur vie ultérieure, ceux qui garantiront leur survie : accepter la loi des pays d'accueil, vivre groupés, rester reliés aux autres communautés en exil.

En – 522, un roi nommé Darius prend le pouvoir à Babylone. Il nomme Zorobabel, fils du roi exilé, comme son représentant à Jérusalem et le laisse y édifier un second Temple, promis par Cyrus et inauguré en 515 avant notre ère. Un État juif est ainsi reconstitué, cette fois sous tutelle perse. L'araméen, langue sémitique administrative de l'Empire perse, devient la première langue écrite et parlée du Proche-Orient, en particulier celle des Judéens.

Mais la langue hébraïque ne disparaît pas pour autant : Esdras le Scribe, un des chefs judéens rentrés à Jérusalem avec Zorobabel, crée, pour mettre en ordre les textes sacrés, une assemblée de sages, le Sanhédrin. Selon le Midrash, pour en faire partie il faut être capable de démontrer qu'obéir à n'importe quel commandement est un devoir sacré et qu'il en va de même pour leur transgression... C'est vraisemblablement à ce moment, et par eux, qu'est écrite en hébreu toute la Torah. C'est à ce moment (disent les audacieux, d'Ibn Ezra à Spinoza), qu'est écrite la Bible, qui, soutiennent-ils, n'a pas été dictée par Dieu à Moïse. Un texte, diront la Mishna et la Kabbale, où chaque lettre compte. À ce moment aussi, que prophétise Daniel, jeté aux lions par le même Darius et miraculeusement sauvé.

En 458 avant notre ère, le fils de Darius, nommé Xerxès (héros de la fête de Pourim), sauve les juifs d'un massacre et recule devant les Grecs à Salamine. Son petit-fils, Artaxerxès, gouverne un empire affaibli en s'entourant d'intellectuels grecs (dont Thémistocle, exilé d'Athènes) et hébreux (dont Néhémie, un rabbi qu'il nomme en – 445 gouverneur de Judée afin d'éviter que s'y perpétue une dynastie de descendants de Zorobabel : surtout pas de roi hébreu à Jérusalem !). Là, prophétisent les trois derniers prophètes : Aggée, Zacharie et le mystérieux (et sans doute fictif) Malachie, « l'Envoyé ». Après eux, aucun autre prophète ne se manifeste plus, en tout cas selon la tradition juive. L'interdépendance entre le judaïsme et la pensée grecque devient considérable : Aristote comme Pythagore ont des maîtres juifs.

L'antijudaïsme commence alors, selon l'Histoire ; même s'il remonte à plus loin, selon la Bible. En Grèce, au Ve siècle avant notre ère, le philosophe Démocrite, un des premiers théoriciens de la Création de l'univers – qu'Einstein admirera autant qu'il admirera Spinoza –, affirme que, tous les sept ans, les juifs capturent un étranger, l'amènent dans leur Temple et le coupent en morceaux. En Égypte, au siècle suivant, un prêtre dénommé Manéthon, auteur d'une *Histoire de l'Égypte*, explique que les juifs ne sont qu'« une race de lépreux », déjà renvoyée d'Égypte à l'époque de Moïse, et d'où il convient de les chasser de nouveau.

Commence ce que les historiens appellent l'« âge du silence » où rien d'essentiel ne s'écrit ni ne se passe dans la région. Il dure deux siècles, jusqu'en – 333 et à l'arrivée d'Alexandre le Grand et de ses successeurs, des généraux grecs (les Ptolémées en Égypte et, en Judée, les Séleucides plus à l'est). Les Ptolémées tentent d'helléniser la région, désignent les Hébreux sous le nom d'« Hebraios » et emploient, semble-t-il, pour la première fois en grec les termes « juif » et « judaïsme ».

Au IVᵉ siècle avant notre ère, les rabbins de Judée entament la rédaction de leurs commentaires de la Torah, rédigée trois siècles plus tôt : n'étant plus directement inspirés par Dieu, comme l'étaient les prophètes, ils font remonter leur autorité à Moïse, appelé « notre rabbin », comme font aussi les écoles hellénistiques d'alors qui prétendent, elles, remonter à Platon.

Ils rédigent la Mishna (« enseignement magistral ») et le Midrash (« commentaire »), fait de *halakha* (« jurisprudence ») et de *haggadah* (« légendes »). Ils expliquent que la Torah doit être interprétée à quatre niveaux : littéral, allusif, homilétique (c'est-à-dire fondé sur l'investigation au-delà du sens littéral) et mystique.

Beaucoup se préparent à vivre durablement en diaspora, et même à ne plus parler l'hébreu. Traduire devient donc une question de survie.

Au IIIᵉ siècle avant notre ère, à Alexandrie, à la demande du souverain, soixante-dix juifs traduisent la Torah en grec sous le nom de « Bible des Septante ». Bible : *Biblios*, « le livre », en grec. Soixante-dix traductions séparées, explique la Kabbale, toutes identiques, mais avec, en treize endroits, une même erreur volontaire.

En 175 avant notre ère, l'empire séleucide de Syrie succède en Judée à celui des Ptolémées ; les colons grecs pillent le Temple de Jérusalem et poursuivent l'hellénisation des Hébreux. Cette fois encore, le judaïsme aurait dû disparaître.

En – 164, des juifs, dirigés par un certain Simon Maccabée, reprennent Jérusalem les armes à la main et ré-inaugurent le Temple (ce que commémore la fête de Hanoukka). En – 142, ils proclament l'indépendance de la Judée : des rois hébreux règnent à nouveau à Jérusalem sous le nom de leur famille, les Hasmonéens. Ce royaume juif dure jusqu'à l'occupation de la ville par les Romains en 63 avant notre ère.

En – 44, Jules César accorde à la Judée un statut privilégié et autorise la pratique du judaïsme. Rome rivalise alors avec Ctésiphon, capitale des Parthes, devenus maîtres de la Mésopotamie, pour le contrôle des routes stratégiques menant vers la Chine. À ce moment vit et écrit (d'abord à Babylone, puis à Jérusalem) un des plus grandes lettrés de l'histoire juive, rabbi Hillel l'Ancien dont l'influence sera considérable sur les autres rabbis de son temps et du siècle suivant.

Lorsque, en – 27, Auguste prend le pouvoir à Rome, on compte, selon certaines estimations, environ six millions de juifs dans l'Empire, et autant ailleurs, soit au total près du vingtième de la population du monde (et autant que de juifs aujourd'hui). On en trouve en particulier qui commercent ou exercent la médecine dans tout l'Empire romain, en Gaule, en Espagne, en Afrique du Nord, à Babylone. Certains sont même intendants dans les armées parthes et romaines.

En Judée, certains d'entre eux, les zélotes (en hébreu *quanaim*, les jaloux) s'arment et se révoltent contre Rome. L'attente messianique se fait de plus en plus impatiente. Au début de notre ère, Hérode Antipas (petit-fils d'Hérode le Grand, descendant de tribus arabes qui avaient attaqué Jérusalem au IXe siècle avant notre ère) gouverne la Judée pour le compte des Romains et massacre ceux qui s'y révoltent.

Surgit alors un rabbi de très haute stature, Yeshu ben Yossef, mieux connu aujourd'hui sous le nom de Jésus, qui attire des foules juives croissantes par la force de son discours et de sa révolte contre les puissants. Vers 36, craignant de le voir rééditer l'aventure hasmonéenne, Hérode et les Romains le crucifient. Trois jours plus tard, certains de ses compagnons, tous juifs, presque tous rabbis (« les nazaréens »), le déclarent ressuscité et Messie. Les « apôtres » remettent alors en cause peu à peu la plupart des pratiques juives. Se produit le premier schisme d'envergure au sein du judaïsme et ils se tournent vers d'autres que les juifs, pour leur apporter la bonne parole, l'Évangile.

En 70, pour mater la révolte des zélotes, qui rêvent toujours de chasser les Romains de la région, les Romains détruisent le Temple de Jérusalem. Au printemps 73, après sept mois de siège de la forteresse isolée de Massada, où se sont réfugiés les derniers zélotes, Lucius Flavius Silva, commandant en chef de l'armée romaine de Judée, n'y découvre, selon la légende, que des corps de suicidés.

## *Mille ans en Babylonie sans Jérusalem*

Le judaïsme aurait dû, là encore, disparaître : la Judée est vidée de ses habitants. Plus de deux millions de juifs de Judée et du reste de l'Empire romain s'exilent, semble-t-il, vers les provinces perses. Les autres s'assimilent. Les Romains ne tolèrent plus en Palestine (nouveau nom qui surgit à ce moment et mettra encore trois siècles à s'imposer dans les écrits romains) que quelques juifs dit « pharisiens », ainsi que les « nazaréens » pour qui le Messie est advenu en la personne de rabbi Yeshu. Les uns et les autres sont nommés désormais « Palestiniens ».

Au IIe siècle de notre ère, certains de ces nazaréens vivant à Alexandrie écrivent en grec les derniers Évangiles (au moins celui de Marc). Au même moment, Appien d'Alexandrie assure que les juifs engraissent chaque année un Grec pour le manger. L'Église chrétienne naissante discute de savoir si son Dieu est le même que celui des juifs, peuple honni, considéré comme déicide.

Dans l'Empire sassanide, qui a succédé à celui des Parthes, les juifs, beaucoup mieux reçus et traités qu'à Rome, se montrent eux-mêmes accueillants, ouverts, presque prosélytes. Ils deviennent même majoritaires en de nombreuses villes, dont Babylone ; l'Empire (qui les force à arborer une rouelle jaune), les laisse s'organiser autour d'un chef politique, l'« *exilarque* » (recruté au sein de familles supposées descendre du roi David) et d'une autorité religieuse, un « *gaon* », lequel dirige une « académie » bientôt plus puissante que celle de Jérusalem, et qui fixe la jurisprudence pour l'ensemble de la diaspora.

Grâce à l'application universelle de cette jurisprudence décidée à Babylone, en dépit de l'absence d'État national et de l'interdiction de vivre sur son territoire originel, le judaïsme survit. La Mishna est alors amplifiée, complétée, précisée par de nouveaux commentaires des versets de la Bible, regroupés dans une Gemara qui, avec la Mishna, forme le Talmud. Une première version, palestinienne, de ce Talmud est reprise par les communautés babyloniennes en un Talmud babylonien beaucoup plus vaste, comptant environ deux millions et demi de mots regroupés en trente-six traités séparés. On verra plus loin que chaque mot de ce texte compte.

C'est à ce moment et en cet endroit que se conçoit et s'écrit un livre majeur, le *Sepher Yetsirah*[7], bref texte énigmatique prétendant expliquer comment l'univers a été pensé par Dieu en même temps que la langue, exposant que la Torah contient un message caché, lisible selon un code secret, et expliquant comment la vie peut être créée en manipulant des lettres et de l'argile. Ainsi voit le jour ce qu'on nommera plus tard la Kabbale (« tradition »), qui vise à décrypter une interprétation cachée de la Torah.

Au IV^e siècle, l'empereur Constantin, devenu chrétien, et le concile de Nicée, convoqué en 324 par l'Église, dénoncent les juifs comme le « peuple odieux ». Quelques années plus tard, en 361, l'empereur Julien (dit l'Apostat) essaie un temps de revenir à la religion romaine, de rendre Jérusalem aux juifs et d'y faire reconstruire le Temple ; mais, après son assassinat par un soldat chrétien de son armée, l'Empire romain redevient chrétien. Les conversions au judaïsme sont alors interdites par l'Empire et par l'Église. La part du judaïsme dans la population mondiale ne fait plus depuis lors que décroître. À tel point qu'il aurait dû alors, une fois de plus, disparaître. Il survit encore pour l'essentiel dans l'Empire perse, où se modifie et se transmet la doctrine.

Au début du VII^e siècle de notre ère, des paroles du Divin sont transmises à Mahomet, lui-même, dira-t-on, descendant d'Abraham, qui tente d'attirer à lui les juifs de Médine. En 638, soit six ans seulement après sa mort, après un siège de deux ans, l'islam prend Jérusalem aux Byzantins de l'Empire romain d'Orient qui venaient à peine de la reprendre aux Perses de Chosroès II. Le calife Abd el-Malik y érige le Dôme, et Al Walid y construit la mosquée Al Aqsa à l'emplacement même du Second Temple détruit par les Romains. Un peu plus tard, les troupes du calife prennent Babylone ; en 762, Bagdad est installée tout à côté et devient la plus grande ville de la région.

Sur les terres ainsi conquises par l'islam, les conversions au judaïsme sont interdites, comme elles le furent en Chrétienté trois siècles auparavant. Juifs et chrétiens y deviennent des « protégés », chassés s'ils ne paient pas un impôt spécial. Les princes musulmans exigent aussi des juifs qu'ils deviennent prêteurs ainsi que le permet la Torah (mais pas le Coran ni l'Évangile). Quelques-uns deviennent banquiers, fermiers généraux, ou ministres de ces premiers princes de l'islam. Les communautés mésopotamiennes, au sein desquelles travaillent de grands théologiens (comme Saadia Gaon, qui traduit la Bible en arabe), dans les Académies de Soura et de Pumbedita, envoient toujours des directives à toutes les communautés juives du monde, préservant l'unité théologique de la diaspora. En 983, la situation des juifs dans certaines parties du monde musulman est si prospère que des pamphlets accusent la dynastie fatimide, au pouvoir en Égypte depuis 969, d'avoir des origines juives.

Puis déclinent la puissance politico-économique de la Mésopotamie et de Bagdad et, avec elle, celle des communautés juives de la région. En 1038, le dernier gaon, puis le dernier exilarque meurent sans successeurs. Les Académies de Soura et Pumbedita ferment leurs portes. Les juifs bagdadis ne sont plus, comme ils l'étaient depuis sept siècles, le centre et l'élite du judaïsme mondial. S'achève là un millénaire et demi de vie presque heureuse en Mésopotamie.

### Trois siècles en Espagne musulmane, sans Jérusalem

Le judaïsme aurait dû une fois encore disparaître : plus de Jérusalem, plus de Babylone, plus de Bagdad. Plus de centre. Plus le droit de convertir. Comment se maintenir ?

L'Europe chrétienne va sauver le judaïsme. Là encore parce que, comme l'Orient musulman, elle a besoin d'argent : les ports, les arrière-pays, les villes riveraines des fleuves, (où vivent des communautés juives depuis le Vᵉ siècle avant notre ère) en attirent désormais beaucoup d'autres. Elles exigent en échange que les juifs pratiquent le métier du crédit, devenu nécessaire à l'économie européenne et que l'Église interdit aux chrétiens comme il l'est aux musulmans. Qu'ils soient médecins ou vignerons, les juifs sont alors tenus de prêter à leurs voisins et aux princes alentour de l'argent qu'ils n'ont pas et qu'ils doivent mettre en commun.

L'antijudaïsme se diversifie ; il est désormais à la fois théologique et économique, renvoyant toujours à une seule et même cause : l'ingratitude. L'Église ne veut pas leur devoir l'idée de Dieu ; les princes se réservent le droit de les haïr pour ne pas avoir à rembourser leurs prêts.

Le judaïsme européen se subdivise alors en deux ensembles géographiques : les Séfarades et les Ashkénazes. Selon rabbi David Azoulay, grand sage marocain de l'époque, les Séfarades vivent en Espagne et descendent de la tribu de Yehudah, les Ashkénazes vivent en Allemagne et descendent de celles de Benjamin et Lévi. Ceux qui vivent autour de la Méditerranée, « exilés de Jérusalem » (pour l'essentiel attachés aux rites de Babylone), s'identifient comme « Sefardim » (d'après le verset du livre biblique d'Abdias qui parle des « exilés de Jérusalem qui sont à Séfarade »). Ils y parlent arabe, prient en hébreu, pensent en grec. « *La langue arabe,* écrit un poète juif du temps, *est parmi les langues comme le printemps parmi les saisons*[136]. » Ils vivent souvent heureux, même si l'islam d'Espagne, comme celui de Babylone, leur impose la rouelle jaune, et un statut spécial même si les massacres ne sont pas rares.

Parmi ces juifs, des paysans, des médecins, des marchands, des architectes, des cartographes, des artisans, mais aussi des poètes, des généraux et des hommes d'État : Yehudah Halévy, Ibn Ezra, Samuel Ha-Naguid, Ibn Chaprout dialoguent avec les philosophes musulmans partisans d'Aristote, de Platon ou du soufisme, d'al-Ghazali à al-Fârâbî. Ils importent les calculs indiens, la géométrie chinoise, la comptabilité babylonienne, la médecine grecque. Pour eux, la science est une voie d'accès à Dieu, ce que résumera très bien, au XIIIe siècle, au nom des philosophes juifs comme des musulmans, le plus grand d'entre eux tous, le musulman cordouan Ibn Rushd : « *La vérité ne saurait contredire la vérité*[157] » : autrement dit, il ne faut pas craindre de contradiction entre les découvertes de la raison et les vérités révélées, puisque les unes et les autres viennent de Dieu. Parmi ces juifs, quelques-uns, très rares, comme le grand poète Yehudah Halévy, partent à Jérusalem, pour y mourir davantage que pour y vivre.

Au même moment, d'autres communautés s'installent en Europe du Nord, appelées là, elles aussi, pour des raisons économiques. Elles prennent le nom d'« Ashkénazes ». Ce nom viendrait de ce que le Talmud trouve une homophonie entre « Gomer » (héros biblique dont le fils se nomme Ashkénaze) et Germania (nom latin de la région). Au XIe siècle, Rachi (qui vit heureux à Troyes comme vigneron et théorise le judaïsme dans son environnement européen), désigne la Lotharingie comme « Ashkenazi ». Au siècle suivant, le mot désigne les juifs de cette région.

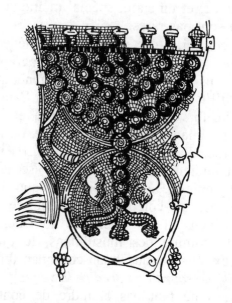

Entre Ashkénazes et Séfarades, seules divergent les langues (yiddish, ladino, judéo-arabe) et les coutumes liturgiques : celles des Sefardim remontent au judaïsme babylonien tandis que celles des Ashkenazim découlent des traditions liturgiques de Judée. Ces coutumes s'interpénètrent : vers 1020, à la suite de multiples mariages polygamiques de marchands juifs allemands en Espagne et en Afrique du Nord, Gershom ben Yehudah, rabbin à Mayence, dont l'influence s'exerce sur tout le monde ashkénaze, interdit la polygamie et impose l'accord de l'épouse en cas de divorce. Il faudra plusieurs siècles pour que les communautés séfarades se rallient à cette interprétation.

À ce moment, dans certaines villes d'Europe, on massacre, on torture, on expulse des communautés juives ; en d'autres, des chrétiens viennent entendre les sermons de rabbins réputés ; des juifs assistent à des messes de Noël ; de grands seigneurs viennent dîner (casher) chez des marchands juifs ; des financiers et médecins juifs sont invités dans les cours royales et y exercent des fonctions considérables.

D'autres communautés juives s'installent alors aussi un peu partout dans le monde, y compris en Inde et en Chine, hormis en Amérique. Un royaume entier dans l'actuelle Ukraine, les Khazars, se convertit à ce moment au judaïsme : c'est la dernière conversion de masse.

Au début du XIe siècle, en Allemagne, la première croisade donne le signal d'une gigantesque chasse aux juifs en Europe du Nord.

En 1149, à Cordoue, survient un énorme bouleversement : après quatre siècles d'une vie commune à peu près tolérable, l'islam chasse d'Espagne les autres monothéismes. L'Andalousie, gouvernée jusqu'alors par les Almoravides, est conquise par la secte des Almohades, venus eux aussi du Sud marocain ; ils ne laissent plus aux juifs et aux chrétiens que le choix entre la conversion, la mort ou la fuite. Peu de juifs se convertissent, alors que rien ne permet d'espérer ni un retour à Sion ni une vie meilleure en Chrétienté et que tout conduit à ne plus voir alors dans le judaïsme la vague survivance d'un monde englouti.

### Trois siècles en Espagne chrétienne sans Jérusalem

Né à Cordoue en 1135, Maimonide part en 1149 pour Fès, puis pour l'Égypte d'où il explique, dans un livre majeur, le *Guide des Égarés,* signe de ralliement adressé aux communautés juives du monde entier, que la seule manière d'aimer Dieu est de chercher à comprendre Sa création : la foi redevient compatible avec la raison.

En 1182, Philippe Auguste bannit les juifs de France puis les rappelle : il en a encore besoin comme prêteurs. Commencent à se proférer les accusations des meurtres rituels. En 1189, la troisième croisade entraîne un nouveau massacre de juifs anglais, rappelés ensuite pour les mêmes raisons. En 1215, le IVe concile de Latran énonce qu'ils doivent porter des vêtements spéciaux. En 1242, à Paris (sous le règne de saint Louis, le plus antisémite des rois de France) des charrettes remplies de manuscrits du Talmud sont brûlées. L'Espagne chrétienne devient (avec les États du pape, qui entend conserver des témoins du martyre du Christ, et avec certaines villes italiennes), l'un des derniers lieux d'Europe occidentale à tolérer les juifs.

En réaction, au XIIIe siècle, de Tolède à Salamanque, est alors élaboré un judaïsme mystique autour d'un personnage énigmatique : Moïse de León, et de son livre, le *Zohar*[10], premier texte européen de la « Kabbale » visant à expliquer le message secret de la Bible à partir du *Sepher Yetsirah*[7], écrit dix siècles plus tôt, et des débats qu'il a suscités.

En 1264, soit un an après que l'Église catholique a pris le contrôle des Lieux saints de Jérusalem, le prince Boleslas accueille des juifs en Pologne. Les juifs sont de nouveau chassés d'Angleterre en 1290 et du royaume de France en 1306, où ils sont rappelés, puis chassés de nouveau en 1394. Beaucoup se replient alors en Pologne, là encore parce qu'on y a besoin d'eux : les nobles veulent qu'ils remplissent les fonctions que pourrait remplir une bourgeoisie nationale dont ils ne veulent pas ; les juifs peuvent toujours être chassés alors que les bourgeois risquent de faire la révolution.

En 1391, dans l'Espagne chrétienne, dernière contrée d'Europe occidentale à les abriter encore, 50 000 juifs sont massacrés ; 100 000 autres y restent en tant que juifs ; quelques-uns se convertissent (*conversos*). L'Église d'Espagne s'inquiète : si ces convertis restent juifs en secret (désignés alors avec mépris comme « marranes »), ne vont-ils pas contaminer les autres, les vrais « nouveaux chrétiens » ? Des juifs et des *conversos* continuent pourtant, même après ces massacres, de jouer un rôle important dans l'économie et la politique des royaumes catholiques. Ils financent en particulier le projet d'un marin génois inconnu, Christophe Colomb, que certains disent juif, pour un voyage vers l'ouest dont ils discutent la route avec des cartographes majorquins, juifs eux aussi pour la plupart. En août 1492, soit six mois après la chute de la dernière principauté musulmane en Europe occidentale, celle de Grenade, et le jour même du départ de Colomb pour l'Amérique, les Rois-Catholiques, Isabelle et Ferdinand, expulsent tous les juifs qui refusent de se convertir, y compris plusieurs de leurs ministres, dont le ministre des Finances, Isaac Abravanel. Quatre ans plus tard, la pratique du judaïsme est interdite à son tour au Portugal ; mais les juifs n'y ont plus cette fois le choix qu'entre la conversion et la mort. Ils se convertissent, restant pour l'essentiel juifs en secret (marranes), fuyant sitôt que l'occasion s'en présente.

## Quatre siècles en Europe centrale sans Jérusalem

Un grand nombre de ces juifs espagnols et portugais (dont la famille de mon père) fuient alors à Istanbul et au Caire. D'autres (dont la famille de ma mère) s'établissent en Afrique du Nord. Au total, la plus grande partie des 300 000 juifs chassés de la péninsule Ibérique finissent leur voyage en terres d'islam. Quelques autres passent outre-Pyrénées et vont s'établir à Biarritz, Toulouse, Bordeaux, aux Pays-Bas, en Grande-Bretagne, tous lieux où la pratique du judaïsme est encore interdite.

Au début du XVIe siècle, quelques-uns de ces *conversos*, restés comme marranes dans la péninsule Ibérique, fuient vers l'Empire ottoman où ils peuvent vivre librement leur foi. Certains deviennent princes à Istanbul (comme Gracia et Juan Hanassi qui tentent d'installer des juifs du pape à Tibériade – premier projet sioniste – et qui provoquent la bataille de Lépante, en 1571, face à l'armée d'Espagne où se trouve engagé un autre supposé marrane, Miguel de Cervantès). D'autres deviennent rabbis à Safed (autour d'Isaac Luria[191] qui donne à la Kabbale une dimension nouvelle). D'autres encore partent en Inde ou en Amérique, où l'Inquisition portugaise viendra les débusquer et les massacrer.

Au total, au début du XVIIe siècle, malgré l'antisémitisme qui nourrit alors de plus en plus souvent les discours et les actes des princes de Pologne, de Russie, d'Autriche et d'Allemagne, les Ashkénazes deviennent plus nombreux que les Séfarades. Ils le resteront jusqu'au milieu du XXe siècle.

Une poignée d'entre eux vivent dans le Saint Empire germanique, où les autorités locales limitent à douze par an le nombre de leurs mariages, et à deux par an le nombre de nouveaux venus autorisés à s'établir dans chaque communauté ; tous doivent porter un insigne (deux anneaux jaunes concentriques) ; il leur est interdit de sortir de leur ghetto la nuit et les jours de fêtes chrétiennes ; les autres jours, ils ne peuvent circuler en ville par groupes de plus de deux, ni pénétrer dans un parc ou une auberge.

Un beaucoup plus grand nombre d'entre eux vivent dans un vaste espace allant de la Pologne à la Lituanie, de l'Ukraine à la Russie, administrés par un *Conseil des quatre pays* réglant, à l'image de l'exilarque babylonien, sept siècles plus tôt les problèmes communautaires, sous la surveillance tatillonne de la police des princes polonais qui leur interdit de circuler et d'exercer de très nombreux métiers.

Au XVIIe siècle, la disparition du judaïsme se profile à nouveau : des massacres massifs ont lieu en Ukraine ; les juifs sont bannis de Vienne ; les faux messies se multiplient, dont le plus célèbre, Sabbataï Tsvi[267], surgit à Smyrne et se ridiculise en se convertissant à l'islam en 1640. Cette conjoncture provoque en Pologne l'apparition d'un judaïsme du cœur, audacieux dans l'interprétation des textes, hostile à l'élitisme de la raison : le hassidisme. À partir de 1670, le gaon de Vilna dénonce cette nouvelle pratique comme une apologie de l'ignorance. Le judaïsme est au bord du schisme.

Plus nombreux sont alors ceux qui commencent à regarder ce qui se passe hors du monde juif : à Bordeaux, un descendant de marranes, Michel de Montaigne, s'intéresse à son temps. À Amsterdam où le judaïsme est enfin admis au grand jour, un autre fils de marranes revenus, eux, ouvertement au judaïsme, Baruch Spinoza, refuse d'admettre le caractère divin du texte biblique et le statut de peuple distingué ; il voit Dieu dans la Nature et esquisse la théorie des droits de l'homme. Par lui le judaïsme bascule dans l'universalisme. En Allemagne, les premiers « juifs

de cour », banquiers qui financent des princes allemands, lancent le mouvement des Lumières et prô-
nent l'intégration sans l'assimilation.

Au milieu du XVIIIe siècle, alors que les juifs sont
enfin à nouveau admis en Angleterre, (mais pas en
France) de nouveaux partages de la Pologne débou-
chent sur de nouveaux massacres en Ukraine et sur
l'établissement d'une zone de « refoulement » juive
en Russie. À Rome, le pape Benoît XIV autorise enfin
la traduction de la Bible catholique en langue verna-
culaire, dont l'Église se méfie depuis toujours. À Berlin,
un jeune rabbin moderniste, Moïse Mendelssohn, traduit la Bible en allemand et prône l'entrée des juifs
dans la société laïque. L'Allemagne devient (après
Alexandrie et Cordoue), le troisième lieu de rencontre
du judaïsme et de la philosophie. Le judaïsme y gagne
en modernité, mais risque à nouveau de disparaître ;
non plus cette fois sous les seuls coups des antisémites et des conversions forcées, mais par son intégration au monde laïc.

La Révolution française puis Napoléon rouvrent timi-
dement la France aux juifs après cinq siècles de bannis-
sement. Pendant la campagne de Russie, certains juifs
prennent le parti de Napoléon, libérateur, pendant que
d'autres, certains hassidim, s'opposent à celui qui apporte
la dangereuse modernité. Vers 1850, en Autriche,
François-Joseph donne aux juifs accès aux universités et
aux métiers modernes, mais pas à l'armée. L'antisémitisme s'exprime alors par la haine envers les très rares
banquiers juifs. En Europe de l'Est et en Russie, les
communautés sont toujours parquées, avec interdiction
d'entrer à l'université, et de quitter leur village, sinon
pour s'exiler. Victimes de persécutions de plus en plus
terribles, spontanées ou organisées, certains réussissent

malgré tout, en particulier à Odessa, à faire s'épanouir une vie culturelle exceptionnelle. Comme beaucoup d'autres Européens, des centaines de milliers d'entre eux partent vers l'Amérique. Sans s'y dissoudre dans la société protestante, ils réussissent dans le commerce, la médecine, la recherche ; quelques-uns, plus rares, dans la banque (Goldman, Sachs, Lazard, Lehman, Guggenheim, Oppenheim, Solomon) et le spectacle. D'autres, plus rares encore, dans le jeu, l'alcool, la Mafia.

## *Partout dans le monde en rêvant à Jérusalem*

Revient le rêve d'un retour à « Sion » (autre nom de Jérusalem) impensable depuis près de deux mille ans. En 1853, un diplomate britannique, lord Shaftesbury, écrit une phrase souvent prêtée à d'autres : « *La Grande Syrie* [Liban, Syrie, Israël, Jordanie et Palestine d'aujourd'hui] *est une terre dépourvue de nation, qui a grand besoin d'une nation sans terre.* » En Palestine ne vivent alors plus que quelques milliers de juifs misérables au milieu de quelques dizaines de milliers d'Arabes.

Des juifs européens (tel le philosophe allemand Moses Hess en 1862) évoquent l'idée d'une restauration d'un État hébreu. En 1890, alors qu'en Russie les pogroms tournent au carnage, le banquier Maurice de Hirsch organise la première émigration massive de juifs russes vers l'Argentine. Cette même année, le mot *sionisme* est inventé par un écrivain viennois, Nathan Birnbaum. En 1895, frappé par la vague d'antisémitisme qu'entraîne en France l'affaire Dreyfus, le correspondant à Paris d'un journal viennois, Theodor Herzl, écrit *L'État juif*[145]. Le 29 août 1897, il réunit à Bâle le premier Congrès sioniste mondial, sans aucun soutien financier : le sionisme est une affaire d'intellectuels et de médecins, pas de banquiers.

En 1903, le gouvernement britannique lui propose d'implanter des juifs russes en Ouganda « *dans des conditions qui devraient leur permettre de respecter leurs coutumes nationales* ». Certains mécènes parlent du Canada, de Madagascar, de l'Irak, de la Libye, de l'Angola, de l'Australie. De 1900 à 1906, à la suite de nouveaux pogroms, 500 000 juifs russes quittent le pays et affluent aux États-Unis ; seulement 5 000 d'entre eux s'installent en Palestine, dont David Ben Gourion. Le sionisme n'est pas une cause prioritaire pour la diaspora. L'aide financière de la diaspora à ces émigrés est si faible que plus des trois quarts des 40 000 émigrants débarqués en Palestine entre 1904 et 1914 rejoignent en Amérique le million et demi d'entre eux qui s'y trouvent déjà. En 1914, on ne compte encore que 80 000 juifs en Palestine sur un total d'environ 13,5 millions de juifs à travers le monde.

En France, en Angleterre, en Allemagne, en Amérique, presque plus aucun métier n'est en principe interdit aux juifs. À Vienne et à Prague explose la plus extraordinaire période intellectuelle de toute l'histoire juive, de Freud à Schnitzler, de Perutz à Kafka, de Musil à Zweig, de Schönberg à Malher et Wittgenstein, entre bien d'autres.

La Première Guerre mondiale n'épargne pas le Moyen-Orient, centre des nouvelles convoitises pétrolières. Le 2 novembre 1917, trois jours après la capitulation turque à Jérusalem, Lord Arthur Balfour (alors ministre britannique des Affaires étrangères) affirme, dans une lettre à Lord Rothschild, le droit des juifs à un « foyer national » en Palestine. Cinq jours plus tard, une déclaration franco-britannique précise : « *L'objec-*

*tif recherché par la France et la Grande-Bretagne est [...] l'établissement de gouvernements et d'administrations nationaux qui détiendront leur autorité de l'initiative et du choix libre des populations indigènes.* »

En 1920, les Britanniques reçoivent du traité de San Remo, puis de la Société des Nations, le mandat de gérer la Palestine, en particulier d'y organiser une « *présence juive* ». Cette présence (le *Yishuv*) se répartit alors en trois courants : une orthodoxie religieuse, des kibboutzim socialistes, une petite bourgeoisie urbaine.

Avec la crise économique mondiale de 1929, puis l'arrivée au pouvoir de Hitler en 1933, resurgissent, en Amérique et en Europe, toutes les formes de l'antijudaïsme ancestral. Les juifs, qui n'exercent en fait plus aucun pouvoir particulier dans l'économie, en sont décrits comme les maîtres. Comme aucune démocratie ne veut les recevoir, très peu réussissent à quitter le Reich. Parmi eux, Martin Buber s'installe en Palestine, où vivent maintenant 200 000 juifs au milieu de 700 000 Arabes ; alors que l'essentiel des 16 millions de juifs (soit 8 pour mille de la population mondiale) vit encore en Europe centrale et en URSS. En 1937, une commission britannique présidée par sir Robert Peel propose le partage de la Palestine en trois régions, dont un État juif et un État palestinien ; le refus arabe et la tension internationale retardent l'application de ce plan. En juillet 1938, la conférence d'Évian débouche sur un échec : aucune démocratie ne veut recevoir les juifs allemands, autrichiens et polonais. Le 9 novembre 1938, la Nuit de Cristal accélère les persécutions. N'ayant pu les faire partir, ne voulant plus les laisser jouer aucun rôle, même mineur, dans l'économie allemande, Hitler

met en œuvre, sitôt la guerre déclarée, son projet
« *d'anéantissement de la juiverie européenne* »
auquel il pense depuis 1923 : d'abord par l'armée et
la police ; puis avec la collaboration des dirigeants
locaux en Pologne, en Ukraine, en France puis dans
le reste de l'Europe. Le 20 janvier 1942, alors que
plus de un million de juifs d'Europe de l'Est et de
Russie sont déjà morts par fusillades, une réunion
présidée par Heydrich, dans une villa de Berlin, à
Wannsee, confirme la décision d'accélérer le massacre par la généralisation des chambres à gaz dans des
camps d'extermination dont les plans sont déjà faits.
Des juifs se révoltent dans les ghettos et les camps ;
d'autres entrent dans des réseaux de résistance souvent communistes. À leurs côtés se dressent de
grands amoureux du judaïsme, les Justes, qui en sauvent quelques milliers. Parmi eux, figurent même, en
France, des partisans de l'Action française.

Le 8 mai 1945, alors que la guerre s'achève en
Europe, le monde découvre que, parmi les victimes
du pire conflit de l'Histoire, 6 millions de juifs ont
été assassinés, soit un peu plus du tiers du judaïsme
mondial : alors qu'ils étaient 17 millions en 1939, ils
ne sont plus que 11 millions en 1945, dont 4 aux
États-Unis et 4 enfermés dans le nouveau bloc soviétique. La langue ladino disparaît avec les juifs de
Salonique, le yiddish avec ceux d'Europe centrale.

## Jérusalem et le reste

Le 29 novembre 1947, l'Assemblée générale des
Nations unies approuve le partage de la Palestine tel que
prévu depuis 1937, mais, cette fois, en seulement deux
États, ce que les Arabes refusent encore. Le 14 mai

1948, David Ben Gourion proclame la renaissance de l'État hébreu après 1 878 ans d'absence. « Israël » (c'est le nom choisi après quelques hésitations) s'installe sur les anciennes terres philistines, alors que la future Palestine occupe les territoires bibliques.

Israël ne rassemble alors que 5,7 % de la population juive mondiale. Léon Blum, rentré mourant des camps, écrit au premier président de l'État d'Israël, le chimiste Chaïm Weizmann, une lettre qui résume parfaitement l'état d'esprit des élites de la diaspora : « *Juif français, né en France d'une longue suite d'aïeux français, ne parlant que la langue de mon pays, nourri principalement de sa culture, m'étant refusé à la quitter à l'heure même où je courais le plus de dangers, je participe cependant de toute mon âme à l'effort admirable – miraculeusement transporté au plan de la réalité historique – qui assure désormais une patrie digne, égale et libre à tous les Juifs qui n'ont pas eu, comme moi, la bonne fortune de la trouver dans leur pays natal.* » Au même moment, René Cassin, descendant de marranes revenus au judaïsme, ministre de De Gaulle dès juin 1940, rédige pour les Nations unies la Déclaration universelle des droits de l'homme.

Immédiatement, les armées arabes déclenchent une guerre contre le nouvel État. Celui-ci fait mieux que résister, à la surprise générale : s'installe un fragile cessez-le-feu. En décembre 1948, après un armistice, l'émir Abdullah prend le titre de roi du « royaume hachémite de Jordanie », nouveau nom de la Transjordanie. 500 000 Palestiniens quittent leur domicile sur le nouveau territoire israélien, dont la moitié, disent les historiens, sous la pression des nouveaux immigrants. Ils s'installent pour l'essentiel dans des camps à Gaza, en Cisjordanie, en Jordanie et au Liban. L'équilibre démographique s'inverse : on dénombre désormais, sur le territoire de l'État d'Israël, 700 000 juifs et 150 000 Arabes. Les Nations unies demandent à Israël de permettre le retour des Palestiniens exilés « *dans leurs foyers, le plus tôt possible* », et une indemnisation pour tous « *ceux qui décident de ne pas rentrer* ». En 1949, le ministre égyptien des Affaires étrangères, Mohammed Salah el-Din, précise le sens, pour les Arabes, de ce retour : « *Quand nous demandons le retour des réfugiés arabes en Palestine, nous entendons par là un retour en tant que maîtres et non en tant qu'esclaves. Le but de ce retour est de détruire Israël.* »

Le 5 juillet 1950, David Ben Gourion proclame la « *loi du Retour* », accordant à tout juif du monde entier le droit de s'installer en Israël sans aucune condition. De 1948 à 1951, 700 000 immigrants venus d'Afrique du Nord et du Moyen-Orient viennent doubler la population juive du pays.

Aujourd'hui, après plusieurs autres guerres, la situation de la région s'est radicalement transformée : Israël est désormais en paix avec l'Égypte, la Jordanie et les Palestiniens de Cisjordanie ; la population d'Israël a été multipliée par sept, grâce en particulier à l'ouverture, en 1990, des frontières des pays de l'Est, pour atteindre près de 6 millions ; son niveau de vie a été multiplié par quarante ; Israël est devenu un des premiers pays du monde en matière d'éducation, de santé, de recherche, de formation professionnelle et d'innovations technologiques.

Pendant ce temps, les diverses communautés de la diaspora s'effacent, hormis celles de France et des États-Unis : Israël, qui n'est pas devenu le centre culturel du judaïsme, en devient – en tout cas jusqu'en l'an 2000 – le pôle d'attraction démographique. En 2009, pour la première fois depuis la destruction du Second Temple, l'État hébreu rassemble la première communauté juive du monde avec 42 % du total, même si l'*alya* (le retour) ne ramène plus en Israël, désormais, que 20 000 personnes par an. Durant la même période, le nombre des juifs dans le monde, si tant est qu'on puisse le cerner avec précision, n'est passé que de 11 à 13,7 millions, dont un peu plus de 7 millions en diaspora, pour l'essentiel aux États-Unis.

L'ensemble des communautés juives (Israël compris) qui représentait, au temps de l'Empire romain, le vingtième de la population mondiale, n'en représente plus aujourd'hui que deux millièmes.

## Demain ?

De tout cela, que restera-t-il bientôt ? D'ici cent ans, le judaïsme, qui aurait dû s'effacer depuis vingt-cinq siècles, aura-t-il disparu, comme toutes les autres cultures nées au même moment que lui ? Le judaïsme diasporique se sera-t-il évanoui du fait de sa double incapacité à renouer avec sa tradition d'accueil et à conserver ceux qui sont nés en son sein ? Le judaïsme d'Israël sera-t-il lui aussi menacé de disparaître par sa banalisation nationale, son déséquilibre démographique avec les Israéliens non juifs, le départ de ses nouvelles élites, les tensions avec ses voisins, voire même par une paix qui noierait le pays dans un marché commun moyen-oriental ? Au total, le judaïsme ne sera-t-il pas considéré vers 2050 comme un sujet pour ethnologues, comme le sont aujourd'hui le monde dogon ou celui des Tupinambas ? Mes futurs petits-enfants considéreront-ils mon père – leur arrière-grand-père – comme un être abstrait, venu d'une autre planète, dont ils n'auraient rien à apprendre, ou qu'ils voudront même oublier ? La globalisation réussira-t-elle là où Hitler a échoué ?

Au total, tout se passe comme si la diaspora juive était menacée de se dissoudre dans l'universalisme, et Israël de se fondre dans le nationalisme.

À moins que, au contraire, l'extraordinaire renouveau culturel et religieux d'aujourd'hui marque une manière de rebond, suscitant de nouvelles conversions en masse au judaïsme.

Le problème dépasse celui du judaïsme : ce qui se joue là, c'est la question de la diversité dans la mondialisation. Toutes les communautés, toutes les langues, toutes les cosmogonies, toutes les cultures, toutes les religions, tous les particularismes sont menacés de la même dissolution. Chacun a intérêt à la survie du judaïsme, parce qu'il donne une fois de plus la mesure des périls et des espoirs de l'humanité.

*

De ce dictionnaire, chacun aurait choisi différemment les entrées. Un Ashkénaze parlerait peut-être davantage que je ne le fais ici du shtetl, du yiddish, du Bund, de Francfort, Metz, Hambourg, Vilna, Odessa, Varsovie, Prague et Berlin, que je connais surtout par les photographies de Roman Vishniac, les livres de Babel, d'Agnon, de Singer, de Perutz, de Asch, et mes conversations avec Élie Wiesel, Élie Schnéour et tant d'autres. Un Américain aurait parlé plus en détail de Roth, de Kazan, de Woody Allen, de Chicago et de

Hollywood. Un Russe en aurait dit plus long sur Chagall, Babel, Jabotinsky, Trotski et Grossman. Un chrétien ou un musulman soulignerait davantage ce qui rattache le judaïsme à sa propre religion. D'aucuns auraient aussi parlé abondamment de cuisine juive, qui n'entre pas dans mes meilleurs souvenirs…

Pour ma part, j'ai déterminé les entrées de ce dictionnaire comme on choisit ses amis : parce que j'ai plaisir à passer du temps avec eux. Certaines me sont très proches, le lecteur y sentira ma passion. D'autres le sont moins, mais m'ont semblé incontournables, parce qu'elles structurent l'identité juive et que j'ai souhaité donner à ce livre une certaine portée pédagogique, exhaustive et universelle.

J'ai pris le parti de ne parler que de sujets dont je puis me dire « amoureux ». Par exemple, je ne suis pas « amoureux » de la Shoah (et ne crois pas qu'on puisse l'être). Elle n'est pour rien dans mon identité juive. Même si elle l'a dramatiquement rappelée à tant de juifs alors assimilés, elle ne définit pas le judaïsme, si ce n'est comme la plus sombre manifestation de son refus. Je n'avais donc pas de raison d'en raconter ici l'histoire. Pas même celle de ceux de mes proches qui y sont morts. Même si la mémoire est absolument nécessaire, je me méfie de ceux qui font commerce du malheur. Plus généralement, le judaïsme ne se définit pas, pour moi, par l'antisémitisme : ce n'est pas parce que tant de gens l'ont haï que je lui trouve de l'intérêt.

Je n'ai pas écrit non plus ce livre en croyant ou en athée. Je l'ai écrit en amoureux d'une culture, imprégné de sa pratique, fasciné par le caractère – que certains pourraient trouver miraculeux – de sa survie. Comme la Bible est l'incontournable matrice du judaïsme, cela m'amène sans doute parfois à donner l'impression d'être plus religieux que je ne le suis. En particulier, si j'ai choisi de désigner celui que certains nomment Dieu par « Il » ou « Lui », c'est seulement – vraiment seulement – par convention et pour simplifier la lecture.

Pour la même raison, j'ai fait en sorte que chaque article forme un tout compréhensible indépendamment des autres. J'ai par ailleurs en général retenu le nom hébreu des livres ou des fêtes que je cite (l'Ecclésiaste est Qohelet, la Pâque est Pessah).

Naturellement, l'ordre alphabétique propre à tout dictionnaire n'est pas, de loin, le plus logique. Pourtant, comme le peuple juif adore les jeux de mots et les jeux de lettres, ce n'est pas tout à fait par hasard si ce livre commence par Aaron, le premier grand prêtre, et finit par *Zohar*, le grand livre de la Kabbale : il faut commencer par se purifier pour aller, d'entrée en entrée, jusqu'au plus grand mystère...

# Aaron

Rien ne m'intéresse plus dans la Bible que les gens : c'est par eux qu'on accède aux plus hauts concepts.

Rien ne m'intéresse plus aussi, évidemment, que les frères. Celui de Moïse plus que les autres. Si Caïn et Abel disent la violence, si Jacob et Esaü disent la rivalité, si Joseph et les siens disent la trahison et le pardon, Aaron et Moïse disent la complémentarité : Moïse est bègue, Aaron parle pour lui. Moïse avance seul, Aaron explique au peuple. L'un décide, l'autre rassemble. L'un est le guide spirituel, premier grand prêtre d'Israël ; l'autre se salit les mains dans l'action. Les descendants de Moïse n'exercent pas le pouvoir politique ; ceux d'Aaron inaugurent une lignée héréditaire. Ils sont les deux faces du pouvoir (en fait, deux des trois, car il y a aussi Myriam, leur sœur).

Orateur, Aaron, « lumière qui descend », est le porte-parole de Moïse devant les Hébreux et Pharaon.

Prophète, Aaron annonce le départ d'Égypte. Magicien, il est l'auteur des trois premières plaies. Négociateur, il réconcilie ceux qui refusent de faire la paix entre eux, et retarde la fabrication du Veau d'or jusqu'au retour de son frère, avec l'aide de la tribu des Lévi. Habile, il suggère aux meneurs de choisir comme modèle un veau, symbole de la richesse en Égypte, espérant que le ridicule sautera aux yeux de tous[17]. Échouant, il propose de réquisitionner tous les bijoux emportés d'Égypte, espérant que les femmes s'y opposeront. Rassembleur, il laisse ensuite le peuple construire le Veau d'or pour éviter la guerre civile. Doux, tendre, il est « *celui qui aime et poursuit la paix, qui aime les gens et les rapproche de la Torah* » (Maximes des Pères, 1, 12), disent les rabbins du temps du Midrash, qui l'adorent. Condamné, comme tous les juifs sortis d'Égypte, à ne pas pénétrer en Terre promise, il meurt sur la montagne de Hor, à la frontière d'Édom.

Sa mort révèle qu'il est beaucoup plus aimé du peuple que Moïse, ce qui se devine à une infime nuance dans la description de leurs obsèques : « *Les enfants d'Israël pleurèrent Moïse dans les plaines de Moab pendant trente jours* » (Dt 34, 8). Tandis que « *la communauté, voyant qu'Aaron avait cessé de vivre, toute la maison d'Israël le pleura trente jours* » (Nb 20, 29). Pour l'un, c'est une cérémonie officielle ; pour l'autre, c'est l'émotion spontanée d'un peuple. Aujourd'hui encore, Aaron est l'un des sept « *hôtes saints invisibles* » (avec Abraham, Isaac, Jacob, Joseph, Moïse et David) que les juifs accueillent dans la cabane de Soukoth, la fête qui commémore les quarante années passées dans le désert.

Mais Aaron n'est pas que le frère aîné du plus grand juif de tous les temps. Il est aussi, et peut-être surtout, porteur d'une leçon essentielle pour l'avenir : il enseigne la vertu révolutionnaire du silence.

Apprenant la mort de ses deux fils, Nadav et Avihou, Aaron « *garda le silence* » (Lv 10, 3). Parce que aucun mot n'est à la mesure de son chagrin. Parce qu'il n'aurait rien pu dire, si ce n'est maudire Dieu. Parce que la seule chose qu'il puisse faire, plutôt que de s'en prendre à Lui, c'est de ne pas prier. Rien de plus révolutionnaire que ce silence : Aaron, le grand prêtre, ne prie pas. Il nous dit que les mots, y compris ceux de la prière, en disent parfois moins que le silence.

On retrouve ce silence à plusieurs autres moments essentiels dans la Bible, en particulier dans le livre de Job, dont les amis restent silencieux en constatant l'ampleur de ses souffrances.

On le retrouve aussi dans la communauté juive de Pologne au XVIII\textsuperscript{e} siècle, en butte à un terrible martyre. Le rabbi de Guer dit ainsi à cette époque : « *Le silence est le cri le plus puissant du monde.* » Au même endroit, au même moment, le rabbi Zeev de Strikov ajoute : « *Le comble de la bêtise, c'est de parler quand on n'a rien à dire. Le comble de l'intelligence, c'est de se taire quand on a quelque chose à dire.* »

Le silence marque aussi l'absence ; ainsi du silence de Dieu lors de la Shoah. Silence : manifestation de l'abandon, du retrait. Qui renvoie à la responsabilité : le silence de Dieu, la liberté de l'homme.

Aaron, par son silence, explique enfin qu'il n'est pas à notre portée de comprendre les chagrins indicibles et les malheurs injustes ; il fait comprendre que le chagrin est consubstantiel à la nature humaine et à l'amour humain ; qu'aimer un être précaire, c'est se condamner à souffrir un jour, en silence, de la perte de l'aimé.

# Abel

Chacun connaît l'histoire d'Abel et Caïn : encore une histoire de frères… Et pas n'importe laquelle : la première ! Et pas seulement une histoire de frères : une histoire de meurtres entre frères, qui nous concerne tous. Nous sommes tous à la fois Abel et Caïn, susceptibles d'être victimes et de céder à la provocation.

Mais – et c'est ce qui fait pour moi l'intérêt particulier de cette histoire – le coupable n'est pas celui que l'on dénonce en général : Caïn n'est pas le monstre qu'on décrit. Et Abel non plus n'est pas non plus le héros désigné : il meurt pour avoir été choisi par Dieu, annonçant par là bien d'autres massacres à venir.

C'est en cela que la leçon d'Abel et de Caïn est si moderne : chacun doit se méfier d'être préféré, tout autant que de jalouser ceux qui le sont. Chacun doit craindre les provocateurs autant que ceux qui ont été provoqués.

Pour avoir assisté, dans l'Algérie de mon enfance, aux ravages auxquels peut conduire l'engrenage de la provocation, je sais qu'une situation particulière peut conduire n'importe qui à devenir un assassin. Tel est le destin de Caïn.

Caïn est l'aîné, le premier fils du premier homme et de la première femme (on verra qu'Ève n'est pas cette première femme). Il dévoile le mystère de la naissance ; le premier enfantement dans la douleur.

Ève s'en émerveille : « *J'ai créé un homme avec Dieu.* » Ce que le Midrash commente ainsi : « *Adam fut créé par Dieu à partir de la poussière de la terre ; la femme fut créée d'un côté d'Adam. Dorénavant, l'homme sera créé à l'image de Dieu, c'est-à-dire qu'aucun être humain ne peut être conçu par un homme sans une femme, ou par une femme sans un homme, ni par les deux sans la Présence divine...* »

Adam est surpris de voir cet autre lui-même sorti du ventre de la première femme. Ève y voit une image de Dieu. Adam voit en son fils un rival, le nomme Caïn (« acquérir » ou « jalouser ») et lui donne la terre.

Quand vient un second fils, il le nomme Abel (nom qui renvoie au néant, au souffle, à la fumée, mais aussi à l'Esprit) et lui confie les troupeaux. Abel, Evel : le même mot sera traduit à tort par « Vanité » dans l'Ecclésiaste.

Les deux frères sont donc complémentaires : la terre de l'un doit recevoir les troupeaux de l'autre.

Mais Ève préfère Caïn, Adam préfère Abel ; et chacun des deux frères veut être le préféré de Dieu : Caïn Lui offre des produits du sol, Abel Lui sacrifie les premiers-nés de son troupeau d'agneaux.

Dieu, dit le texte, « préfère » l'offre d'Abel. Mais rien ne dit comment Il manifeste Sa préférence. Ni pourquoi Il le préfère. Ni pourquoi Il décide de préférer l'un des deux frères. Le Midrash explique que la préférence viendrait de ce que les fruits de la terre offerts par Caïn évoqueraient la désobéissance d'Adam consommant l'Arbre de la connaissance, alors que l'agneau d'Abel évoquerait la perpétuation de la vie par de nouvelles générations. Selon le Midrash, la jalousie de Caïn vient aussi de ce que Abel aurait deux sœurs jumelles (ses compagnes) et que Caïn n'en aurait qu'une. On verra plus tard d'autres exemples de cadets préférés à l'aîné : Isaac, Jacob, Moïse et bien d'autres.

Quelle qu'en soit la cause, cette préférence de Dieu pour Abel va entraîner une catastrophe. D'abord Dieu provoque Caïn : avec un peu de mauvaise foi, Il l'interpelle rudement, ironiquement, lui reproche d'être triste alors que c'est justement Lui qui vient de l'attrister en ne le choisissant pas : « *Pourquoi es-tu irrité et pourquoi ton visage est-il abattu ?* » Il le défie même : « *Si tu es bien disposé, ne relèveras-tu pas la tête ? Mais si tu n'es pas bien disposé, le péché n'est-il pas à la porte, une bête tapie qui te convoite ? Pourras-tu la dominer ?* »

Caïn pourrait se mettre en colère contre Dieu qui ne l'a pas choisi et qui le nargue. Mais non : emporté par son ego, il se met en colère contre celui que Dieu a choisi, contre son frère. Il le provoque à son tour et vient lui dire : « *Allons dehors* ». Il le défie comme il vient de l'être par Dieu. Et le tue. « *En le mordant* », dit le Midrash.

Ainsi Abel, dont on ne sait presque rien, meurt dès son entrée en scène. Première victime, premier homme tué par un autre. Le premier homme à qui l'homme a donné vie tue le deuxième. Le corps l'emporte sur l'Esprit, diront au xix^e siècle les Hassidim qui y verront une justification de leurs pratiques.

Dieu demande alors à Caïn des nouvelles de son frère. Étrange requête : Il sait évidemment ce qui s'est passé ; Il en est même la cause. Caïn proteste : « *Suis-je le gardien de mon frère ?* » Autrement dit : « *Puisque c'est Ton préféré, c'était à Toi de le protéger.* » Dieu ne condamne pas Caïn à mort, mais à devenir nomade : « *Tu seras un errant parcourant la terre.* » Caïn se plaint de cet exil qui sonne pour lui comme une condamnation à mort : « *Le premier venu me tuera !* » Ce qui est étrange, car il n'existe alors, en principe, que deux autres personnes humaines : son père et sa mère. Sans doute la Torah nous dit-elle qu'il faut en faire une lecture métaphorique : il y a déjà bien d'autres hommes et femmes sur Terre. Dieu rassure Caïn : « *Si quelqu'un tue Caïn, on le vengera sept fois* », et met un signe sur lui pour le protéger. Étrange expression : qui peut être ce « quelqu'un » ? Qui est « on » ? Que veut dire « être vengé sept fois » ? Et ce « signe », quel est-il ? On le retrouvera bien plus tard, quand Dieu demandera aux juifs d'Égypte de mettre un signe sur toutes leurs maisons pour éviter que l'Ange de la mort n'emporte leurs premiers-nés avec ceux d'Égypte. Et aussi dans la prophétie d'Ézéchiel quand Il fera mettre un signe sur ceux des juifs de Jérusalem qu'Il entend sauver.

Des milliers de pages ont été écrites sur cette histoire. Pour certains, Caïn est l'incarnation du mal, qui échappe à Dieu ; parmi eux, des théologiens chrétiens voient même en Abel l'image de Jésus, et en Caïn celle du peuple juif dénoncé ainsi comme déicide. Pour d'autres, au contraire, Caïn incarne la capacité à résister à Dieu : Victor Hugo, dans *La Légende des siècles*, écrit que Caïn et sa famille se révoltent contre le Très-Haut en bâtissant une ville pour échapper à l'œil de Dieu : « *Sur la porte, on grava "Défense à Dieu d'entrer". Et le soir, on lançait des flèches aux étoiles*[151]. » Pour Baudelaire, dans *Les Fleurs du mal*, la vengeance de Caïn est légitime : « *Race de Caïn, au Ciel monte, Et sur la terre jette Dieu*[44]. » Pour d'autres encore, c'est la preuve que, si l'ego domine, l'homme perd la foi en lui-même et en les autres, et il est condamné à errer. Pour d'autres encore, le conflit entre Caïn et Abel est la représentation du conflit entre frères pour l'amour parental – et même, d'un conflit interne à tout être humain : nous serions tous à la fois Abel et Caïn.

Pour moi, la raison d'être de ce texte est bien différente. Pour la comprendre, il convient de s'interroger sur la motivation de tout meurtre : Comment un homme devient-il un meurtrier ?

Question essentielle, car comment croire en Dieu ou même en l'humanité si un homme peut en tuer un autre ? Voltaire en tirera d'ailleurs argument dans son rejet des religions : « *S'il existait un Dieu si puissant, si bon, Il n'aurait pas mis le mal sur terre : Il n'aurait pas dévoué Ses créatures à la douleur et au crime. S'Il n'a pu empêcher le mal, Il est impuissant ; s'Il l'a pu mais ne l'a pas voulu, Il est barbare.* » Nombreux sont ceux qui pensèrent à sa suite que le malheur est la preuve de l'absence de Dieu.

Pour certains, le Mal est héréditaire : Caïn, dont nous sommes tous des descendants, serait en fait le fils du Serpent (la preuve, dit le Midrash, en est que Caïn tue son frère en le mordant, comme s'il était lui-même un serpent). Pour d'autres, le Mal c'est la terre, qui a donné le fruit défendu ; celui qui hérite de la terre ne peut donc que devenir violent.

Pour moi, la réponse est tout autre : s'il est un responsable du meurtre d'Abel, ce n'est ni Ève, ni la terre, ni le serpent, ni une quelconque hérédité, ni l'ego exacerbé de Caïn, mais Dieu Lui-même. Dieu qui a choisi de préférer l'offrande de l'un alors qu'Il aurait pu ne pas choisir entre les deux frères. Dieu qui provoque ensuite celui qu'Il n'a pas préféré. Dieu qui l'absout enfin de son crime.

Pourquoi Dieu peut-Il avoir ainsi voulu faire tuer un homme ? Pourquoi provoque-t-Il Caïn ? Pourquoi le nargue-t-Il ? La raison en est profonde : pour indiquer aux hommes, en faisant mourir Abel, qu'être Son préféré est une très lourde charge. Pour prévenir que celui qu'Il désignera plus tard, qu'Il distinguera pour lui confier une mission, sera menacé par tous les autres.

Ainsi, à l'inverse de l'interprétation chrétienne, Abel représente le peuple juif, et Caïn ses ennemis.

Tout homme – pas seulement le peuple juif – apprend par là qu'il doit se méfier de toute provocation. Y compris de Dieu qui peut, plus que tout autre, l'inciter à tuer pour être préféré par Lui. Dieu qui montre à l'homme qu'il ne faut ni vouloir préférer, ni vouloir être préféré. Que rien n'est pire que d'être distingué.

Dieu qui, dès les premières pages de la Bible, condamne ainsi ceux qui tueront en Son nom.

# Abraham

L'avenir n'a aucun sens s'il est coupé du passé. En faire table rase, par paresse ou arrogance, refuser de connaître ce que tant de gens avant nous ont pensé, c'est en revenir à la barbarie. En particulier, on ne peut rien comprendre à la situation d'aujourd'hui au Moyen-Orient si l'on ne connaît pas en détail l'histoire des peuples qui s'y sont côtoyés et des personnages, imaginaires ou réels, qui sont réputés en avoir construit les croyances et les idéologies. Au premier rang de ceux-là, l'histoire d'Abraham dont descendent, disent conjointement la Bible et le Coran, tous les peuples qui s'y disputent aujourd'hui.

Comme Dieu a choisi Abel, Il va choisir Abraham, descendant d'Evel, et le distinguer, le séparer des autres hommes. Le Midrash le dit bien : « *Abraham est appelé l'Hébreu, car il est d'un côté et le monde entier de l'autre.* »

Dans cette histoire, qui prétend définir la légitimité des uns et des autres sur le sol de ces pays qu'on appelle aujourd'hui Israël et Palestine, chaque mot compte.

Si l'on en croit le calcul de la Bible, elle commence en l'an 1948 après la création du monde, soit en l'an 1812 d'avant notre ère dont l'année 1948 marquera la renaissance d'Israël. Vingt générations après Adam et dix après Noé, Téra, un nomade apiru, riche éleveur de bétail et fabricant d'idoles, quitte Ur, à l'embouchure de l'Euphrate, et s'installe avec ses femmes, ses enfants, dont Abram (« le Père est grand »), ses bergers et ses troupeaux, à Harran, en Assyrie hittite (l'Irak d'aujourd'hui).

Au moment même où s'annonce plus à l'est, en Inde, une autre pensée fondatrice, les Véda, le monothéisme surgit ainsi au Proche-Orient. Quand Abram atteint soixante-quinze ans, il rêve d'un être abstrait qu'il nomme El (ou Élohim : curieux pluriel) et qui lui demande de se faire circoncire, de prendre le nom d'Abraham, de détruire toutes les idoles façonnées par son père, de quitter Harran avec sa femme Sarai (« *ma princesse* ») et d'émigrer « *vers le pays que je te montrerai* », une terre. Il est dit « Erets », sans que le pays soit nommé. Mais *Erets*, c'est aussi le désir, la volonté. Dieu lui donne un désir ; pas nécessairement une terre.

Ce Dieu n'est pas un dieu de colère ou de peur, non plus que de violence. C'est un dieu d'amour. Il n'inspire pas, comme les dieux de tous les peuples qui les entourent, la terreur. Un tel dieu ne pouvait apparaître qu'à des nomades ayant besoin de voyager léger, donc sans beaucoup d'idoles, et vite, donc sans avoir le temps d'adopter les dieux des contrées traversées.

Abraham n'est probablement pas le premier homme à croire en un Dieu unique. D'autres peuples ont dû y penser avant lui. Certains exégètes bibliques, tels Maimonide, pensent même que le polythéisme est une dégénérescence d'un monothéisme fondateur, car Dieu, évidemment, est connu d'Adam. Mais Abraham est sans doute le premier à croire en un Dieu d'amour qui lui promet d'être un jour « *père d'une multitude de nations* » (Gn 17, 5) et que « *toutes les nations de la Terre se souhaiteront d'être bénies comme ta postérité* » (Gn 22, 18).

Cette promesse a du sens : la terre de Canaan où est envoyé Abraham est alors un pays très riche par où passent les caravanes venant d'Afrique, en route vers le nord. Elle est aussi le point de rencontre entre la mer la plus poissonneuse du monde, la Méditerranée,

et la terre agricole la plus fertile de la planète, la Mésopotamie. C'est même à cet endroit, selon les découvertes les plus récentes, qu'est apparue l'agriculture, il y a 12 000 ans. La région est morcelée en une mosaïque de petites cités-États sous la tutelle de l'Égypte où règne alors la XII$^e$ dynastie, dans les archives de laquelle on trouve d'ailleurs des textes d'exécration dirigés contre des « rebelles » cananéens.

Abraham accepte. Toute sa vie, d'ailleurs, il va accepter les ordres de Dieu : il est le symbole même de l'obéissance à Dieu. D'une obéissance libre, fondée non sur la peur, mais sur l'amour.

Formidable bouleversement qui en fait un personnage incontournable, père de toutes les religions monothéistes, auxquelles adhère aujourd'hui la moitié de l'humanité.

Avec son neveu Loth, Abraham quitte alors la maison paternelle, consumée par la foudre sitôt après son départ. Il vit d'abord en nomade, de Sichem jusqu'au Néguev, puis en Égypte, puis s'en revient en Canaan toujours occupé par les troupes égyptiennes. Il s'installe ensuite près d'Hébron. Les bergers de son clan et ceux de Loth se disputent le contrôle de terres. La querelle se termine par un partage : Abraham reste au sud, en Canaan ; Loth part vers la riche plaine située à l'est du Jourdain, et s'établit à Sodome. Le sud représente la sagesse spirituelle ; l'est désigne la richesse matérielle. C'est un partage entre parents dont il faut se souvenir aujourd'hui, au moment où s'impose un autre partage entre Israël et la Palestine, autres parents, les uns et les autres descendants d'Abraham.

Lorsque Abraham a quatre-vingt-cinq ans, sa femme Saraï, de dix ans sa cadette, n'ayant pas eu d'enfant, lui offre sa servante Agar (« agar » = l'étrangère) qui met au monde Ismaël (en qui la tradition voit l'ancêtre des douze tribus musulmanes) et Éfer (d'où vient le nom d'Afrique, dira Rachi). Abraham devient ainsi le père de plusieurs nations, ainsi que Dieu le lui a annoncé. Abraham est très amoureux d'Agar. Selon la Kabbale, il ne la chasse pas ; après son départ fictif, il la fait revenir en cachette et réépouse Agar sous le nom de Ktura. L'Islam, dit ainsi la Kabbale, vient d'Abraham et l'un et l'autre se retrouveront.

Quinze ans plus tard, Dieu demande de se consacrer à une seule des nations qu'il lui incombait de créer. Et Il lui annonce la naissance prochaine d'un fils de Saraï, laquelle devient Sarah (« princesse » et non plus « ma princesse », c'est-à-dire celle qui n'appartient plus à personne). Celle-ci, qui ne croit pas à cette annonce, s'en gausse. Malgré son scepticisme, Isaac (« *elle rit* ») vient au monde.

Dix ans plus tard, Dieu demande à Abraham de sacrifier le fils de Sarah sur le mont Moriah, l'une des collines de la future Jérusalem, où sera édifié le Temple.

Abraham obéit une fois de plus : pour lui comme pour tous les hommes de cette époque, il est normal que les dieux réclament des vies. À l'ultime instant, l'enfant déjà garrotté sur le bûcher, Dieu écarte le couteau de la gorge d'Isaac, mettant fin à des millénaires de meurtres rituels : Élohim n'a pas besoin de sacrifice humain, mais ne renonce pas au sacrifice animal, plaçant ainsi l'homme à part parmi l'ensemble des espèces vivantes.

Ainsi l'obéissance d'Abraham permet de dessiner un premier portrait de Dieu : un dieu qui libère l'amour entre les hommes et les femmes pour en faire des êtres libres. Un dieu qui hait la violence et ne veut pas qu'on Lui sacrifie des vies humaines.

Cela ne veut pas dire qu'Il ne soit pas capable de punir. Ainsi de Sodome, la ville de Loth, qui s'est rendue coupable d'un « péché énorme » (l'homosexualité, disent certains exégètes ; l'égoïsme, d'après d'autres) : Dieu la détruit avec la cité voisine de Gomorrhe. Et la Bible insiste bien : Dieu la détruit Lui-même : Celui qui vient d'épargner Isaac n'épargne pas les milliers d'habitants de ces deux cités : « *L'Éternel fit tomber sur Sodome et sur Gomorrhe une pluie de soufre et de feu ; ce fut l'Éternel Lui-*

*même qui envoya du ciel ce fléau. Il détruisit ces villes et toute la plaine, et tous les habitants de ces villes. La femme de Loth regarda en arrière, et elle devint une statue de sel.* » De fait, une ville nommée Sdom a bien été anéantie, semble-t-il, il y a environ 4 000 ans, par une montée brutale de la mer Morte qui inspira l'épopée de Gilgamesh et le récit de Noé, situé dans la Bible peu après l'histoire d'Abraham.

Le peuple juif, qui a commencé en nomade, s'installe ainsi sur une terre. Reste à lui en garantir la propriété.

Pour que cette propriété soit éternelle, tout commence par un tombeau – un tombeau de femme, donc particulièrement inviolable : à la mort de Sarah à l'âge de 127 ans, Abraham achète à un Cananéen une grotte sise à Makhpélah, à Hébron, pour l'enterrer dans la terre que Dieu lui avait promise. La propriété est assurée ; elle est confirmée quand Abraham y est inhumé à son tour par ses deux enfants, Ismaël et Isaac, auprès de Sarah. Isaac, puis son fils Jacob défendent ensuite l'héritage hébreu d'Abraham en Canaan. Jusqu'à la mort de la femme de Jacob, Rachel, fille cadette de l'oncle de Jacob et mère de Joseph, et le départ des Hébreux pour l'Égypte ; d'où ils ne reviendront que six siècles plus tard, se frayant cette fois un chemin au fil de l'épée.

Ainsi se construit une archéologie des peuples et des terres, dont nous sommes tous les héritiers.

# Abravanel (Don Isaac)

J'ai toujours aimé écrire des biographies de personnages ayant joué un rôle éminent par leurs idées ;

j'ai plaisir à entrer dans leurs vies, à replacer leur action dans leur époque. Je profiterai donc de ce dictionnaire pour insérer quelques-unes de ces biographies miniatures. Naturellement, je ne parlerai pas de ceux des juifs dont la destinée, aussi immense soit-elle, fut sans relation avec le judaïsme ; mais de ceux qui, de bon ou de mauvais gré, y ont puisé une des dimensions essentielles de leur personnalité, de leur destin et de leur influence.

Parmi eux, au XVe siècle, Isaac Abravanel, une des plus incroyables destinées d'homme d'influence.

Né en 1437 à Lisbonne, Isaac est le petit-fils de Yehoudah Abravanel, juif de Castille, parti sous la menace, un demi-siècle plus tôt, se réfugier au Portugal. Comme beaucoup de grands marchands juifs portugais aisés de l'époque, Isaac est aussi philanthrope et théologien. Élève de Joseph Hayyoun, célèbre rabbin de Lisbonne, il écrit dès l'âge de vingt ans un premier livre (*La Couronne des aïeux*) sur la Providence divine ; puis, en citant des philosophes grecs, il commente le Pentateuque et divers autres livres, dont le *Pirké Avot* et le *Guide des Égarés*. Il écrit sur l'au-delà, sur la morale, sur le Talmud et dénoncent ceux qui croient lire des signes de la venue de Jésus dans les Prophètes, en particulier dans Daniel. À le lire, on devine, au-delà du théologien, un homme parfaitement intégré dans son temps, passionné par la défense de son pays d'adoption, le Portugal, qui rivalise alors avec la Castille et l'Aragon, Anvers, Gênes et Venise pour diriger l'Europe et atteindre les Indes en contournant l'Afrique. À 40 ans, il devient même trésorier (ministre des Finances) d'Alphonse V de Portugal.

Et puis tout s'effondre. En 1483 (il a 46 ans), accusé à tort, après la mort du roi Alphonse V, de conspirer contre son successeur Jean II, il s'enfuit à Tolède et passe au service de Ferdinand d'Aragon et Isabelle de Castille, pires rivaux des Portugais. On imagine ce que cela signifie pour lui d'être contraint, par le fils de son maître, de mettre ses talents au service du pays dont son aïeul a jadis été chassé. Et comme, en Castille, on reconnaît volontiers ses aptitudes, il devient à 49 ans (l'âge où tout recommence, selon le judaïsme), « trésorier » de Castille et d'Aragon. Il redresse les finances des deux royaumes, réunit de quoi payer l'armée qui se prépare à assiéger la dernière principauté musulmane d'Europe, celle de Grenade. Il s'intéresse à Christophe Colomb (que les Portugais n'ont pas voulu financer), et souhaite l'envoyer vers l'Inde, à la recherche des « dix tribus » perdues ; en janvier 1492, il subventionne les préparatifs de son voyage vers l'ouest cependant que s'achève la guerre contre Grenade qu'il a aussi financée.

Pendant ce temps, l'Inquisition et le grand inquisiteur du moment, Torquemada, furieux de l'influence que ce juif exerce, et déterminé à en finir avec le judaïsme sur la péninsule Ibérique, multiplient leurs attaques. Trois mois plus tard, en mars 1492, le ministre Isaac Abravanel ne peut empêcher la publication de l'édit royal expulsant de Castille et d'Aragon tous les juifs qui refusent de se convertir. Expulsé le 2 août à 55 ans – le jour même du départ de Colomb –, il s'établit à Naples où il se met à la disposition de son roi (le troisième qu'il sert) et devient l'un de ses principaux diplomates.

En 1496, depuis Naples, Isaac Abravanel donne sa version de la décision des Rois-Catholiques d'expulser les juifs. Il le fait avec une ironie amère : pour lui, c'est par pur caprice mystique que Ferdinand a cédé à Isabelle : *« Quand le roi d'Aragon eut pris Grenade, ville puissante et populeuse, il se dit : "Comment puis-je rendre grâces à mon Dieu, montrer de l'empressement envers Celui qui a livré cette ville en mon pouvoir ? N'est-ce pas en abritant sous Ses ailes ce peuple qui marche dans l'obscurité, cette brebis égarée qu'est Israël, ou en le rejetant vers d'autres pays sans espoir de retour ?" Aussi le héraut annonça-t-il partout : "À vous, toutes les familles de la maison d'Israël, nous faisons savoir : si vous recevez l'eau du baptême et que vous vous prosternez devant mon Dieu, vous jouirez comme nous du bien-être en ce pays. Si vous refusez, sortez dans les trois mois de mon royaume !"* » Puis il trace un bilan économique de ce départ : « *Sur la crainte que j'ai des cieux et sur la gloire de la divinité, je témoigne que le nombre des enfants d'Israël était en Espagne de trois cent mille en l'année où fut pillée leur splendeur ; et la valeur de leurs biens, et leur fortune en immeubles et en meubles, et l'abondance de leurs bénédictions étaient de plus de mille milliers de ducats d'or pur, richesses qu'ils gardaient pour les jours du malheur. Et, aujourd'hui, quatre ans après notre exil et notre destruction, tout a péri à la fois d'une fin amère ; car il ne reste d'eux qu'environ dix mille hommes, femmes et enfants dans les pays qu'ils habitent ; et leurs richesses et tout ce qu'ils avaient apporté dans leurs mains de leur pays natal finirent et aux régions de leur exil.* »

Dans ce désespoir lucide, qu'ont connu tant de juifs avant et après lui, Abravanel continue d'écrire – il est maintenant imprimé – pour s'occuper l'esprit, se consoler, laisser sa trace. Il prévoit que la puissance de la science et la faiblesse des institutions politiques des puissances européennes entraîneront bientôt une guerre totale entre elles. Il évalue l'arrivée du Messie à une date qui pourrait être 1503, ou à d'autres dates beaucoup plus tardives, qu'il calcule aussi à partir des messages cachés dans les textes. Il prévoit que ce Messie provoquera la défaite de la civilisation matérielle, la disparition des frontières politiques et l'avènement d'un monde uni et sans argent.

On trouve ensuite sa trace en Sicile, à Corfou et à Monopoli, petite ville des Pouilles. Puis il s'installe à Venise, y est recruté comme diplomate et négocie, cette fois au nom du doge, un traité commercial avec le roi de Portugal, fils de son premier maître, qui vient d'interdire la pratique du judaïsme dans son royaume. Il meurt à Venise en 1508 à 71 ans. Son fils poursuivra son œuvre et sa mission.

Bien d'autres diplomates juifs négocieront aussi, comme lui, au nom d'un pays d'adoption, face à leur pays natal. Jusqu'aux frères Warburg, banquiers depuis le XVIᵉ siècle, dont l'un, Max, dirigera, à Versailles, en janvier 1919, la délégation allemande face à l'autre, Paul, à la tête de la délégation américaine, pour négocier les indemnisations dues par le Reich vaincu aux puissances alliées.

Bien d'autres, comme lui, seront écartelés entre une vie d'intellectuel et leur rôle d'homme d'action, s'efforçant de laisser plus de traces par l'une que par l'autre.


## Adam

Mille questions ont assailli mon enfance à propos de cette histoire : Dieu, s'Il existe, ne pouvait-Il se contenter de Lui-même ? Avait-Il besoin de spectateurs ? Et, s'Il n'en avait pas besoin, pourquoi a-t-Il créé les hommes ? Par narcissisme ? Par jeu ? Par ennui ? Et si l'homme n'a surgit progressivement (comme le dit la science) que près de quatorze milliards d'années après le big-bang, au terme d'une longue évolution (et non au sixième jour de la création de l'Univers, comme le dit la Genèse) cela ne remet-il pas en cause l'existence de Dieu ?

À tout cela mon père répondait inlassablement : Il faut considérer l'histoire d'Adam comme une métaphore ; la Création n'a pas eu lieu en six jours, mais en six époques. D'ailleurs, continuait-il, si on la considère comme un ensemble de symboles, ce que dit la Genèse est scientifiquement vrai : comme Adam dans la Genèse, l'homme est apparu, d'après la science, après la lumière, les étoiles, la Terre et les animaux. Et dans ce même ordre.

J'insistais : Oui, mais pourquoi créer un homme ? En quoi Dieu en avait-t-Il besoin ? Mon père répondait : Les hommes sont là pour réaliser un projet par la conjonction de toutes leurs intelligences. Un projet ? Quel projet ? Et de mentionner la Kabbale en me signifiant que je ne pouvais pas encore la comprendre. De toute façon, disait-il quand j'insistais, même si l'on ne sait pas pourquoi l'homme existe, maintenant qu'il est là, il faut « faire au mieux ». Faire au mieux ? Est-ce faire au mieux que de laisser l'homme affronter la faim, la soif, la misère et la mort ?

Adam… Quel personnage intéressant ! Si différent, pour moi, de sa caricature.

D'abord, Adam n'est pas juif, ce qui peut surprendre, car rares sont les cosmogonies dans lesquelles le premier homme ne fait pas partie du peuple qui la raconte.

Ensuite, comme toujours dans la Bible (dont s'inspirera tant la psychanalyse), le nom dit tout. La tradition juive propose trois étymologies à ce nom[17]. Dans l'une, les trois lettres qui le composent constituent le sigle des trois mots désignant la cendre, le sang et la bile : de quoi l'homme est fait. Dans une autre, le mot *adamah* désigne en hébreu la terre, ou la poussière, ou l'argile (on a su d'ailleurs récemment reconstituer un ADN sommaire en utilisant de l'argile comme catalyseur) ; en akkadien, le mot *adamou* désigne la terre rouge, ou le sang ; en paléo-akkadien comme en babylonien, il désigne une personne importante ou noble. Selon une troisième étymologie, le nom d'Adam vient d'un mot qui veut dire « je ressemble » : *« L'homme est à l'image du divin »* (Gn 1, 27). La Bible reprend ces significations dans les deux récits qu'elle donne de la Création : dans l'une, Dieu façonne Adam à partir de la poussière terrestre, lui insuffle la vie (et non l'âme) par les narines, et l'envoie dans un endroit spécialement créé pour lui, le jardin d'Éden. Dans l'autre récit, comme dans les autres mythologies de la région, ha-Adam est façonné, mâle et femelle à la fois, d'un mélange d'eau et d'argile, à l'image de Dieu.

Des millions de pages ont été écrites sur cet « *à l'image de Dieu* ».

Évidemment, Dieu n'arbore pas une grande barbe ; il n'a pas de corps. Ni même d'identité en tant qu'être. Il n'a pas non plus de sentiments humains, même si la Torah lui prête parfois de la colère, de l'ironie, de la jalousie ou de l'amour. Dieu est pour le judaïsme une entité abstraite, une « *lumière* », dira Maimonide. « *À l'image de Dieu* » veut dire en fait, expliquent les rabbins, que l'homme est, comme Lui, libre, créatif, capable de donner la vie et de dominer les autres œuvres divines.

Bien d'autres équivalences linguistiques me fascinent à propos d'Adam : *adamah* s'écrit avec trois lettres, A, D et M, qui renvoient l'une (A) au golem, à l'inachevé ; l'autre (D) à David, c'est-à-dire à l'Histoire ; la troisième (M) au Messie. Le nom d'Adam contient ainsi, à lui seul, le programme de l'histoire de l'humanité.

Maintes autres questions ont été débattues sur le sujet entre les rabbins : Adam avait-il un sexe ? Oui, sans doute. Un nombril ? Oui, parce qu'il n'y a pas de début. À quel âge est-il né ? À 20 ans, calculent les rabbins du Midrash.

Curieusement, la Bible nous laisse aussi entendre à cet endroit que Dieu hésite à créer Adam : comme s'Il n'était pas certain d'avoir raison de créer un « *être à Son image* ». Avant de le faire, dit le Midrash, Il consulte les anges. Et, après avoir créé l'homme, Il semble encore inquiet : alors qu'après la création de toutes les créatures, la Bible dit « *Dieu vit que cela était bon* », elle ne le dit pas au moment où Il crée l'homme. Pourquoi ? Étrange : Il l'aurait créé à Son image et pourtant Il ne saurait pas, Lui qui est omniscient, si un être ainsi créé « à Son image » serait bon ?

En fait, tout est dit dans ce silence : l'homme pourrait ne pas être nécessairement bon parce qu'il est libre.

Cela se manifeste immédiatement. Dieu envoie d'abord Adam dans le jardin d'Éden, lieu de non-désir, d'innocence et d'abondance. Adam n'a nul besoin de posséder quoi que ce soit pour y vivre heureux. Mais il s'ennuie. Alors Dieu crée la femme, parce que nul ne peut se contenter de s'aimer lui-même. Parce que la sexualité conduit à la diversité, condition de la non-violence. Et parce que, pour connaître Dieu, il faut d'abord connaître l'amour.

Adam devient *ish* et la femme, Ève, devient *isha*. Ils doivent donner la vie : le premier des commandements imposés à Adam (après l'avoir été à toutes les autres créatures) est : « *Croissez et multipliez* » (Gn 1, 28). Mais la sexualité ne se réduit pas pour eux à la reproduction. Et leur vie ne se réduit pas non plus à la sexualité.

Seuls deux interdits les frappent, qui tous deux concernent la nourriture : Adam, qui est herbivore, ne doit pas manger des fruits de deux arbres du jardin d'Éden : l'Arbre de la connaissance (car il y découvrirait le Bien et le Mal, la conscience de soi, et donc le doute et la repentance) et l'Arbre de vie (car il aurait le savoir absolu). Ces Arbres ne cesseront plus, on le verra, de jouer un rôle considérable dans le judaïsme.

S'il mange de l'Arbre de la connaissance, dit aussi Dieu à Adam, il deviendra mortel. Au contraire, murmure le Serpent à Ève, Adam deviendra alors immortel ! De fait, Adam ne sait pas s'il est immortel, et il hésite entre la menace de Dieu et la promesse du Serpent.

Lorsque, à l'initiative d'Ève, il décide de manger le fruit de l'Arbre de la connaissance, Adam découvre le Bien et le Mal ; il est alors relégué dans le monde de la rareté, où rien n'est disponible sans travail. Et d'abord la rareté du temps : il devient mortel et ne vivra que mille ans. La Bible nous explique ainsi que le désir produit la rareté, et non l'inverse, comme on le croit en général.

Selon la Kabbale, tout cela est voulu par Dieu. Interdire une action est pour lui une façon de pousser l'homme à l'accomplir, car, après la transgression (*ever*) il y a la repentance (*techouva*). Et l'homme ne peut exister que par la transgression *et* la repentance.

Adam quitte alors le jardin d'Éden, ce qui n'est ni un exil, ni la marque d'un « péché originel » (comme le dira beaucoup plus tard saint Augustin), mais la découverte de la nécessité de l'effort physique et moral. Le travail lui sera en effet pénible ; deux fois plus difficile, même, dit le commentaire, que l'enfantement pour sa compagne, et deux fois plus ardu que la recherche du salut.

J'aime la façon dont raisonnent les rabbins pour le « démontrer » : ils mesurent l'importance d'un concept au nombre de syllabes du mot hébreu qui le désigne ! En l'occurrence, cela donne le raisonnement suivant : Il est écrit d'une part « *Tu enfanteras dans la douleur* » (Gn 3, 16), et, d'autre part, « *Tu tireras toute subsistance dans l'amertume* » (Gn 3, 17). Comme le mot

« amertume » compte en hébreu deux fois plus de syllabes que le mot « douleur », les rabbins en déduisent que ce qui se fait « dans l'amertume » (le travail) est deux fois plus difficile que ce qui se fait « dans la douleur » (l'enfantement). Pour les mêmes raisons, ils « démontrent » que gagner sa nourriture est plus complexe qu'ouvrir un passage par la mer Rouge !

Adam découvre encore que le travail, s'il est pénible, peut aussi se révéler libérateur ; à condition de ne pas être avilissant et de lui permettre d'améliorer le monde, le travail confère à l'homme une dignité qui le distingue radicalement des animaux. Aussi sont seulement interdits, selon le Talmud, les travaux exigeant des gestes indéfiniment recommencés ; ceux dont la finalité, l'intention ou la conséquence sont immorales, et surtout ceux qui le mettent en situation de dépendre du bon vouloir d'un tiers. D'où aussi la préférence accordée au travail indépendant (médecin ou marchand) et la réticence envers les tâches domestiques (« *dégradantes pour les hommes, préjudiciables à la moralité des femmes* », dit le Talmud) et à l'égard du salariat. D'où aussi l'obligation de proposer à tout esclave appartenant à un juif de le libérer s'il accepte de devenir juif ; et, s'il refuse, de le revendre.

La sortie du jardin d'Éden n'a donc rien d'une chute ; la consommation du fruit défendu n'est pas une catastrophe. C'est, au contraire, du point de vue du judaïsme, une bonne nouvelle, qui permet à l'homme de s'évader du répétitif, d'entrer dans le temps et de commencer à réparer le monde par son travail.

C'est dans la prise de conscience du manque que s'opère ce dépassement. C'est donc par Ève, qu'Adam entre dans l'Histoire. *Ish*, l'homme sans nom, devient alors l'homme particulier qui doit réaliser le royaume de Dieu sur Terre par son travail.

Adam ne vit en fait que 930 ans, et non pas mille, comme prévu, laissant 70 ans à David, qui sera donc une fraction d'Adam, et aussi (on l'a vu à la façon dont s'écrit Adam) la seconde étape du programme humain.

## Amos

Un de mes prophètes préférés. D'abord, parce que son nom signifie en hébreu « porteur », comme le mien en arabe. Ensuite, parce qu'il est un grand réformateur, dénonciateur de la richesse mal acquise et de la tyrannie. Enfin, parce qu'il est un très grand écrivain, une sorte de Victor Hugo hébreu. Mais comment le faire ressentir sans le lire dans le texte ?

Né vers 780 avant notre ère au sein d'une famille de bergers, dans un petit village près de Bethléem, dans le royaume du Sud où règne Ozias, Amos passe dans le royaume du Nord deux ans avant un tremblement de terre qui ravage la région, vers – 760. Appelé en rêve par Dieu à être prophète, il commence par refuser : « *Je ne suis pas prophète, je ne suis pas frère prophète ; je suis bouvier et pinceur de sycomores. Mais Yahvé m'a pris de derrière le troupeau et m'a dit : "Va, prophétise à mon peuple Israël."* »

Il s'y résout, et, pendant deux ans peut-être, rêve les malheurs qui menacent les peuples entourant Israël, et les annonce dans une terrible litanie : « *À cause de trois transgressions de Damas, et à cause de quatre, je ne révoquerai pas* [mon arrêt] *; parce qu'ils ont foulé Galaad avec des traîneaux de fer. Et j'enverrai un feu dans la maison de Hazaël, et il* *dévorera les palais de Ben-Hadad ; et je briserai la barre de Damas, et, de la vallée d'Aven, je retrancherai l'habitant ; et de Beth-Éden, celui qui tient le sceptre ; et le peuple de la Syrie ira en captivité à Kir, dit l'Éternel... »*

Puis, s'adressant aux royaumes d'Israël et de Judée, il en critique les gaspillages, les « maisons d'ivoire », l'immoralité, la façon irrespectueuse dont sont traités les prophètes, la corruption des juges et l'hypocrisie de la classe dirigeante. Certes, la richesse est une bénédiction si elle est le résultat d'une création (Amos lui-même est riche et se vante, en passant, de ne pas avoir besoin de prophétiser pour gagner sa vie). Mais elle devient un scandale si elle est acquise en exploitant ou en humiliant les pauvres ; et la pratique religieuse elle-même est le pire des péchés si elle n'est pas l'expression d'une foi sincère. Amos se montre d'une extrême violence contre les puissants : *« Je déteste et je méprise vos fêtes... Je ne me contente pas à vos offrandes... J'éloigne d'auprès de moi le tapage de vos chants et je n'entends pas la psalmodie de vos harpes... »* (5, 21-24).

Il annonce qu'un désastre imminent menace le royaume d'Israël, et émet de magnifiques réflexions sur le silence de Dieu : *« Il arrivera en ce jour-là, dit le Seigneur l'Éternel, que je ferai coucher le soleil en plein midi et que j'amènerai les ténèbres sur la terre en plein jour. Et je changerai vos fêtes en deuil, et toutes vos chansons en lamentation ; et sur tous les reins j'amènerai le sac, et chaque tête je la rendrai chauve ; et je ferai que ce sera comme le deuil d'un [fils] unique, et la fin sera comme un jour d'amertume. [...] Voici, des jours viennent, dit le Seigneur l'Éternel, où j'enverrai une famine dans le pays ; non une famine de pain, ni une soif d'eau, mais d'entendre les paroles de l'Éternel. Et ils erreront d'une mer à l'autre, et du nord au levant ; ils courront çà et là pour chercher la parole de l'Éternel, et ils ne la trouveront pas.* »

Il prévoit l'invasion prochaine de ce royaume de Samarie par les Assyriens, et l'exil des Israélites à Ninive (« *Jéroboam périra par l'épée et Israël sera déporté loin de sa terre* »). Il annonce la fin du royaume d'Israël : « *Mon peuple est mûr pour sa fin* » (8, 2).

Il ne se trompe pas : une génération plus tard, en – 722, Samarie – capitale du royaume d'Israël – tombe entre les mains des Assyriens, et les Israélites sont déportés à Ninive.

Mais sa prophétie n'est pas exclusivement pessimiste. Il regarde au-delà de l'exil : une petite partie du peuple hébreu, prévoit-il, fera réentendre un jour sa prière ; Dieu se réconciliera avec son peuple et sera reconnu par tous les hommes. Il créera une société idéale où le royaume de David sera réunifié, où la royauté ne sera plus lieu d'injustice et où « *le jugement coulera comme de l'eau, et la justice comme un torrent intarissable* ».

Surtout, il avance cette idée révolutionnaire : le peuple hébreu est un peuple comme les autres, que Dieu sauvera comme Il sauvera les autres, mais pas plus que les autres : « *Enfants d'Israël, n'êtes-vous pas pour moi comme des Kushites ? Oracle de Yahvé : n'ai-je pas fait monter Israël du pays d'Égypte, et les Philistins de Kaphtor, et les Araméens de Qir ?* » Ce Kush dont il parle est un petit-fils de Noé, ancêtre des Éthiopiens et donc de tous les Africains qui ne sont jamais désignés dans la Bible par la couleur de leur peau (sauf la Sulamite du Cantiques des Cantiques, « *qui est noire et belle* »).

Tout cela est écrit dans une langue magnifique où se succèdent les plus belles métaphores. Ainsi de la petite partie du peuple hébreu qui sera sauvée : « *Comme le berger sauve de la gueule du lion deux pattes ou un bout d'oreille, ainsi seront sauvés les enfants d'Israël qui sont assis dans Samarie, au coin d'un lit et sur un divan de Damas...* » Ainsi de sa vision du désastre et de son intercession auprès du Très-Haut : « *Voici ce que me fit voir le Seigneur Yahvé : C'était une éclosion de sauterelles, au temps où le regain commence à monter, de sauterelles adultes, après la coupe du roi. Et comme elles achevaient de dévorer l'herbe du pays, je dis : "Seigneur Yahvé, pardonne, je t'en prie ! Comment Jacob tiendra-t-il ? Il est si petit !" Yahvé en eut du repentir : "Cela ne sera pas", dit Yahvé* » (Am 7, 1).

Enfin, de la description éblouissante de son renvoi par le roi de Samarie, et de ce qui attend ce roi : « *Le roi Amasias dit à Amos : "Voyant, va-t-en ; fuis au pays de Juda ; mange ton pain là-bas, et là-bas prophétise, mais cesse désormais de prophétiser à Béthel, car c'est un sanctuaire royal, un temple du royaume." Amos répondit à Amasias : "Et maintenant, écoute la parole de Yahvé : Tu dis : 'Tu ne prophétiseras pas contre Israël, tu ne vaticineras pas contre la maison d'Isaac.' C'est pourquoi ainsi parle Yahvé : 'Ta femme se prostituera dans la ville, tes fils et tes filles tomberont sous l'épée, ta terre sera partagée au cordeau, et toi, tu mourras sur une terre impure, et Israël sera déporté loin de sa terre.'"* »

Imagine-t-on plus puissant défi aux caprices d'un prince ?

# Au-delà

Il y a quoi, après la mort ? Là encore, que de discussions avec mon père, comme tant d'enfants avec leurs parents ; puis avec mes maîtres juifs et avec tant d'autres ! Que de conversations d'abord décevantes, puis vertigineuses, jusqu'à ce que je comprenne enfin ce que mon père considérait comme son secret et qu'il ne me confia qu'à la toute fin de sa vie.

Décevantes d'abord, parce que la Bible même ne dit rien sur l'après-vie. Elle ne parle même presque jamais de la situation d'après la mort de ses personnages, sauf pour Hénoch, l'arrière-grand-père de Noé, mort à 365 ans (ce qui est jeune, pour un ancêtre de Noé), signalé (dans le livre sulfureux qui porte son nom, non retenu dans le canon biblique, et si présent dans certaines communautés juives) comme « *descendu à la demeure des morts* » (Hénoch, 101). Comme s'il n'y avait rien d'autre après la mort et qu'il fallait se désespérer devant le néant.

Vertigineuses, ensuite, parce que les doctrines développées par les prophètes et les rabbins sur l'au-delà sont extrêmement diverses.

Pour certains, l'au-delà est un néant, il n'y a rien à en attendre à titre individuel. La seule chose qui ait une vie au-delà de la mort de chacun, c'est l'espèce humaine. Comme le dit par exemple Isaac Abravanel au début du XVIe siècle, la Torah a pour objet d'aider à préparer le devenir de l'espèce humaine sur la Terre ; elle ne s'intéresse pas au destin de chacun après la mort. Nul ne doit donc espérer en une immortalité personnelle. Plutôt en celle de l'espèce humaine, « *avec un Dieu gardant bienveillance à la millième génération* » (Ex 34, 6). Si aucun homme ne doit espérer l'éternité pour soi, chacun doit tout faire pour que l'humanité dont il est un maillon puisse prétendre, elle, à l'immortalité. Le Messie lui-même, dit Abravanel, changera la nature du monde, mais ne ressuscitera pas les morts. Terrible analyse qui laisse chacun face au néant de l'au-delà, obligé de s'oublier, de ne plus penser qu'à transmettre, d'accepter la fin inéluctable de la conscience de soi. Rien n'est plus proche de l'athéisme que cette conception de la foi ; et rien n'est plus moderne que de se préoccuper ainsi de la survie de l'espèce.

Pour d'autres théologiens, quelques-uns (des prophètes, des Justes, juifs et non juifs, des martyrs) auront droit (après un jugement post-mortem, prolongement du jugement de chaque Kippour) à une sorte d'immortalité dans une « *demeure de la mort* » pas particulièrement gaie. Mille et un commentaires décrivent les conditions de ce jugement.

Pour d'autres encore, dont le Talmud, les âmes de ces Justes – juifs et non juifs – auront droit à une vie éternelle dans un au-delà bienheureux où ils seront invités à un « *banquet perpétuel* » (Bér 34b), au jardin d'Éden, au pied du trône céleste, cependant que les méchants seront expédiés dans le « *lieu du dernier châtiment* », feu éternel, la Géhenne (Géhinnom, qui tire son nom de la vallée de Ben Hinnom, au sud de Jérusalem). Pour ces rabbins, la vie terrestre n'est faite que pour préparer par tous les actes du repentir à une vie éternelle de l'âme. Au $I^{er}$ siècle avant notre ère, un certain rabbi Yaakov écrit : « *Le monde terrestre est comme un vestibule menant au monde à venir, prépare-toi dans le vestibule afin de pouvoir entrer dans la salle du banquet* » (Avot 4, 16). Rabbi Akiba ajoute que les Justes seront aussi récompensés en ce monde : « *Certaines actions produisent leurs fruits dans ce monde, mais leur*

*capital est également engrangé pour le monde à venir »*
(Avot 4, 22).

Les vivants peuvent aussi aider les morts à avoir accès
à ce banquet perpétuel par la lecture du *Kaddish*, prière
très particulière, rédigée en araméen, en Babylonie, alors
que la Judée se trouvait sous domination romaine. Cette
prière majeure, la plus importante du judaïsme (*Yitgadal
Ve'Yitkadach chema raba » :* Que Son Grand Nom soit
grandi et sanctifié ; « *Yihei chemeiraba mevara'h
le'alom oule'almei allmaya* » : Que Son Grand Nom
soit béni pour toujours et à jamais), aide celui qui reste
et crée un lien avec le défunt. Rabbi Akiba, un des plus
grands maîtres du IIe siècle, aurait d'ailleurs sauvé de la
Géhenne l'âme d'un mort en obtenant de son fils qu'il
récite régulièrement le *Kaddish*.

Selon certains autres textes comme le *Zohar*, au
XIIIe siècle, l'âme est divisée en trois parties : les deux
premières, susceptibles de pécher, sont mortelles, alors
que la troisième, toujours pure et juste, a droit à l'éternité. Autrement dit, une partie au moins de l'âme de
chaque homme est éternelle. D'autres, on le verra, dis-
tinguent quatre, voire cinq parties dans chaque âme.

Pour d'autres rabbis encore, l'immortalité de tout
homme sera terrestre, car le Messie fera ressusciter
les Justes, juifs et non juifs, dans leur corps initial.
Cette résurrection n'est qu'une métaphore chez Ézéchiel, symbolisant la renaissance d'Israël ; elle est
une espérance réelle chez Isaïe et chez Daniel.

Enfin, une dernière théorie, celle de certains kabbalistes, que mon père me cacha longtemps parce qu'il la
pensait trop difficile à comprendre pour un enfant : le
*gilgoul*, la réincarnation de l'âme d'un mort, non dans
son corps initial, mais dans le corps d'un autre être
vivant choisi par Dieu selon la valeur morale des vies

antérieures du mort. D'après cette thèse, si proche des visions du monde indien, l'âme possède cinq dimensions (esprit, souffle, âme, vie, union) qui se réincarnent séparément. Cette théorie, qui circule dans le monde juif depuis au moins le IIe siècle de notre ère, est l'objet d'innombrables réflexions et d'expertises particulières. Pour certains, l'âme d'un être aimé peut revivre dans le corps d'un nouveau-né si on lui donne le même prénom que le disparu (ce que firent longtemps tous les juifs). D'autres (comme rabbi Isaac de Posquières, dit l'Aveugle, grand kabbaliste provençal du début du XIIIe siècle) se prétendent capables de décrire la succession des incarnations de l'âme de toute personne rien qu'en la regardant. Isaac Luria, grand maître kabbaliste de Safed, au XVIe siècle, qui aurait eu les mêmes talents, reconnut un jour (selon ses deux principaux disciples, Hayyim Vital et son fils) l'âme d'un père incestueux dans le corps d'un grand chien noir. Ses disciples dirent aussi avoir appris de lui comment reconnaître la présence de l'âme d'un grand criminel (un dibbouk) dans le corps d'un innocent.

Cette absence de théorie unique de l'au-delà donne surtout envie au judaïsme de tout attendre de la vie, de revendiquer une autonomie où s'exprime le seul au-delà possible, et donc le seul qui vaille : le dépassement de soi.

Alors que les autres religions promettent un au-delà, le judaïsme ne promet que le droit d'espérer.

## Avot

Ce petit livre lumineux, le *Pirké Avot* (« Maximes de nos pères[9] »), est sur mon bureau depuis vingt ans.

Mon père le lisait et le relisait tous les après-midi pendant les dix dernières années de sa vie. Quand je m'étonnais de cette constance, il m'expliquait que ce texte était à ses yeux, avec le Cantique des Cantiques, le plus important des livres sacrés : la sagesse, pour l'un ; le plaisir, pour l'autre. J'aime à m'imaginer mon père épris de l'un comme de l'autre.

Double sens du mot « père », dira rabbi Meiri, un des plus grands lettrés du Moyen Âge : les « Pères » désignent ici à la fois les maîtres, ces « *colonnes sur lesquelles fut bâtie la maison de la Torah* », et les idées « *qui sont les pères et les principes de toute sagesse et de toute élévation* ».

Or c'est bien de cela qu'il s'agit : un recueil de citations brèves, lumineuses, universelles, de tous les Pères du judaïsme, n'appelant à aucune pratique, ne revendiquant presque aucune spécificité juive. Un recueil apparemment très simple mais qui ne saurait être vraiment compris, disent les rabbins, que par celui qui connaît parfaitement la Torah.

Réunis par rabbi Yehoudah Hanassi au IIe siècle de notre ère, juste après la dispersion des juifs hors de la Judée devenue romaine, ces textes rassemblent, comme en une nouvelle Arche de Noé, les pensées de onze générations de Sages : sept générations ayant vécu au temps du Second Temple de Jérusalem, une génération contemporaine de sa destruction, trois ayant vécu après la dispersion qui s'ensuivit[17]. Parmi eux, les plus fameux sont rabbi Hillel (deux générations avant), rabbi Éliezer, contemporain de la destruction, et rabbi Akiba qui fait partie de la deuxième génération de rabbis après la destruction du Second Temple)[278].

On y découvre d'abord la fringale de découvrir et la joie d'apprendre : fort peu d'autres commentaires religieux, dans toutes les religions, font ainsi une apologie aussi jubilatoire des ponts entre les savoirs, des analogies et des invariants. On retrouve là, par exemple, la liste des histoires innombrables qui, dans la Bible, sont fondées sur les nombres 4, 7 ou 10, et les raisons de leurs correspondances. On découvre aussi la généalogie des doctrines, replaçant chaque rabbi dans l'histoire de la pensée et relativisant son enseignement ; car, disent les Pères, chaque sage enseigne « *le droit chemin à sa génération* » et doit être apprécié en fonction de l'utilité de ce qu'il dit pour son temps. Ainsi, c'est parce qu'il écrit au moment où Rome, puissance occupante, menace de détruire le Temple de Jérusalem, que rabbi Hanina se résigne à demander aux juifs de prier pour l'occupant : « *Priez pour la paix de l'Empire, car, sans la crainte qu'il inspire, les hommes s'entre-dévoreraient tout crus.* » Tout Hobbes est dans cette phase. On trouve aussi célébrée dans ce livre l'importance de l'école, du savoir, de la lecture : nul n'a le droit de résider dans une communauté qui n'a pas d'école (*Pirké Avot*, VI, 10).

Parmi les maximes de ce livre, on peut lire un résumé lapidaire de la pensée juive : « *Être sage, former des élèves et respecter la Torah.* » Puis, un peu plus loin, cet autre résumé du judaïsme : « *Pour exister, le monde a besoin de la loi, de la pratique et de la justice.* » Et encore ce principe si important, qui interdit de se servir de la Bible pour en faire un instrument de pouvoir ou de fortune, et qui conduit tous les rabbins à exercer un métier pour gagner leur vie : « *Celui qui tire un profit matériel des paroles de la Torah s'exclut du monde.* » À opposer à tous ceux qui, aujourd'hui encore, veulent légitimer un pouvoir politique par une religion, comme à tous ceux qui gagnent leur vie en parlant de théologie.

Et aussi cette morale de l'ascèse et du travail, conditions de l'accès au savoir, en particulier au savoir secret contenu dans la Bible, qui serait comme un message codé : « *Chaque lettre recèle des secrets profonds accessibles seulement à ceux qui sont capables de manger du pain avec du sel et de boire de l'eau avec mesure, de coucher à même la terre, de mener une vie de privations et de peiner dans l'étude avec assiduité* » (*Pirké Avot*, VI, 4).

Enfin, aussi dans ce livre, le plus célèbre et sans doute le plus important principe juif, édicté par rabbi Hillel l'Ancien, le plus grand sage de la période du Second Temple, venu de Babylone à Jérusalem contre l'avis de sa famille, sans doute deux décennies avant le début de notre ère, et qui dit tout sur la nécessaire présence au monde : « *Si je ne m'occupe pas de moi, qui le fera ? Si je ne m'occupe que de moi, que suis-je ? Et si je ne le fais pas maintenant, quand ?* »

S'aimer soi-même pour aimer les autres. Et sans attendre : l'impatience rugit au cœur du judaïsme.

## Bar-mitsva

C'est sans doute en la préparant – j'avais douze ans – que je suis tombé sous le charme du judaïsme. En ces moments intenses où il me fallut prendre, pour la première fois, la parole.

Toute communauté humaine définit des rites de passage qui donnent aux adolescents un accès aux secrets réservés aux adultes. Pour le judaïsme, ce passage se caractérise par le droit, à treize ans, de lire la Bible, et par l'obligation de prier d'une certaine façon, en portant des objets symboliques – les tefillin – sur le front et au bras.

Pendant très longtemps, aucune cérémonie particulière ne marqua ce passage. Ce n'est qu'au XIII⁰ siècle, en Europe, que la *bar-mitsva* (mot araméen qui pourrait signifier « fils des commandements ») solennisa ce moment. Devant la communauté assemblée, le jeune homme lit pour la première fois le passage de la Bible étudié cette semaine-là dans toutes les synagogues du monde, et il prononce un discours inspiré de ce texte. Longtemps cette cérémonie fut réservée aux garçons ; elle est aujourd'hui ouverte aux filles. Elle se prépare en plusieurs années et exige, entre autres, l'apprentissage de la langue hébraïque et des fondements du judaïsme.

Ce fut pour moi un moment très fort, partagé avec mon frère jumeau. Nous avions commencé à la préparer avec un vieux rabbin autrichien exilé en Afrique du Nord, en vue de la célébrer dans une synagogue séfarade d'Alger, rue Saint-Eugène. Nous avons fini par la célébrer un an plus tard, préparés par un rabbin séfarade, dans la plus grande synagogue ashkénaze de Paris, rue de la Victoire. Deux rabbins aux destins on ne peut plus différents, mais tout aussi extraordinaires.

À regarder les photos de cette journée de février 1957 prises par le photographe officiel de la synagogue, je devine l'angoisse de nos parents, à peine installés à Paris où ils ne connaissaient personne, ayant tout abandonné en Algérie alors française, convaincus que notre avenir n'y était plus. Je devine l'immensité de leurs sacrifices, habités qu'ils étaient par l'obsession juive : transmettre et s'élever.

Pour ceux qui vivent cette cérémonie comme une corvée familiale, la bar-mitsva est souvent la dernière fois qu'ils mettent les pieds dans une synagogue. Pour moi, elle marque au contraire les débuts d'une intense curiosité et de conversations enfin possibles avec mon père sur tant de sujets qu'on retrouvera dans ces pages.

Bien souvent je me suis référé à ce jour-là. Pensant à tous ceux qui avaient eu, avant moi, la chance ou le malheur – ou les deux – d'être ainsi désignés par leurs pairs et par les autres. J'imagine tout ce qu'il a fallu d'efforts pour perpétuer depuis près de mille ans ce rite dans les moments les plus difficiles, jusque dans les camps nazis. Rite magnifique, puisqu'il fait immédiatement de l'enfant un maître, chargé d'interpréter à sa guise pour toute la communauté un passage de la Loi et d'en tirer des leçons pour sa vie propre.

Depuis lors, bien d'autres cérémonies de bar-mitsva ont marqué ma relation au judaïsme : celle de mon fils, elle aussi faite deux fois, l'une à Paris, en français, l'autre, la semaine suivante, en anglais, à Jérusalem, devant le mur occidental du Second Temple.

Puis d'autres, à l'invitation d'amis ou partagées par hasard quand il m'arrive d'être dans une synagogue, un samedi matin. Je me retrouve alors dans le jeune garçon ou la jeune fille qui redonne vie, ce jour-là, à ce rituel hors du temps, échelle dressée vers le Ciel, vers l'avenir.

# Beth

Pour quelqu'un qui, comme moi, aime à chercher la signification cachée des textes apparemment les plus innocents, rien n'est plus fascinant que la façon dont les auteurs du Talmud et ses commentateurs parlent des 22 lettres de l'alphabet hébreu (consonnes et voyelles à la fois) : chacune est un océan, une bibliothèque, un univers ; chacune parle par sa forme, par les mots qui l'utilisent, par sa valeur numérique et par sa position dans la Bible.

En jouant avec ces lettres, les Sages ont échafaudé mille et une théories sur l'univers.

D'abord, dit le Talmud, puisque c'est en hébreu que la Bible a été écrite par Moïse, c'est dans ces 22 lettres qu'ont été cachés les plus grands secrets de l'univers. Et c'est en associant leurs formes, leurs sonorités, leurs valeurs numériques, leur sens qu'on peut accéder à la « lumière profonde » de la volonté divine.

Ensuite, disent-ils, chaque lettre, conçue par Dieu avant même la création de l'Univers, est un message. Pour le découvrir, il faut savoir que chacune dérive d'un cryptogramme mésopotamien et est donc rattachée à un concept. Par exemple, l'Aleph a plusieurs sens : le premier est le « bœuf » (sa forme y fait penser), mais il en a bien d'autres, comme « enseigner ».

Par ailleurs, chaque lettre porte un nom qui s'écrit à l'aide d'une, deux, trois ou quatre lettres renvoyant à un autre signifiant, composé des concepts attachés à chacune de ces lettres.

Par exemple, le mot qui désigne la première lettre de l'alphabet, Aleph, peut s'écrire avec trois lettres : (Alef-Lamed-Phe). Aleph signifie donc à la fois (comme on l'a vu plus haut) bœuf, maître ou enseigner ; mais il signifie aussi ce que signifie le « rébus » composé des trois lettres permettant d'écrire le nom de cette lettre, soit « Alef » (enseigner), « Lamed » (apprendre) et « Phe » (la bouche). Au total, le mot Alef (Alef-Lamed-Phe) peut donc se lire : « enseigner-apprendre-bouche ». Ce qu'on peut traduire par : *« enseigner à la bouche comment apprendre »*. Enseigner comment apprendre en parlant, en improvisant, en récitant : tel est le sens caché de la première lettre.

Ce processus peut se réitérer un nombre infini de fois en remplaçant chaque lettre par celles qui la décrivent. Par exemple, comme la lettre Lamed s'écrit elle-même (Lamed-Mem-Daleth) et la lettre Phe s'écrit (Phe-Alef-He), Aleph s'écrit (Aleph) à la première génération ; (Alef-Lamed-Phe) à la deuxième ; (Alef-Lamed-Phe-Lamed-Mem-Daleth-Phe-Alef-He) à la troisième ; et ainsi de suite, à l'infini, avec un sens de plus en plus complexe, en juxtaposant les concepts attachés à chaque lettre.

Par ailleurs, chaque lettre désigne aussi un nombre, ce qui permet de donner une valeur numérique à chaque mot par la somme de la valeur des lettres qui le composent, et de comparer le sens des mots ayant même valeur numérique. C'est la *guematria* dont on reparlera.

Enfin, les mots formés des mêmes lettres mais dans des ordres différents ont des sens interdépendants. Par exemple, le mot « ever » (« celui qui passe », ou « l'inachevé » ou « le transgresseur ») devient, en inversant deux lettres, « erev » (« le soir » ou « sur la tombe »). Vertige d'interprétations !

De même, le mot « Melekh » (« le roi » ou Dieu) est composé de 3 lettres (M, L, K), qui désignent le cerveau (M), le cœur (L) et le foie (K). Autrement dit, chez le roi, l'intellect domine les affects et les pulsions. Le mot KLM (« Kloum », « rien ») veut dire que l'on n'est plus rien quand les pulsions dominent ; le mot LMK (« Lemech », « l'imbécile ») signifie que, quand le cœur domine l'intelligence, l'homme devient bête.

Enfin, si on change une lettre d'un mot, on en obtient un autre d'un sens tout différent, qui éclaire le sens de l'un et de l'autre : par exemple, le mot « emet » (« vérité ») devient « met » (« mort ») si on l'ampute de sa première lettre « aleph » (« l'enseignement »). Ce qui peut s'interpréter comme : *« La vie disparaît si on n'enseigne pas. »*

Plus que toutes les autres, la lettre Beth me fascine. J'aime d'abord sa forme et le cryptogramme qui la désigne. On peut y voir un carré ouvert sur le côté droit, donc une maison à la porte ouverte (et « maison » est son premier sens). Beth, c'est aussi le dedans, le soi, l'intime, l'autonome, la famille, le peuple, la tribu, la matrice, l'espace accueillant la lumière. Beth, c'est aussi Babylone, le lieu de l'exil. Beth, c'est encore le projet : l'homme ne doit pas chercher à savoir ce qui se passe au-dessus (dans l'au-delà), derrière (avant la création de l'Univers), en dessous (dans le monde des morts), mais il doit regarder devant (vers l'avenir). Ce que dit aussi le magnifique *Sepher Ha Bahir* (*Livre de l'illumination*) écrit au XIIIe siècle par un kabbaliste aveugle de Provence, Isaac de Posquières : *« Pourquoi la lettre Beth est-elle fermée de tous côtés et n'est ouverte que par-devant ? C'est pour t'apprendre qu'elle est la maison du monde. »* Un autre livre qui apparaît au même moment, le *Zohar*, le dit autrement : *« La Torah réside dans le Beth, la maison du commencement »* (*Zohar* I, 50b). Car Beth est aussi la lettre du commencement.

Le premier mot du premier livre de la Bible (intitulé « Genèse » en grec), est en effet « Béréchit », qui commence par un Beth. Ce mot ne signifie pas du tout (comme on le traduit généralement, en particulier en latin), « Au commencement ou « À l'origine », mais « En tête » ou « Dans la tête » : dans la tête de Dieu. Autrement dit : L'Univers existait dans la tête de Dieu avant qu'Il ne le crée. Ou encore : l'univers est une idée avant d'être une réalité. « Beth » indique d'ailleurs, par sa forme, la direction du temps, créé lui aussi dans l'esprit de Dieu (« Rech »).

Ainsi la première lettre de la Bible (juste une seule lettre) nous dit que rien n'est plus important que de chercher la présence de Dieu en toute chose. Tout le judaïsme, jusqu'à Spinoza et au panthéisme, est ainsi déjà contenu, pour qui veut bien apprendre à le lire, dans le premier mot du premier verset du premier livre de la Bible.

À propos de « Beth », je ne me lasse pas non plus de lire le merveilleux récit du *Zohar* qui fait comparaître devant Dieu chaque lettre de l'alphabet : elles viennent l'une après l'autre Le supplier de leur faire l'honneur de les choisir pour être la première lettre de la Bible. Et chacune d'avancer une bonne raison pour être retenue ; et chacune de ces raisons est magnifique : elle tient à la forme de la lettre, aux mots qui la contiennent, aux histoires qui s'y rattachent. « Beth » l'emporte pour maintes raisons : en particulier parce qu'elle est la première lettre du mot « Berakha » (bénédiction). Seule Aleph ne vient pas faire acte de candidature et Dieu, pour la récompenser de son humilité, décide de la placer en tête de l'alphabet, dont l'ordre est ensuite soigneusement pesé.

J'aime aussi cette analyse qui ouvre tant de portes : si on inverse les deux premières lettres de la Bible (« Beth Rechit » en « Rechit Beth »), on passe de « En tête » à « D'abord la maison » : autrement dit, la Bible, lue à partir de la fin, commence par le mot « Israël » et se termine par cet ordre masqué, essentiel : « D'abord préserver son autonomie. » C'est exactement ce qu'aura fait le judaïsme au long des siècles.

Beth en dit aussi beaucoup par sa valeur numérique : elle signifie deux, c'est donc la lettre de la dualité, de la dialectique, du Bien et du Mal, de l'Arbre de la connaissance ; c'est aussi la lettre du couple. Au XIVᵉ siècle, Asher ben Yehiel écrit dans le *Sepher Hassidim* (le « Guide des Croyants ») : « *Deux valent mieux qu'un... C'est pour cela que le texte sacré dit : "Il n'est pas bon pour l'homme d'être seul ; je lui ferai un aide correspondant." C'est la raison pour laquelle l'Écriture commence par la lettre Beth.* »

Bien plus encore : les quatre premiers mots de la Bible commencent par les lettres BBEE, comme deux couples, deux Beth.

Beth parle encore par les trois mots qui représentent les trois lettres nécessaires à son écriture en hébreu : (Beth, Aleph, Teth), soit « maison », « école », « s'il vous plaît ».

Autrement dit, en commençant la Bible par un Beth, ses auteurs ont voulu nous faire comprendre, sans le crier sur les toits, que les choses les plus importantes sont : la communauté, le savoir et la politesse.

Et enfin : comme la dernière lettre de la Bible (au sens du Pentateuque) est « L » (son dernier mot est « Israël »), si on recommence la lecture, on a, en suivant, les deux lettres « LB » qui signifient (LEV) soit le cœur, soit l'amour (on le retrouve dans le *love* anglais). Autrement dit, ce qui relie la Bible du début à la fin et de la fin au début, c'est l'amour.

## Bethsabée

Chacun connaît l'histoire : Batsheva (« fille du serment »), une Jébuséenne née il y a plus de 3000 ans dans un village alors sans importance, Jérusalem, épouse d'Uri, un Hittite, membre de la troupe d'élite du roi, est séduite par le roi David pendant que son mari participe au siège de Rabba, l'actuelle Amman, alors capitale des Ammonites. C'est un crime épouvantable, une violation du septième commandement. Et la loi est claire : « *Si un homme commet l'adultère avec la femme de son prochain, tous les deux, l'homme et la femme, doivent être punis de mort* »

(Lv 20, 10 ; Dt 22, 22). À moins que la femme ait été violée, ce qui ne semble pas être ici le cas.

Quand Bethsabée est enceinte de lui, David décide de rappeler Uri pour qu'il fasse l'amour à sa femme et masque ainsi sa faute. Mais, par loyauté envers ses troupes restées au combat, l'officier refuse de revenir partager le lit de sa femme. Il faut trouver une autre solution : sinon c'est le scandale et la mort pour les deux amants. David pourrait faire exécuter Uri pour désobéissance, puisqu'il n'a pas voulu quitter le front, mais il choisit une autre solution : il l'envoie (peut-être avec l'accord de Bethsabée) au premier rang de la bataille, où l'officier est tué. Juste après la période de deuil, David épouse Bethsabée. Nathan, le prophète, pas dupe, le rassure : « *Dieu pardonne ton péché* », mais il prédit que l'enfant que porte Bethsabée mourra au bout de sept jours, et qu'un autre fils de Bethsabée succédera à David.

Tout se passe ensuite comme prévu par Nathan : l'enfant de Bethsabée meurt au septième jour (après sa conception, disent certains rabbins ; après sa naissance, disent d'autres). Là, se joue l'essentiel. David s'enferme avec Bethsabée. L'un et l'autre s'effondrent de douleur. Là naît vraiment leur amour. David écarte toutes les autres femmes. Femme d'autorité, Bethsabée prend alors progressivement l'ascendant sur David, s'imposant face à ses autres épouses dont Mikhal, la première, fille du premier roi d'Israël. Bethsabée impose sa ville natale, Jérusalem, comme capitale du royaume. Et quand David est mourant, elle réussit, avec l'aide de Nathan, à imposer comme souverain son second fils, Salomon, contre Adoniyah, l'aîné des survivants parmi les fils de David. Elle règne alors avec Salomon qui vient souvent la consulter, et organise la construction d'un Temple dans sa ville natale, puis s'efface derrière son fils.

Comment cette femme qui trompe son premier mari et qui laisse organiser son assassinat peut-elle être considérée par la Bible comme l'ancêtre directe du Messie ?

D'abord, disent les rabbins, Uri serait mort de toutes les façons pour avoir refusé d'obéir à l'ordre du roi de quitter le front. Ensuite, le Talmud affirme que Bethsabée était destinée à David depuis la création de l'Univers : elle est son « âme sœur ». Elle a donc été, dès le commencement, « dans la tête de Dieu », tout comme l'Univers. Certains rabbins laissent même entendre qu'elle est l'épreuve envoyée par Dieu à David ; qu'elle vient de si loin qu'elle n'est pas juive de naissance, comme Uri, mais convertie ; qu'elle rassemble donc, avec David, l'humanité entière ; ces rabbins la confondent parfois avec Ruth, l'arrière-grand-mère de David ; ils soulignent que son nom est lié au chiffre 7, souvent associé aux non-juifs (7 lois noachides, 7 rois de Canaan) et qu'il peut aussi signifier « fille de 7 ans », mineure juridique, donc incapable et non responsable des actes de son mari.

Beaucoup plus belle histoire encore, qui éclaire tout : selon le Midrash, Uri (« ma lumière ») est un maître d'armes hittite qui enseigne ses secrets à David ; en échange, Uri demande à David de le convertir au judaïsme. David lui promet de le faire lorsqu'il sera roi. Une fois devenu roi, David veut tenir sa promesse, mais les rabbins refusent : le roi n'a pas ce pouvoir-là. Alors, pour respecter son engagement, David donne à Uri en mariage son « âme sœur », Bethsabée. Uri devient juif par cette union et décide de mourir pour rendre Bethsabée à David. Ainsi David donne son âme sœur, Bethsabée donne son serment, Uri donne sa vie. Au total, trois sacrifices dont la succession dispense une « lumière » immense…

Bethsabée : aussi le prénom de ma fille, parce que désignant l'espoir.


## Bibo (Salomon)

Rien ne me plaît plus que les rencontres improbables : ainsi celle des juifs et des Indiens d'Amérique.

Depuis toujours, certains cherchent en Amérique les « tribus perdues » ; et c'est pour les retrouver en Inde qu'Abravanel finança le voyage de Colomb. La question n'est pas absurde : ces tribus exilées à Ninive sept siècles avant notre ère auraient pu migrer (comme d'autres l'ont fait il y a six mille ans) vers

l'Inde, la Sibérie, puis l'Amérique. De fait, j'ai toujours trouvé une extraordinaire similitude entre la
cosmogonie des Hopis, ce peuple premier d'Amérique, arrivé de Sibérie sous le nom d'Anasazi, et celle
du peuple hébreu : on y trouve, chez l'un comme
chez l'autre, l'idée d'un peuple responsable, le thème
d'un échec de l'homme sans cesse répété, celui de
déluges successifs ne sauvant que quelques individus,
et une même obsession de la transmission aux générations suivantes.

En 1801, le troisième président des États-Unis, Thomas Jefferson, fait encore demander à des explorateurs
envoyés vers les Grandes Plaines de l'Ouest de lui
rapporter la réponse à la même question qu'Abravanel
avait posée à Colomb : « *Puisqu'il n'est pas exclu que
les tribus perdues d'Israël soient quelque part dans les
Plaines, quels liens existe-t-il entre les cérémonies des
Indiens et celles des Juifs ?* »

D'autres relations, moins hypothétiques, existent
ensuite entre les juifs et les Indiens de l'Inde et de
l'Amérique. En Inde, au XVIᵉ siècle, vit par exemple
Gaspar da Gama, (échoué là, venant de Pologne, il
découvrira aussi le Brésil), et le docteur Orta, venu là
pour fuir l'Inquisition portugaise.

En Amérique, parmi ceux qui ont fui le Brésil,
puis l'Allemagne, j'aime particulièrement l'histoire
de Salomon Bibo. Né en Prusse en 1853, sixième
d'une famille juive de onze enfants, Salomon Bibo
rejoint à seize ans deux de ses frères émigrés avant
lui au Nouveau-Mexique parmi les millions d'Européens qui traversent alors l'Atlantique. Il travaille
d'abord avec ses frères pour le compte d'une autre
famille juive venue de Prusse avant eux, les Spiel-
berg. Puis les trois frères s'installent dans un poste

avancé du Nouveau-Mexique pour commercer avec les Indiens Navajos : ils leur achètent des produits agricoles qu'ils revendent aux forts de l'armée américaine. Les trois frères servent ensuite d'intermédiaires entre les Indiens, les Mexicains et les Américains. D'autres juifs comme les Lazard font de même, mais repartent vite vers les villes pour fonder des banques. Ce n'est pas le cas de Salomon Bibo.

En 1882, à vingt-neuf ans, Salomon établit un poste de commerce – l'éternel métier de courtier – chez les Indiens Acomas, une des plus anciennes tribus du Nouveau-Mexique, qui vit dans la même *mesa* depuis le XIII$^e$ siècle. Il apprend leur langue, étudie leur situation, puis passe de leur côté et négocie pour leur compte avec l'Administration de Washington. Comme tant d'autres juifs avant et après lui, il négocie au nom d'un peuple avec un autre dont il était l'hôte auparavant.

L'année suivante, les Acomas, qui l'appellent « don Solomono », pensent qu'en confiant la gestion de leurs terres à un Blanc, ils auront plus de chances de la conserver face aux convoitises des colons. Ils lui accordent alors un bail sur 94 000 acres concédés six ans plus tôt par le gouvernement américain, en particulier sur des gisements de charbon qui s'y trouvent, en échange d'un loyer annuel de 12 000 dollars, de 10 dollars par tonne de minerai extrait, et du droit d'y faire paître leur bétail. Peu à peu, Salomon Bibo s'impose comme le chef des Acomas tout en continuant de pratiquer le judaïsme. Quand, en 1888, l'agent des affaires indiennes de Santa Fe, un certain Pedro Sanchez, essaie de faire annuler le bail du « rico Israelito » pour récupérer les terres indiennes, Bibo – il a alors trente-cinq ans – réussit à se faire reconnaître

« gouverneur du peuple Acoma » par l'administration de Washington et conserve le bail. Il s'enrichit considérablement. L'année suivante, il épouse la petite-fille du chef, la princesse Juana Valle, qui se convertit au judaïsme, et il devient le chef des Acomas.

Onze ans plus tard, en 1899, le seul juif chef indien de l'Histoire abandonne sa concession, quitte la réserve et s'installe à San Francisco avec sa femme et ses enfants pour leur permettre de recevoir une éducation juive. Il vit là encore trente-cinq ans et est enterré en 1934 dans le cimetière juif de Colma, en Californie, où le rejoint en 1941 sa princesse indienne.

## Bleichröder (Gerson)

J'aime les histoires de ces juifs allemands devenus banquiers : Warburg, Rothschild, Lehman, Seligman, Goldman, Sachs et tant d'autres. D'une grande exigence morale, ils sont soucieux de limiter leurs opérations à ce qu'ils nomment la « haute banque », de maintenir l'identité familiale de leurs établissements et d'éviter la lumière et la politique. Parmi eux, le premier à avoir exercé une réelle influence politique est Gerson Bleichröder, que le baron Carl Meyer von Rothschild, banquier à Francfort, présente en 1865 à Otto von Bismarck, chancelier du royaume de Prusse depuis trois ans, en quête d'un « bon banquier à Berlin ».

Et c'est un bon banquier : tous les clients des Rothschild, lorsqu'ils se rendent dans la capitale allemande, règlent leurs affaires chez Bleichröder, la banque fondée en 1803 par son père, Samuel. Même des antisémites notoires comme l'industriel Henkel, le musicien Richard Wagner et sa future épouse, Cosima von Bülow, y ont un compte. Devenu le financier personnel de Bismarck, Bleichröder joue aussi auprès de lui un rôle de conseiller politique, sans jamais pour autant devenir son ami. Il le pousse en particulier à mettre fin au protectionnisme et à créer une union douanière entre tous les États allemands, le *Deutscher Zollverein.* Il lui fournit les crédits, refusés par le Parlement prussien, pour mener la guerre contre l'Autriche en 1866 et contre la France en 1870. En 1871, devenu « baron von Bleichröder », il négocie pour Bismarck les conditions de la paix entre la France et l'Allemagne avec les Fould, banquiers français qui représentent le gouvernement Thiers. Bismarck, qui utilise toujours Bleichröder en grand secret, écrit à ce propos à l'un de ses ministres : « *Tout d'abord, il faut que Bleichröder aille à Paris, qu'il rencontre ses collègues juifs et qu'il discute* [de l'indemnité de guerre de cinq milliards de francs] *avec les banquiers*[286]. » Grâce à ses relations avec les Rothschild de Londres, Bleichröder fournit par ailleurs au chancelier un moyen confidentiel de communication avec Disraeli.

En 1872, Bismarck, devenu le premier chancelier du nouveau Reich rassemblant l'Allemagne autour de la Prusse, se prend d'une hostilité paranoïaque envers Bleichröder. Il le dénonce comme espion, comploteur, corrupteur, « *ayant fait fortune à la Bourse au lieu de gagner son pain quotidien à la sueur de son front*[286] ». Bleichröder est alors écarté et sa banque périclite. Il meurt en 1893, trois ans après l'élimination, par le nouvel empereur Guillaume II, de Bismarck qui ne mentionne même pas son nom dans ses Mémoires.

Un biographe du banquier, Fritz Stern, note :
« [Bleichröder] *comprit-il que le mélange de réussites et
d'humiliations qui avait caractérisé sa vie était
symptomatique des relations profondément perver-
ties des Allemands avec les Juifs*[286] ? »

Sans doute était-ce ce qu'avaient ressenti avant
lui les fournisseurs de cour chassés de Bagdad au
X$^e$ siècle, de France au XI$^e$ siècle, de Cordoue au XII$^e$ siècle, de Londres au XIII$^e$ siècle, de Séville au XV$^e$ siècle,
de Francfort au XVIII$^e$ siècle, d'autant plus haïs
qu'étaient grands les services qu'ils avaient rendus.

## Cantique des Cantiques

C'est mon père, là encore, que j'entends en lisant ce livre. C'est son trouble pudique, lorsqu'il m'en parlait, qui me revient à l'esprit. Car ce texte (dont le titre hébreu doit être en fait traduit par « *Le plus grand des Cantiques* ») est d'abord un des plus beaux récits érotiques jamais écrits. Et la plus belle exhortation au bonheur qu'on puisse lire : le judaïsme est amoureux du bonheur. Un texte révolutionnaire que tant de bigots ont voulu censurer.

En voici un extrait, si magique :

*Oui, voici, l'hiver est passé, la pluie a cessé, elle s'en est allée.*

*Les bourgeons se voient sur terre, le temps du rossignol est arrivé, la voix de la tourterelle s'entend sur notre terre.*

*Le figuier embaume ses sycones, les vignes en pousse donnent leur parfum.*

*Lève-toi vers toi-même, ma compagne, ma belle, et va vers toi-même !*

*Ma palombe aux fentes du rocher, au secret de la marche, fais-moi voir ta vue, fais-moi entendre ta voix ! Oui, ta voix est suave, ta vue harmonieuse.*

La tradition prétend que le roi Salomon en est l'auteur. En réalité, nul ne sait qui a composé ce recueil de cinq poèmes, vraisemblablement rédigé au IVᵉ siècle avant notre ère.

Après bien des discussions, au IIIᵉ siècle avant notre ère, ce texte difficile, à prendre au sérieux par les rabbins, est admis dans la traduction grecque de la Bible par les juifs d'Alexandrie. Il est aussi inclus dans l'ultime canon biblique établi par les rabbis de Jérusalem du Iᵉʳ siècle de notre ère. Pour l'admettre, ces commentateurs considèrent qu'il n'y est pas question de l'amour d'une femme et d'un homme, mais d'une métaphore de la relation de l'homme avec Dieu, où l'homme serait Dieu et la femme l'humain. Pour justifier cette thèse, un des plus importants rabbis du moment, rabbi Akiba, explique que le sujet du Cantique des Cantiques ne peut être l'amour humain puisque son auteur, le roi Salomon, avait trop d'épouses pour composer un poème à la gloire d'une seule ! D'autres interprétations, comme celle du *Zohar*, y voient un texte plus secret, symbolique des dix sephirot et de l'Arbre de vie.

Par la suite, bien des théologiens, juifs puis chrétiens, hésiteront encore à l'inclure dans le canon biblique. Au XIIᵉ siècle, Bernard de Clairvaux en fait un long commentaire. Lemaistre de Sacy, solitaire de Port-Royal, ne l'inclut pas dans sa traduction en français (1695) des textes bibliques. Armand de Rancé, le fondateur de l'Ordre des trappistes, empêche les religieux de le lire.

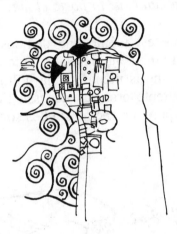

De fait, il s'agit bien d'abord, dans ce texte, d'amour humain dans toutes ses dimensions : de l'attente à la sensualité, du plaisir partagé à la crainte de perdre l'autre, d'amour d'une femme pour un homme et d'un homme pour une femme. Un amour en défi : *« Je suis noire, mais je suis belle, filles de Jérusalem »* – rare mention dans la Bible de la couleur de peau. Un amour physique, tout de douceur : *« Qu'il me baise des baisers de sa bouche ! Car ses étreintes sont meilleures que le vin »* (I, 2). Et encore les traductions sont-elles en général édulcorées : le terme hébreu *dodeikha*, traduit ici par « baiser », signifie en fait « faire l'amour ». De même : *« Tes seins sont comme deux faons, jumeaux d'une gazelle »* ; *« Ta poitrine est comme les raisins mûrs »* ; *« N'éveillez pas, ne réveillez pas mon amour, avant l'heure de son plaisir »* ; *« Il y a sous ta langue du miel et du*

*lait »* ; « *Je suis à mon bien-aimé. Et ses désirs se portent vers moi.* » Ou encore, plus cru : « *Mon Bien-aimé a mis la main sur la porte et mes entrailles ont tressailli.* »

Le Cantique est même une démonstration de la primauté de l'amour humain sur toute autre activité humaine, y compris même sur la politique : la sensualité de l'attente érotique dépasse l'excitation de l'exercice du pouvoir, même si elles sont intimement liées.

Contrairement à tant d'interprétations ultérieures, qui feront de la chasteté une vertu et maudiront l'amour humain pour ne glorifier que l'amour de Dieu, le Cantique des Cantiques nous rappelle que la Bible entière glorifie l'amour physique, sans référence à la procréation. Aimer, caresser, jouir sont des bénédictions divines. Faire l'amour est même une des activités les plus importantes auxquelles on puisse se livrer, dit la Torah. Parce que la vie doit être vécue dans sa plénitude. Il faut être heureux pour rendre heureux, il faut rendre heureux pour être heureux.

Au-delà, le Cantique des Cantiques est redevable de plusieurs autres analyses et fournit en particulier une occasion d'illustrer les quatre niveaux d'interprétation possibles de tout texte biblique :

Au premier niveau, l'interprétation littérale, le Cantique est un poème universel sur l'amour humain, qui ne peut être écrit que par quelqu'un qui a beaucoup souffert d'amour. Au deuxième niveau, l'interprétation symbolique, il parle de l'union de Dieu et d'Israël. Au troisième niveau, interprétatif, il constitue la description du processus de création de l'Univers par l'union de l'homme et de son Créateur. Au quatrième niveau, mystique, c'est de Dieu lui-même qu'il s'agit, de Dieu qui s'unit à lui-même : c'est la fusion de tous et de tout en Dieu. D'un amour absolu.

## Cassin (René)

La plus parfaite, la plus intègre trajectoire d'un juif français parvenu au sommet de son pays, de l'universel et du judaïsme, sachant mettre l'un au service de l'autre.

René Samuel Cassin naît le 5 octobre 1887 à Bayonne, fils d'un commerçant de Forbach, en Lorraine. Sa mère descend de marranes portugais établis à Nice. Son administration est laïque. En 1914, docteur en droit, il est mobilisé comme simple soldat malgré de brillants résultats à l'école des officiers. Blessé, il est chargé de cours à la faculté de droit d'Aix ; agrégé de droit en 1920, professeur à Lille, puis à la Sorbonne en 1929 et à l'École nationale de la France d'Outre-mer en 1935, il est l'instigateur de la loi sur les droits à réparation pour les victimes de la Première Guerre mondiale, et représente la France à la Société des Nations de 1924 à 1938. Le 20 juin 1940, ayant rejoint immédiatement de Gaulle à Londres, il est privé de la nationalité française et condamné à mort par contumace par Vichy. En août 1940, il rédige les accords Churchill-de Gaulle qui donnent une assise juridique internationale à la France libre. En 1941, il devient, dans le gouvernement de la France libre à Londres, commissaire national, c'est-à-dire ministre, en charge de la Justice et de l'Éducation.

Après la guerre, il devient le plus haut magistrat français : vice-président du Conseil d'État et président du conseil d'administration de l'École nationale d'administration.

Son ambition est plus vaste : Il veut empêcher qu'aucun pays puisse de nouveau, comme le disait Goebbels, ministre de l'Information et de la Propagande du régime nazi, *« faire ce qu'il voudrait de ses communistes et de ses Juifs »*. Il songe à cette fin à une

Déclaration universelle des droits de l'homme, dont l'application pourrait être garantie par un tribunal supranational. L'idée est reprise à Washington et ailleurs. Lui qui se définit alors comme un « *utopiste pragmatique* », arrive à New York au début de l'année 1946 pour représenter la France à la Commission des Droits de l'homme que préside Eleanor Roosevelt, qu'il a rencontrée en avril 1942 à Londres. Elle lui demande d'être vice-président de cette commission et de rédiger un avant-projet de Déclaration. Il présente son projet en 45 articles, auquel il pense depuis 1942, à la Commission le 16 juin 1947 ; il est très largement approuvé, en particulier la référence à des « *droits directement universels* » (c'est-à-dire ne pouvant être garantis que par une instance supranationale comme, par exemple, les Nations unies elles-mêmes). Il devient la « Déclaration de 1948 », qui s'inscrit ainsi dans le droit fil de celle de 1789 et en universalise les principes (liberté, égalité, fraternité). Même si le texte final est plus timide que son propre projet, en particulier sur l'affirmation de l'universalité des droits de l'homme, même si cette déclaration ne fut pas suivie des pactes destinés à assurer sa mise en œuvre, Cassin réussit à y faire admettre que les droits économiques, sociaux et culturels sont des droits fondamentaux indissolublement liés aux droits civils et politiques. Pour ne citer qu'un seul article, encore aujourd'hui révolutionnaire, l'article 23 : « *Quiconque travaille a droit à une rémunération équitable et satisfaisante lui assurant ainsi qu'à sa famille une existence conforme à la dignité humaine* ». Il aura fallu attendre dix-huit ans (1966) pour que les pactes soient enfin rédigés et adoptés, et un demi-siècle (1998) pour qu'on commence à étudier la création d'une Cour criminelle internationale permanente chargée de veiller à son application.

Cette déclaration constitue le sommet de la rencontre de la pensée juive et de l'idéologie des droits de l'homme, commencée avec le Talmud et continuée avec Rachi, Maimonide et Spinoza. Cassin dit d'ailleurs lui-même que les articles de cette déclaration forment des « Tables de la Loi humaine ».

Son intérêt pour le judaïsme ne faiblit pas pour autant, sans que le sionisme l'intéresse. À l'Unesco dont il est l'un des fondateurs, il rencontre le représentant du Saint-Siège, Mgr Roncalli, dont il cherche à obtenir, lorsque celui-ci devient Jean XXIII, que le texte du concile Vatican II sur la relation de l'Église avec le judaïsme soit équilibré. Quand la première version (« *Que tous aient donc soin de ne rien enseigner dans les catéchismes ou la prédication de la parole de Dieu qui puisse faire naître dans le cœur des fidèles la haine ou le mépris envers les juifs* ») est modifiée, dans un sens défavorable, il intervient auprès du pape. En vain. Il n'obtient pas la *condamnation* par l'Église de la haine et des persécutions contre les juifs ; l'Église se contente de les « *déplorer* ».

Président du Conseil constitutionnel provisoire en 1958 (il proclame l'élection du général de Gaulle à la présidence de la République), il devient président de la Cour européenne des droits de l'homme auxquels il a consacré toute sa vie. En octobre 1968, il reçoit le prix Nobel de la paix pour avoir rédigé la Déclaration des droits de l'homme. Il meurt à Paris en 1976. Si un jour existe un gouvernement mondial, il ne pourra pas avoir de meilleure constitution que le texte écrit par Cassin au cœur de la barbarie nazie.

# Chabbat

Dans mon enfance, le chabbat (« cesser », « se reposer », mais aussi le chiffre sept) constituait un moment essentiel de notre vie familiale. Pas une rupture absolue avec le reste du monde, mais une prise de distances. Commerçants, mes parents travaillaient ce jour-là ; ils ne se privaient ni d'électricité, ni de téléphone, ni d'automobile comme le font les juifs orthodoxes ; pas question non plus pour nous de manquer l'école. Mais, le vendredi soir, mon père ne manquait que très rarement l'office. J'entends encore aujourd'hui, avec la même émotion qu'alors, ce chant merveilleux, composé à Safed au XVI^e siècle, qui résonne depuis dans presque toutes les synagogues du monde : *Lekha Dodi (« Allons, mon bien-aimé, à la rencontre de la fiancée, accueillons le Chabbat... »)* Puis, à la maison, on allumait les bougies, on écoutait, debout, la prière du *Kiddoush* sur le pain et le vin, dite par mon père. Le dîner était une fête, tout comme le déjeuner du samedi pendant lequel on écoutait encore le *Kiddoush*, assis cette fois. En fin d'après-midi, la *havdalah*, qui marque la fin du chabbat, était pleine de nostalgie.

Je ne me souviens pas d'avoir pris un seul repas du vendredi soir autrement qu'en famille durant les dix-huit premières années de ma vie. Et pas un vendredi, depuis lors, sans que j'échange avec mes proches, de tous les coins du monde où nous sommes, les uns et les autres, le magnifique souhait : *« Chabbat chalom »* (Que vienne la paix du Chabbat).

Chabbat, occasion d'être soi ; où le temps s'arrête ; parfois, occasion d'être distingué. Mot qui devint vite, en Chrétienté, « sabbat » pour désigner les assemblées nocturnes des sorcières, quand l'Église décide de choisir le dimanche plutôt que le samedi comme « jour du Seigneur ».

Le septième jour… « *En six jours, l'Éternel a fait le Ciel, la Terre, la mer et tout ce qu'ils renferment, et s'est reposé le septième jour* » (Ex 20, 5). Je me souviens qu'une de mes premières questions sur Dieu, adressées à mon père, fut – comme j'imagine pour tant d'autres enfants : « *Il s'est reposé ? Pourquoi ? Dieu peut-Il être fatigué ?* » Non, répondait mon père en souriant, Dieu n'est jamais fatigué, mais Il a voulu montrer la nécessité de prendre de la distance avec son travail, une fois celui-ci accompli ; et aussi de laisser les autres se reposer. Tous les hommes, disait-il, doivent apprendre à penser à autre chose qu'à travailler au moins une fois par semaine. Il ne me disait pas que, en fait, Dieu n'avait pas fait, ce jour-là, que se reposer : Il s'était retiré… L'*absence* de Dieu ? Trop compliqué pour un esprit enfantin !

Et puis venaient les discussions sur ce qu'il est licite de faire ce jour-là. Jouer ? Lire ? Étudier ? Téléphoner ? Aller au cinéma ? Voyager ? Très jeune, j'étais fasciné par l'étrange liste des 39 catégories de travaux interdits par la Bible (faire un nœud permanent ; le défaire ; coudre deux points ; déchirer afin de recoudre deux points ; chasser un daim ; abattre un animal ; écorcher un animal ; trier ; tanner une peau ; gratter une peau ; couper ; écrire deux lettres de l'alphabet ; effacer deux lettres de l'alphabet pour les réécrire ; construire ; abattre une construction ; éteindre un feu ; en allumer un ; donner des coups de marteau afin de parachever un ouvrage ; porter un objet d'un domaine à l'autre, etc.). En vain m'éver-

tuais-je à donner un sens moderne à cette liste hétéro-
clite. Il m'a fallu longtemps pour apprendre que
c'était la liste de l'ensemble des métiers nécessaires à
la construction, dans le désert du Sinaï, du Tabernacle
destiné à abriter les Tables de la Loi. Autrement dit,
durant le chabbat, on ne doit rien changer au monde
matériel, pas même pour fabriquer l'objet le plus
sacré : le Tabernacle.

Par contre, étudier, manger, aider les autres, faire
l'amour sont des activités grandement conseillées
pendant le chabbat.

Selon une jolie légende reprise par le Talmud,
Dieu accorde ce jour-là une « âme supplémentaire »
à chacun de ceux qui pratiquent ce jour-là la *tsedaka*
(la justice) au profit de « ceux qui *souffrent* », préci-
sera Isaac Luria au XIVe siècle. Cette âme s'éloigne à
la fin de chaque chabbat, laissant son arôme dans
les épices que l'on doit sentir à ce moment-là ; et
elle revient chaque vendredi soir ; elle est même la
principale raison d'être du chabbat, qui sert à consoler, à guérir, à prendre conscience de l'appartenance
à l'humaine condition, et à la partager. Encore cette
notion de n'être qu'une partie d'un tout ; encore cette
idée qu'il est important de réunir les conditions pour
que d'autres puissent à leur tour se reposer, ne pas être
exploités, être consolés ; cette idée est incroyablement
révolutionnaire, au moment où elle s'exprime pour
la première fois, il y a vingt-cinq siècles : il faut
ménager des pauses dans son travail et autoriser
tous les autres, hommes et bêtes, à en faire autant.
Occasion, en somme, d'affirmer que l'homme ne se
réduit pas à son travail, qu'il vaut beaucoup mieux
que ce qu'il fabrique. Marx dira : occasion de se
désaliéner.

Il m'arrive encore de faire du samedi, où que je sois dans le monde, une journée de parenthèse, sans référence religieuse particulière, pendant laquelle je m'astreins à me concentrer sur ce qu'il me reste d'important à écrire et à accomplir. Le chabbat m'apparaît alors non comme un retour à l'identique, mais comme une étape sans cesse nouvelle sur un cheminement irréversible, comme au travers d'un labyrinthe ; occasion d'évaluer le chemin parcouru et de faire, selon la belle formule, « amende honorable ».

Occasion aussi de se distinguer, de ne pas obéir forcément au même rythme de vie que les autres : rester soi-même sans se couper des autres, sans demander à d'autres de faire ce qu'on ne doit pas faire soi-même.

Occasion encore de se désintoxiquer des urgences et de comprendre que tout peut attendre, hormis ce qui concourt à sa propre intégrité. Parce que l'impatience ne se réduit pas à la précipitation.

Occasion encore, parfois, de parler plus librement, de dire ses vérités hors des conventions sociales du reste de la semaine. La chose n'est pas nouvelle : un rabbi polonais de la fin du XVIIIᵉ siècle, Jonathan Eibschutz, disait déjà avec l'humour propre aux communautés d'Europe centrale : « *La plupart des querelles entre juifs éclatent le samedi, parce que, ce jour-là, ils ne travaillent pas et sont disponibles. C'est pourquoi la Torah dit : "Ne faites pas du feu"* (Ex 35, 3). *Le feu dont il est question est aussi celui des conflits.* »

Occasion, enfin, de se libérer de l'accessoire et de mieux se souvenir de son identité : Bialik, le poète ukrainien venu en Palestine en 1924, a raison de dire que le chabbat a bien plus gardé les juifs que les juifs n'ont gardé le chabbat.


# Chekhinah

La découverte de ce concept – j'avais vingt ans – m'a retenu dans le monde juif à un moment où j'aurais pu m'en éloigner, tant l'idée d'un Dieu personnel, propre à un peuple et à un territoire, me semblait absurde.

J'ai alors aimé cette idée d'une présence abstraite, d'une « *immanence* » (en hébreu, *Chekhinah* signifie « demeure »), d'une idée universelle hors de toute culture spécifique. Une réalité abstraite, quasi mathématique, qui, dite autrement, vaudra à Spinoza son exclusion de la communauté juive d'Amsterdam : « Dieu est en tout et partout ». Ou plutôt : Dieu est comme celui – ou celle – qui sacrifie tout pour ceux qu'il (ou elle) aime et qui les suit là où ils vont.

La Chekhinah est la première preuve de l'amour de Dieu pour Ses créatures.

Au moment où le concept apparaît, au VIII<sup>e</sup> siècle avant notre ère, il est politiquement nécessaire : pour que les Judéens exilés en Babylonie n'aient pas le sentiment d'être abandonnés par leur Dieu resté en Judée, les rabbins de Jérusalem, déportés à Babylone avec le peuple, affirment que la Chekhinah les a accompagnés dans leur exil et qu'elle reviendra avec eux à Jérusalem (Bér 6a). Dieu redevient ainsi nomade, comme au temps d'Abraham et de Moïse. Un midrash raconte ce départ de Dieu de Jérusalem avec les juifs : « *Lorsque la Chekhinah quitta le Temple, elle enveloppa ses murs et ses colonnes qu'elle couvrit de baisers et de caresses, et cria : "Adieu, mon Temple ! Adieu, demeure de ma royauté ! Adieu, demeure de mon Aimé ! Adieu à jamais, Adieu !"* » (LmR, 25).

Maimonide, qui préfère éviter les métaphores anthropomorphes, dira qu'elle est un « halo de lumière » émanant de Dieu ; qu'elle est même la seule forme de Dieu à avoir été révélée aux prophètes. Étrange ressemblance avec les formes les plus sophistiquées de la science physique moderne pour laquelle la matière n'est qu'une des formes prises par une onde lumineuse...

Au XIIIe siècle, le *Zohar*[10] (qui prétend dévoiler le sens caché de chaque récit biblique) explique que la Chekhinah est comme Ruth (qui suit délibérément sa belle-mère en Canaan) et constitue la part féminine de Dieu. Elle suit chaque juif en exil, présence envahissante et exigeante qui peut devenir une menace si l'homme ne fait pas ce qu'il faut pour mériter son sacrifice. À l'instar des femmes, prêtes à tout sacrifier pour ceux qu'elles aiment, de leur père à leurs enfants, impitoyables envers ceux qui les trahissent.

Un peu plus tard, d'autres auteurs hassidiques, tel Nahman de Bratslav[126] au début du XIXe siècle, la compare à une princesse, fille d'un roi caché, pont entre Dieu et les hommes.

Dans un monde de déloyauté et d'égoïsme, cette fidélité illimitée, cette présence absolue constituent la plus belle image de ce qu'on peut espérer de Dieu : non pas Celui qui exige, juge et condamne, mais Celui qui console et qui, par Sa seule présence, permet à l'homme d'échapper au vertige de sa solitude.

## Chema

Évidemment le texte le plus impressionnant, celui que chaque juif doit connaître par cœur depuis l'enfance, et qu'il doit avoir auprès de lui en toutes circonstances. Pour les moments sédentaires, son manuscrit doit être placé dans un petit tube (la *mezouzah*), cloué sur le montant des portes de la maison. Pour les moments nomades, il doit être placé dans des boîtiers (les *tefillin*), portés en priant sur la tête et au bras. Il doit être murmuré silencieusement au début de l'office du matin, ou pour trouver le sommeil, ou enfin si on se sait à l'article de la mort.

Chema : « Écoute ». Premier mot du premier verset du message délivré par Moïse en descendant du mont Sinaï : *« Écoute, Israël, le Seigneur est notre Dieu, le Seigneur est Un »* (Dt 6, 4). En deux versets, il résume tout ce qu'il faut savoir du judaïsme : *« Béni soit à jamais le nom de Son règne glorieux. Tu aimeras l'Éternel, ton Dieu, de tout ton cœur, de toute ton âme et de toutes tes facultés. Que les commandements que je te prescris aujourd'hui soient gravés dans ton cœur. Tu les inculqueras à tes enfants, tu les répéteras dans ta maison et en voyage, en te couchant et en te levant. Tu les lieras en signe sur ta main, et ils serviront de bandeau entre tes yeux. Tu les écriras sur les poteaux de ta maison et sur tes portes. »*

Je me suis souvent demandé pourquoi ce mot (« Écoute ») était devenu l'un des plus importants du judaïsme, qui est pourtant culture de l'écrit : N'aurait-on pas pu dire : « Lis » ou « Écris » ? En fait, ce mot renvoie à tout autre chose que l'écoute du message d'un prophète, ou qu'au récit d'un conteur à un peuple. Il est une façon de dire à tous les hommes trois choses essentielles :

D'une part, prier ne consiste pas à s'adresser à un Dieu lointain pour obtenir quelque chose de Lui, mais à faire silence pour écouter : écouter les autres pour mieux les comprendre ; et surtout s'écouter soi-même. « Écoute » constitue donc le meilleur résumé de tout ce que la psychanalyse essaiera de dire, bien plus tard, sur des dizaines de milliers de pages : c'est en toi qu'est la guérison ; prends conseil du meilleur de toi-même.

D'autre part, l'essentiel de la transmission se fait oralement. L'oral est ce qui est trop important, trop secret, pour faire l'objet de traces écrites. C'est aussi la part du judaïsme, dit le Midrash, qui se transmet par le père.

Enfin le Chema renvoie à l'idée – en apparence si peu juive – que Dieu (ou la nature, ou la beauté, ou l'immanence, ou l'humanité) s'exprime par le bruit ; et d'abord, à mon sens, par la musique, en particulier par le chant. Et non par l'écrit, les lettres, si glorifiés par ailleurs.

Pour ma part, je le sais depuis longtemps : rien ne me console plus, rien ne me rapproche plus de ce que je considère comme la meilleure expression de ce qui dépasse l'homme (la « transcendance ») que l'écoute de la musique. En particulier lorsque je suis au milieu d'un orchestre symphonique et que s'élève le son d'un hautbois, ou lorsque j'entends une soprano colorature chanter une *aria* de Bellini ou un *Laudate Jubilate* de Mozart.

Musique… On a tant dit que le judaïsme niait l'art, pour devoir le rappeler ici : rien n'est plus juif que la musique. Depuis le chofar de Moïse, la cithare de David, les chants de toutes les hazans de synagogues, jusqu'aux œuvres de musiciens juifs, d'Offenbach à Schönberg, de Meyerbeer à Bernstein, de Halévy à Gershwin (dont les mélodies de *Porgy and Bess*, que chacun croit inspirées des *negro spirituals*, sont en fait des berceuses entendues de sa mère, issues du fond du judaïsme hongrois et de la musique *klezmer*). Musique enfin par tous les interprètes de génie, de Rubinstein à Perlman, d'Oïstrakh à Milstein, entre tant d'autres ; nomades par nature, sillonnant le monde avec leurs voix ou leurs instruments, comme un rappel de la présence itinérante de la transcendance auprès de tous les hommes.

## Chouchani

Je ne l'ai jamais rencontré. Je n'ai même jamais vécu dans la même ville que lui ; pourtant, il a hanté ma jeunesse.

Comme tant d'autres lettrés juifs de tous les siècles, il fut vagabond, parcourant les routes du monde, mendiant le gîte et le couvert, enseignant tout ce qu'on lui demandait, du judaïsme à la science, impressionnant acrobate de la pensée pour les uns, esprit dévoyé pour les autres. Ses très rares élèves dirent de lui fièrement : « *Le monde se divise entre ceux qui l'ont rencontré et les autres*[201]. »

Ils furent quelques-uns, en France, à la fin des années quarante, à l'avoir rencontré. Parmi eux, deux hommes qu'il aura marqués à jamais : Emmanuel Levinas et Élie Wiesel. On peut reconstituer des bribes de sa vie à partir du témoignage de ceux à qui il réserva quelques confidences plus ou moins imaginaires, plus ou moins contradictoires.

Nul ne sut jamais son véritable nom. On ne le connaît que comme « *Monsieur Chouchani* ». Il serait né vers 1890 en Pologne, sous le nom de Mordechai

Rosenbaum, ce qui expliquerait son pseudonyme (*Rosen* en allemand, « Rose » en français, *Shushan* en hébreu), Mordechai étant un prénom choisi pour renvoyer au livre d'Esther. D'autres pensent qu'il s'appelait en fait Hillel Perlman. Ils en donnent pour preuve – bien ténue – le fait qu'Emmanuel Levinas a fait donner le prénom de Hillel à l'un de ses petits-fils...

Au début du XXe siècle, son père aurait gagné sa vie en Pologne en vendant sur les marchés le spectacle de la mémoire de son fils[201]. Une mémoire phénoménale, absolue, photographique, qui lui permettait de retenir tout ce qu'il lisait. Pas seulement une mémoire comme on en trouve dans toutes les écoles talmudiques depuis vingt siècles. Mais une mémoire vraiment exceptionnelle, correspondant à une hypermnésie, comme celle du gaon de Vilna ou de Kavi Rajchandraji, le guru de Mumbay qui fascina tant le Mahatma Gandhi en 1893. Avec, comme eux, une exceptionnelle capacité à se constituer une formidable culture mathématique et théologique, et à apprendre les langues : il en aurait parlé couramment au moins une dizaine. Une culture évidemment autodidacte, puisque les universités polonaises restaient alors interdites aux juifs.

Vers 1920 (il a trente ans), Chouchani part de Pologne en Palestine pour étudier avec le Rav Kook, un des plus grands théologiens du moment. Il serait ensuite allé en Amérique où il dira plus tard avoir perdu beaucoup d'argent à Wall Street pendant la Grande Dépression. Vers 1935, des témoins le croisent à Strasbourg, mendiant, sale, mal rasé, arborant des lunettes aux verres fêlés. En 1940, (il a alors cinquante ans), Chouchani est arrêté en Alsace par des soldats allemands ; circoncis, il se dit musulman et récite de mémoire une bonne partie du Coran en guise de preuve. Relâché puis repris, il réussit un peu plus tard à se faire passer pour un Allemand, professeur de mathématiques, devant un officier SS lui-même professeur dans cette discipline ! Relâché de nouveau, il réussit à passer en Suisse et à y résider pour le restant de la guerre. De ce qu'il y fait, de ce qu'il y apprend, on ne sait rien.

Il débarque à Paris en 1945, en même temps que les rescapés des camps. Tour à tour barbu, chauve, mendiant, dandy, dans ce moment très particulier où la vie juive tente de se reconstruire, Chouchani vit de leçons particulières. Il enseigne entre autres le Talmud. Parmi ses élèves de l'époque, il s'en trouve un particulièrement brillant : Emmanuel Levinas.

Né en Lituanie en 1905, rentré en 1945 de cinq années passés en Allemagne dans un *Arbeitskommando* (où étaient regroupés des soldats juifs, des prisonniers de guerre juifs et des prêtres catholiques), Levinas est nommé l'année suivante directeur de l'École normale israélite orientale, institution de formation des professeurs dépendant de l'Alliance israélite universelle, qui gère alors la renaissance des écoles juives. Levinas dira tout devoir à Chouchani qu'il décrit comme « *un maître intransigeant* », « *impitoyable* », « *prestigieux* », « *merveilleux* ». « *Il connaissait par cœur le Talmud, tous ses commentaires, et les commentaires des commentaires. [...] Ses cours s'arrêtaient vers deux heures du matin, après cinq ou six heures. [...] Le maître n'avait jamais de livre devant lui : il connaissait tout par cœur et il pouvait m'interrompre si, devant lui, je lisais ou déchiffrais avec peine, dans le coin de quelque page, les petits caractères d'un tossaphiste* [commentateur] : *"Écoutez, vous, là-bas, au bout de la ligne vous avez sauté un mot[187] !"* »

Sa connaissance encyclopédique du Talmud pousse Chouchani à chercher sans cesse des sens originaux aux textes qu'il propose d'étudier à ses élèves. L'un d'entre eux décrit ainsi la manière dont il commentait le Talmud : « *Le premier jour, il expliquait le texte qu'il nous avait demandé d'étudier avant de le rencontrer. Le lendemain, il défaisait ce qu'il avait enseigné la veille, et proposait une manière entièrement nouvelle de comprendre le texte. Il faisait de même le jour d'après, et ainsi de suite, jusqu'à ce que nous passions au texte suivant[201].* » Chouchani a d'ailleurs l'habitude de dire que chaque mot de la Torah possède au moins 2,4 millions de significations. En effet, explique-t-il, 600 000 Hébreux sont sortis d'Égypte et ont assisté à la révélation de la Torah par Moïse descendu du mont Sinaï ; chacun en a eu une compréhension personnelle ; de plus, rappelle-t-il, la Torah est à interpréter par chacun à 4 niveaux : littéral, allusif, homilétique (c'est-à-dire fondé sur l'investigation, au-delà du sens premier) et mystique. Soit, au total, 2,4 millions d'interprétations pour les seuls témoins de la première lecture de la Loi !

Chouchani renvoie aussi à l'idée selon laquelle tout texte de la Bible doit pouvoir être interprété de très nombreuses façons totalement contradictoires. Levinas, qui le fréquente alors, abonde dans le même sens : « *Il tire du texte ce qui n'est pas dans le texte, il insuffle un sens au texte... Quand on le fait avec Goethe, quand on le fait avec Valéry, quand on le fait avec Corneille, les critiques le tolèrent. Mais cela leur paraît beaucoup plus scandaleux quand on le fait avec l'Écriture. Et il faut avoir rencontré Chouchani pour ne pas se laisser convaincre par ces esprits critiques. Chouchani m'a appris l'essentiel : c'est que le sens trouvé mérite, par sa sagesse, la recherche qui le révèle. Car le texte vous l'a suggéré*[188]. »

Emmanuel Levinas, qui ajoutera que ses propres commentaires du Talmud ne sont que « *l'ombre de l'ombre* » de ce qu'il a appris de Chouchani, fournit aussi quelques indices de ce qu'était alors la vie quotidienne de Chouchani à Paris[187] : « *On se demandait de quoi il vivait. Certainement de leçons. Parfois, il trouvait un passionné de sa science, un riche amateur issu des communautés détruites des juiveries de l'Europe orientale où la Torah avait "bonne réputation" et était appréciée pour ses jeux sublimes. Il confisquait alors Chouchani et lui assurait, en échange de son discours, lit, table et domestiques. Mais, à un certain moment, Chouchani disait "Basta !", il disparaissait et retrouvait d'autres gens de divers milieux, payants ou non payants. Monsieur Chouchani acceptait une chambre chez moi ; il y venait une ou deux fois par semaine. Cela a duré quelques années, deux ou trois ans, je ne peux pas vous dire exactement. Et puis, un beau jour, sans dire au revoir, il est parti.* »

En 1952, « Monsieur Chouchani » quitte en effet la France pour le nouvel État d'Israël, sans prévenir personne, avec une fausse carte d'identité. Là, il va d'un kibboutz religieux à un autre (Be' rot Yitzhak, Sa'ad Beit et Sdeh Eliahu), proposant d'enseigner « *ce qu'on voudra* ». Toujours aussi énigmatique et farfelu, il ne mange que seul, obsédé par la pureté, et stupéfie encore les lettrés qu'il rencontre, derniers survivants des meilleures yeshivot d'Europe centrale, en corrigeant de mémoire des erreurs typographiques dans un commentaire de commentateur de commentateur de la Torah…

Trois ans plus tard, en 1955, il part mystérieusement pour l'Uruguay à l'invitation d'un élève : un juif français, semble-t-il, parti y chercher fortune. Chouchani dispense aussi là-bas des cours de physique. Puis il tente de rejoindre un autre élève à Buenos Aires, mais la frontière entre les deux pays étant alors fermée, il revient à Montevideo où il vit encore pendant treize ans et meurt d'une crise cardiaque en janvier 1968 à l'âge approximatif de 78 ans, au milieu d'un cours donné dans un séminaire d'une organisation juive de jeunesse, le Bnei Akiba. Il aurait légué sa bibliothèque de 15 000 livres à son coiffeur.

Sur sa tombe, à Montevideo, dont l'authenticité est disputée, il est écrit : *« Le sage rabbi Chouchani, bénie soit sa mémoire. Sa naissance et sa mort sont entourées de mystère. »*

J'aime à l'imaginer comme l'héritier de ces mendiants immensément cultivés, juifs ou non, qui parcourent le monde depuis des milliers d'années et qu'on croise encore sur les routes de l'Inde et dans nos villes, transis de froid. Ils portent en eux une fabuleuse part de la mémoire humaine. Ils protègent précieusement tant de savoirs engloutis, dont nous aurions tant à apprendre et dont nous refusons si souvent de croiser le regard.

## David

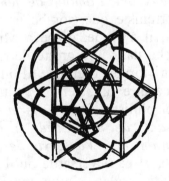

Le peuple juif a bien des héros. L'État d'Israël n'en a qu'un : David, emblème de l'État, dont l'étoile orne le drapeau depuis 1947.

David m'a toujours séduit et irrité, fasciné et embarrassé. Vivant dix siècles avant notre ère, il est le premier personnage de la Bible dont l'existence soit presque certaine, marquant l'entrée du peuple juif dans l'Histoire et, d'une certaine façon, dans la banalité des nations.

Avant de devenir roi, David (« le bien-aimé ») est le héros d'innombrables aventures extraordinaires, comme, avant lui, tant de héros imaginaires de la Bible. Descendant de Myriam (la sœur de Moïse, prophète elle-même) et arrière-petit-fils d'une princesse moabite convertie, Ruth, il est un berger devenu écuyer du roi. Il joue si bien de la cithare qu'il guérit d'une dépression le roi Saül. Si beau qu'il séduit à la fois un fils de ce roi, Jonathan (son « âme sœur ») et une de ses filles, Mikhal, qu'il épouse ; si ambigu qu'il dira de son beau-frère, à sa mort : (« *Que j'ai de peine pour toi, Jonathan, mon frère, si exquis pour moi. Ton amour pour moi était plus merveilleux que l'amour de femme* », 2 S I, 26) ; si opportuniste que, tombé en disgrâce aux yeux de Saül, il s'évade, grâce à Mikhal, l'abandonne, se cache dans une grotte derrière une toile d'araignée en forme d'étoile (d'où l'étoile) et devient mercenaire au service d'un monarque ennemi, le roi philistin Gat : « *Ils m'ont empêché, en me chassant, de m'attacher à l'héritage de l'Éternel et m'ont dit : Va servir des dieux étrangers* » (1 S 26, 19) ; si versatile qu'il prend la tête d'une petite cité, Ziglag, s'allie aux Hébreux qu'il vient de combattre, et se fait proclamer, par la tribu de Juda, souverain d'un minuscule royaume autonome d'Hébron ; si agile qu'il réussit à tuer le monstre Goliath, descendant d'une belle-sœur de son arrière-grand-mère ; si habile qu'à la mort de Jonathan et Ishbaal lors d'un combat contre les Philistins, il instaure sa propre dynastie que le prophète Samuel déclarera éternelle – comme on le dit de tous les rois de tous les temps.

Car le voici désormais un roi comme les autres, même s'il fait tout pour perpétuer la dimension théocratique de son pouvoir, ramenant l'Arche, reprise aux Ammonites, jusqu'à un village alors occupé par les Jébuséens et dont il décide de faire sa capitale : Jérusalem, lieu de naissance d'une de ses femmes, Bethsabée, dont David a fait assassiner le mari hittite quand il a découvert qu'elle était enceinte de lui... Et dont il tombe alors, et alors seulement, fou amoureux.

David s'y fait construire un palais en bois de cèdre du Liban, réconcilie les tribus du Nord avec celles du Sud, soumet quelques cités cananéennes, repousse des attaques philistines, installe un collège de conseillers, met en place une administration, crée des forteresses, (dont Elah dont on vient de retrouver des traces) instaure une fiscalité, fait procéder à un recensement, émet une monnaie d'or dont il s'octroie le monopole, installe des communautés dans toute la région pour servir de relais aux commerçants hébreux.

Mais, en définitive, il échoue : sa première femme, Mikhal, fille de son prédécesseur, le méprise. Une autre de ses femmes, Bethsabée, son âme sœur, ne pense qu'à faire régner leur fils, Salomon, à sa place. David ne réussit pas à lever assez de tributs sur ses voisins ; sa puissance politique s'estompe ; sa légitimité théologique s'affaiblit : même s'il supervise, selon la Bible, la rédaction de poèmes, en particulier de sublimes psaumes, et des prières de la liturgie, il ne réussit pas à édifier le Temple dont il rêve pour abriter l'Arche.

Comme celui de la plupart des hommes de pouvoir – dans la Bible comme ailleurs – son règne finit mal : un de ses fils, Absalon, se révolte contre lui, et David meurt, amer, vers – 972, après vingt-cinq ans de règne, laissant le pouvoir à Bethsabée et à leur fils Salomon. Comme pour nous signifier que toute histoire où la politique prend le pas sur la morale ne peut que mal finir...

Dieu se fait ensuite beaucoup plus discret, comme s'Il voulait laisser les hommes sans espoir autre que d'attendre la venue, au cœur de la catastrophe, d'un hypothétique descendant de David, un Messie.

# Déborah

Déborah la guerrière est, avec Bethsabée (la mère), Mikhal (l'amoureuse), Myriam (la sœur), Sarah (la mère), Abigaïl (la seconde épouse) et Ruth (la convertie), un des personnages féminins le plus attachants de la Bible. J'aime surtout la voir incarner le droit des femmes à être traitées en égales des hommes par toutes les religions du Livre. Pour ne pas oublier que Dieu – ou la transcendance – est, selon la Bible, du féminin.

Mariée et mère de famille, Déborah est aussi juge et prophétesse. On ne sait presque rien d'elle, hormis les conditions dans lesquelles, selon la Bible, elle gagne, onze siècles avant notre ère, une bataille stratégique, peu après la mort de Josué. Une bataille qui en dit plus long encore sur les femmes que sur la guerre.

Juge, elle siège sous un palmier, entre Rama et Béthel, dans la montagne d'Éphraïm, attendant les justiciables qui « montaient vers elle ». Chef de guerre, elle reçoit de Dieu, en rêve, l'ordre de mener les troupes contre Yabin, un roi cananéen dont les territoires séparent les tribus israélites du Nord de celles, juives, du Centre, les empêchant de fusionner, de commercer, d'harmoniser leurs pratiques religieuses, et les abandonnant aux tentations des cultes cananéens environnants.

Plus exactement, elle reçoit de Dieu l'ordre d'envoyer au combat, en son nom, le chef de la tribu de Nephtali, Barak. Mais ce Barak est terrifié : il a peu d'hommes (seuls sont volontaires ceux de sa tribu et de celle de Zabulon) ; ses troupes sont mal équipées, sans lances ni boucliers. En face, le général cananéen Sisra dispose de chars bardés de fer et de très nombreux soldats aguerris. Barak demande alors à Déborah de l'accompagner : après tout, dit-il, elle est juge et c'est à elle de mener les troupes au combat si elle croit vraiment en la victoire. Elle accepte, mais lui annonce que, puisqu'il remet ainsi en cause l'ordre de Dieu, il n'aura pas l'honneur de tuer le général ennemi, lequel sera mis à mort par une femme.

Barak rassemble alors l'armée juive sur le mont Tabor, point naturel de rencontre des deux seules tribus volontaires, Nephtali et Zabulon. Dans les villes cananéennes, tout le monde s'attend à un triomphe facile ; et les femmes dressent déjà l'inventaire du futur butin : robes brodées pour les femmes, concubines pour les hommes. À l'aube de la bataille, Déborah, qui se tient au côté de Barak, lance une magnifique prière : *« Protège ceux qui T'aiment et rend les aussi forts que le soleil à son zénith ! »* (Jg 5, 31). Le texte dit même que les étoiles combattent du côté des juifs, ce qui renvoie sans doute à des prévisions astrologiques, ou, à tout le moins, à la météorologie. De fait, quand la minuscule troupe juive dévale courageusement du mont Thabor, face à l'immense armée cananéenne, une tempête fait déborder la rivière Kishon qui longe la vallée, embourbant les chars des Cananéens et emportant ceux-ci, noyés ou massacrés. Invraisemblable ? Pas tant que ça : le 16 avril 1799, exactement au même endroit, de très nombreux soldats ottomans se sont noyés dans la même rivière en tentant de fuir devant les troupes du général Bonaparte...

La suite de la prophétie se réalise aussi : Sisra se réfugie chez Yaël, femme d'un notable rallié aux

Cananéens. Elle l'héberge avant de lui enfoncer un pieu dans la tête durant son sommeil. Quand Barak, lancé à la poursuite du général vaincu, arrive chez Yaël, il ne peut que constater qu'une femme l'a privé de sa victoire parce qu'il n'a pas cru en la parole d'une autre femme.

Cette bataille modifie de fond en comble la situation géopolitique de la région : les douze tribus d'Israël occupent désormais un territoire d'un seul tenant, facilitant le maintien, toujours fragile, de leur identité politique et religieuse. Ils obtiennent la paix « pour quarante ans » (Jg 5, 3-11). Quarante : comme le nombre de jours du Déluge, comme le nombre de jours entre les deux séjours de Moïse sur le mont Sinaï, comme le nombre d'années d'errance du peuple hébreu dans le désert.

Cette victoire, qui aurait dû susciter une allégresse générale et un pardon des offenses, entraîne des représailles : Déborah, à la mémoire impitoyable, fait le compte des dix tribus qui ne sont pas allées au combat, dans une formulation où l'on retrouve à l'œuvre tout le génie littéraire de la Bible : *« Les princes d'Issachar sont avec Déborah. Nephtali et Barak sont lancés sur ses traces dans la vallée. Mais, dans les clans de Ruben, on s'est concerté longuement. "Pourquoi es-tu resté dans les enclos à l'écoute des sifflements, près des troupeaux ?" »* (Jg 5, 15-16).

Ce décompte annonce déjà le malheur et l'exil futur : Déborah va se venger de ces tribus.

Plus généralement, compter, dira la Bible, c'est préparer la vengeance ; c'est dresser la liste des victimes. C'est aussi découvrir ce qui doit rester caché. Depuis le premier recensement des Hébreux par David, qui déclencha une épidémie de peste, les

Hébreux considèrent que compter les gens est dangereux. Ils savent que tout recensement annonce une
catastrophe. Que chercher à déchiffrer le code grâce
auquel aurait été rédigée la Bible risque de conduire
ceux qui n'en sont pas dignes à des désastres. Donc,
on évite en général de compter, y compris même
pour vérifier s'il y au moins dix fidèles dans la salle,
nombre nécessaire pour entamer une prière ; au lieu
de décompter les présents, on récite un verset contenant dix mots.

## Décalogue

C'est le premier texte en hébreu que j'ai dû apprendre par cœur en préparant ma bar-mitsva, avant même
le Chema. C'est à l'évidence le plus universel de tout
le judaïsme, tant pour les théologiens que pour ceux
qui n'en connaissent que ce qu'en raconte le film *Les
Dix Commandements* de Cecil B. De Mille.

Nomades, les juifs adorent voyager léger ; ils
aiment donc les synthèses. Ce texte, délivré deux fois
par Dieu à Moïse sur le mont Sinaï, après sept semaines de marche dans le désert et bien des colères contre
le peuple hébreu, constitue la plus courte des synthèses possibles de la Torah.

Selon la Kabbale, la seconde version est préférée
de Dieu, qui remercie Moïse d'avoir brisé les premières Tables de la Loi, dans le dernier verset du
Pentateuque. Ce second texte, jumeau deuxième-né
comme Jacob, est plus profond que le premier. Il
constitue le deuxième acte du couple fondateur du
judaïsme : transgression/repentir. Version plus douce

que la première, elle est comme la lumière de la lune, plus clémente que celle du soleil. Avec d'infimes différences comme « garde le jour du chabbat » au lieu de « souviens-toi du jour du chabbat » : la première fait du juif un sage ; la seconde fait de lui un homme.

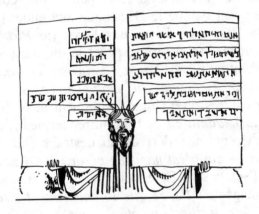

Ces dix commandements tournent autour de deux idées : le respect de Dieu et le respect de l'homme.

Quatre sont relatifs aux relations avec Dieu (un Dieu unique qui libère l'homme ; l'interdiction de l'idolâtrie ; l'interdiction de jurer sur le nom de Dieu ; l'obligation du chabbat, pour soi et pour tous les autres êtres vivants). Six autres traitent des relations des hommes entre eux (le respect des parents ; l'interdiction du meurtre ; de séduire la femme d'un autre ; de voler ; de faire un faux témoignage ; de désirer ce qui appartient à un autre).

On peut même les résumer tous en un seul, le premier, disent certains ; à mon avis le dernier : Méfie-toi de tes désirs. Car tout s'y retrouve : le désir conduit à adorer toute divinité qui peut promettre de le satisfaire, et à convoiter tout ce qui est à autrui. Il conduit à la rivalité des dieux et des hommes, donc à la violence. Le but du Décalogue est d'apprendre aux hommes à maîtriser leurs désirs pour mieux maîtriser la violence.

Le Talmud dit d'ailleurs que celui qui transgresse le dixième commandement peut être considéré comme ayant bafoué le Décalogue tout entier (Pesiqta Rabhati 107a). Le Livre des Pères (le *Pirké Avot*, qu'aimait tant mon propre père) le dit aussi avec sa force habituelle : « *L'envie, la luxure et l'ambition font sortir l'homme du monde* » (Avot 4, 21). D'autres livres du Talmud expliquent aussi (comme le fait le *Vedanta* en de tout autres termes), les dangers inhérents aux dérives du désir : « *Qui fixe les yeux sur ce qui n'est pas sien perdra aussi ce qui est sien* » (Sotah 9a). Et encore, de façon magnifiquement imagée : « *Parce que le chameau désirait des cornes, ses oreilles ont été coupées* » (Sanh 106a). Bien plus tard, vers 1640, rabbi Aboab de Fonseca, premier rabbin nommé aux Amériques – au Brésil –, répétera que « *le désir est la racine de tout péché* ».

Il faut donc orienter le désir vers ce qui n'est pas destructeur : vers l'amour. À la différence du désir, l'amour n'est, en effet, pas narcissique. Il ne se nourrit pas que de lui-même. Parce qu'on peut aimer sans exiger d'être seul à aimer ni à être aimé. Sans s'approprier l'objet de son amour. Sans se détruire par le désir de désirer. Bien avant la psychanalyse, la Bible distingue ainsi désir et amour. L'un réprime, l'autre glorifie. L'un s'approprie, l'autre libère.

Tel est le vrai message du Décalogue et l'explication de son universalité : la civilisation est l'art de distinguer le désir de l'amour. Bouddha, Jésus, Mahomet, entre bien d'autres, ne diront rien de plus.

Une des plus belles histoires juives montre d'ailleurs, mieux que bien des grands discours théologiques, les risques inhérents au désir et leur relation avec le Décalogue. Au début du XXe siècle, un jeune rabbin de Pologne, ayant invité ses collègues à dîner, constate en fin du repas qu'il n'a plus sa montre. Perplexe, il se confie au grand rabbin de la ville qui, après mûre réflexion, lui conseille d'inviter ses collègues à dîner au prochain chabbat et de réciter devant eux les dix commandements. « *Vous verrez, l'un d'eux se troublera quand vous en serez au huitième* [Tu ne voleras pas], *et vous aurez votre coupable.* » Le jeune rabbin s'extasie devant la sagesse du maître et disparaît. Dix jours plus tard, étonné de rester sans nouvelles, le grand rabbin convoque son jeune disciple qui, embarrassé, finit par raconter : « *Oui, rabbi, j'ai fait très exactement ce que vous m'avez conseillé... Je les ai invités à dîner le soir de chabbat ; j'ai récité les dix commandements... – Oui, et alors ?* », s'impatiente le vieux sage. L'autre hésite, puis lâche : « *Quand je suis arrivé au septième* [Tu ne commettras point l'adultère], *je me suis rappelé où j'avais oublié ma montre.* »

## Désert

Aucun livre ne parle mieux des déserts que la Bible : Adam, chassé du Paradis perdu, doit fuir dans le désert ; Noé, contraint par le déluge, doit franchir un désert d'eau. Abraham, sur ordre de Dieu, traverse des déserts avant de s'installer en Canaan. Moïse, pour libérer son peuple, l'entraîne dans un désert.

Dans la Bible, le désert est lieu de purification, d'autonomie, d'apprentissage de la liberté, de découverte de soi. La tradition juive dit d'ailleurs qu'un otage libéré doit aller passer un long moment dans un désert pour y réapprendre la pratique de la liberté. Abram devient ainsi Abraham et se libère dans un désert. Noé change de loi au sortir du désert d'eau. Moïse demande d'abord à Pharaon de laisser le peuple hébreu partir prier son Dieu dans le désert, parce que c'est un lieu où le peuple est « *libre de lui rendre un culte* ».

À l'inverse, le désert, pour ceux qui le supportent mal, est lieu de l'exil, de la mort, du néant ; il est le labyrinthe parfait où le désespoir vient vite et où la foi est mise à rude épreuve. Il est aussi un lieu d'où il devient impossible de revenir sur ses pas et où le passé s'efface : Abraham ne peut plus reculer ; la disparition de l'humanité dans le Déluge est irréversible ; la génération sortie d'Égypte, tentée d'y retourner, est condamnée à ne jamais en sortir.

Le désert, c'est aussi le temps, qui s'écoule dans l'espace, c'est aussi l'adolescence, le passage de l'enfant (esclave de ses parents) à l'adulte (qui doit se construire un territoire). L'adolescence est donc comme le Sinaï ; la bar-mitsva est comme la découverte du Décalogue. Le désert est le lieu de l'apprentissage, nécessairement nomade, de la vie, où chacun reçoit les lois, où chacun leur désobéit, dont chacun sort tout autre. Le lieu de la transgression et du repentir, l'un et l'autre fondements de la maturité, qu'il ne faudra jamais oublier, une fois devenu sédentaire. C'est encore le lieu d'apprentissage de la vie en société, où l'on découvre qu'on a besoin des autres pour voyager : nul n'a survécu seul à la traversée d'un désert.

C'est enfin le lieu que nul n'a envie de quitter parce qu'il constitue comme une espèce de trêve, de parenthèse de liberté entre deux espaces contraints. Comme l'est la nuit pour les adolescents ; comme le sont aussi pour eux les jeux vidéo, déserts virtuels.

La seule chose à faire face au désert, qu'il soit matériel ou moral, réel ou virtuel, – comme avec le temps dont il est une métaphore –, c'est de puiser en soi le courage de le traverser : d'y pénétrer, d'en retenir le meilleur, de se nourrir de l'expérience, d'y élever la conscience de soi, mais de n'y pas rester.

## Diaspora

J'aime savoir que je fais partie de plusieurs diasporas : quand je réside à l'étranger, je me présente volontiers comme membre de la diaspora française ; quand je suis en France, comme appartenant à la diaspora juive. Partout, comme membre de plusieurs autres communautés : écrivains, humanitaires, professeurs, financiers, journalistes, économistes, musiciens, entre autres. Parce qu'il me plaît de ne pas être réduit à un seul village, à une seule empreinte, à un seul sillon, et de défier ceux qui sont assez étroits d'esprit pour penser qu'être multiple, c'est nécessairement trahir, et pour plaindre ceux qui n'ont pas compris que la multiappartenance est la seule façon de conquérir un peu de liberté en multipliant le nombre de nos prisons.

Même en ne considérant que la dimension géographique de la diaspora, je suis loin d'être le seul à penser et à vivre ainsi, volontairement ou non. Plus de 200 millions de personnes résident aujourd'hui dans un autre pays que celui où ils sont nés ; le triple, même, soit le dixième de l'humanité, peut être considéré comme ayant un lien familial avec un autre pays que leur pays d'accueil, et sont donc rattachés d'une façon ou d'une autre à une diaspora. En France, plus du quart des citoyens ont au moins un grand-parent d'origine étrangère.

La diaspora juive est très particulière. D'abord parce que c'est d'elle que vient le mot (*diaspora* est le terme grec pour désigner la dispersion des juifs) ; ensuite parce qu'elle est certainement la communauté qui a survécu le plus longtemps sans aucun territoire de référence : près de deux mille ans. Jusqu'à la renaissance de l'État d'Israël, qui rassemble désormais, pour la première fois depuis deux mille six cents ans, plus de juifs qu'aucune autre communauté hors de ses frontières.

Dans un premier temps, la diaspora est vécue comme une souffrance (« *Le Seigneur vous dispersera parmi les peuples d'un bout de la Terre à l'autre* », Dt 28, 64), une attente (« *Le Seigneur, ton D., ramènera tes captifs et aura pitié de toi, il se remettra à te rassembler du sein de tous les peuples* [...], *puis Il te fera rentrer au pays qu'ont possédé tes pères* » (Dt 30, 3-5).

Puis, à leur propre surprise, les Hébreux se découvrent beaucoup plus doués pour organiser l'exil que pour gérer le royaume hébreu. Comme si, mêlés à d'autres, ils savaient mieux préserver leur identité. À partir du premier exil historiquement répertorié à Ninive, ils mettent en place une organisation très originale, fondée sur l'application méticuleuse de sept principes, encore valables pour toute diaspora : 1. Ne jamais vivre seul ; 2. N'avoir que des biens mobiles, et d'abord du savoir ; 3. Transmettre ce savoir aux générations suivantes et aux peuples alentour ; 4. Maintenir par des tribunaux une doctrine commune à toutes les communautés du monde, en l'adaptant sans cesse aux conditions du moment ; 5. Aider au bonheur des autres ; 6. Se tenir aux aguets, sans cesse prêt au départ ; 7. Rester ouvert aux apports des autres sans pour autant être explicitement prosélyte.

Le grand historien juif russe du début du XXe siècle, Simon Doubnov, en fera même une théorie, expliquant (avant de mourir sous les balles d'un soldat allemand) que le peuple juif invente ainsi une façon de vivre sans frontière, prédisant que tel serait l'avenir de toutes les nations, une fois disparues les illusoires prétentions territoriales et les frontières.

Aujourd'hui, la diaspora juive est menacée dans son existence même. D'abord, il est de plus en plus difficile de la définir, en raison de la diversité des comportements de ses membres. Aux États-Unis, par exemple, plus de 10 millions de personnes sont éligibles à la loi du Retour ; plus de 8 millions vivent dans une famille partiellement juive ; 6,7 millions ont des parents ou un parent juif ; 5,2 millions sont juifs au sens de la Loi juive ; 4,3 millions se déclarent juifs ; 3 millions sont affiliés à une organisation juive ; 1,5 million consacrent un peu de temps à leur communauté ; seulement un demi-million sont des pratiquants orthodoxes. Le même flou se constate dans toutes les autres communautés du monde.

Par ailleurs, la diaspora juive fait peu d'enfants (sauf dans les communautés orthodoxes) et vieillit même plus vite que le reste de la population mondiale : seulement 21 % des juifs américains ont moins de 18 ans, contre 35 % pour le reste de la population américaine. Ailleurs – sauf au Canada et en France –, la situation est pire : en Russie, les enfants de moins de 14 ans représentent moins de 10 % du total de la communauté, et les plus de 55 ans près de la moitié.

Enfin, la diaspora se dissout partout par le renoncement de ses membres à leur identité. L'augmentation du nombre des couples mixtes (53 % des mariages en 2008 en moyenne ; 72 % aux États-Unis pour les plus laïcs ; 80 % pour les couples non mariés) serait une bonne nouvelle démographiquement si, comme par le passé, ces mariages se traduisaient par la conversion au judaïsme du conjoint non juif. En fait, cette union mixte conduit de plus en plus à l'abandon du judaïsme par les deux conjoints, en tout cas à la génération suivante : en Amérique, un enfant juif sur deux n'est pas élevé pendant sa jeunesse au sein d'une famille juive ; 700 000 jeunes de moins de 18 ans dont un des parents est juif sont élevés dans une autre religion ; 600 000 adultes nés d'au moins un parent juif pratiquent une autre religion. Au total, deux enfants juifs sur trois ne reçoivent plus d'éducation juive. En France (l'autre dernière grande communauté diasporique), cette proportion est presque d'un sur deux. L'une des rares exceptions est la communauté d'Anvers dont 90 % des enfants fréquentent encore une école juive.

Pour beaucoup de membres de la diaspora qui rassemble aujourd'hui environ 7 millions de personnes, l'appartenance ne se manifeste plus que par quelques comportements : la bar-mitsva, Kippour, le souvenir de la Shoah, la vigilance à l'égard de l'antisémitisme, le soutien à l'État d'Israël, la solidarité avec les plus pauvres, le respect de quelques traditions familiales : même les plus éloignés des juifs récitent le *Kaddish* à la mort d'un de leurs parents et reviennent parfois, à cette occasion, au judaïsme.

Demain l'apologie de la liberté individuelle et l'essor de la démocratie conduiront à une plus ample circulation des personnes et à une plus grande facilité de choix. De plus en plus de gens, juifs ou non, choisiront où et comment ils voudront vivre. Et changeant souvent d'avis. Plus du tiers de l'humanité vivra dans un autre pays que celui de sa naissance. Et si l'on inclut ceux qui ont des grands-parents étrangers, plus de la moitié de la population mondiale appartiendra à une diaspora.

Cela pourrait être une bonne nouvelle pour le judaïsme : de plus en plus de gens pourraient sans contrainte décider de devenir juifs, sans que les autres religions puissent y faire obstacle. Un prosélytisme ouvert redeviendrait possible, et changerait toute la donnée démographique. On voit ainsi renaître des juifs dans les lieux les plus inattendus, comme en Pologne et en Allemagne.

Mais les menaces planant sur sa survie restent considérables, comme pour les autres diasporas. D'une part, le concept même de diaspora peut disparaître, chacun refusant d'être rattaché à un ensemble défini par une identité historique, nationale, religieuse ou ethnique, pour s'affilier à des communautés nouvelles, librement constituées et choisies autour de passions partagées et changeantes. D'autre part, les couples mixtes étant de plus en plus précaires, nul ne se souciera plus désormais de partager la même foi qu'un conjoint provisoire.

Et, surtout, nul ne transmettra plus rien. Il y aura alors, selon certaines études, particulièrement pessimistes, moins d'un million de juifs aux États-Unis en 2080. La diaspora juive disparaîtra ainsi sans violence. Comme disparurent dix des douze tribus, à Ninive, il y a vingt-sept siècles.

La diaspora juive pourrait aussi disparaître par la force : la mondialisation, en poussant à l'uniformité, exacerbe la rivalité entre ceux qui se ressemblent, et focalise la violence sur un tiers. Les ultimes communautés juives pourraient être encore dénoncées comme les agents de quelque complot secret multinational, permettant aux esprits simples d'expliquer sommairement l'évolution d'un monde de plus en plus difficile à décrypter. Le judaïsme pourrait devenir une fois de plus le « tiers souffrant », bouc émissaire de rivaux uniformes, désigné comme le responsable de la crise financière mondiale ou comme l'obstacle majeur à un accord entre Orient et Occident, ou entre l'Islam et la Chrétienté. On pourrait ainsi craindre le pire cauchemar : un accord des deux religions filles contre leur mère – de l'islam et du christianisme contre le judaïsme.

En l'état actuel des rapports de forces géopolitiques, rien ne laisse présager la réalité de telles menaces. Mais rien ou presque, en 1900, ne laissait présager ce qui advint une, puis deux, puis trois décennies plus tard...

Pour toutes ces raisons, les derniers restes de la diaspora juive pourrait choisir de refluer en Israël. Ne survivrait alors que l'État d'Israël et une diaspora israélienne.

Pour éviter un tel processus, il faudrait – pour le judaïsme comme pour les autres cultures dispersées –

mettre en place une véritable stratégie, autour de trois idées : *valoriser le savoir, sauvegarder les familles, accueillir de nouveaux venus*. À cette fin, les diasporas (juives et autres) devraient se doter de véritables assemblées mondiales jouant en toute transparence le rôle que jouaient le Sanhédrin, puis l'Académie au temps de la toute-puissance bagdadi. Comme Simon Doubnov en rêvait.

## Doubnov (Simon)

Je l'ai connu par mon père qui m'a fait découvrir son *Précis d'histoire juive*[84], joyau de clarté, de brièveté, de précision. J'ai ensuite découvert plus en détail ses passionnantes théories de l'Histoire et son destin tragique.

Né en 1860 dans une petite ville russe, au sein d'une famille traditionnaliste, Simon Doubnov est pourtant scolarisé dans l'école russe du district : grand pas vers l'intégration. Comme l'Université est fermée à tous les juifs de son époque, il rédige en russe des chroniques littéraires pour les journaux juifs d'alors, dont le grand mensuel de l'intelligentsia juive russe, *Voshod* (publié de 1881 à 1906). Il y parle des auteurs allemands des Lumières et de la littérature russe. Bien qu'il soit interdit aux juifs de circuler (et *a fortiori* de s'installer) hors de leur « zone de résidence », il se rend clandestinement à Saint-Pétersbourg, puis passe de ville en ville, sans cesse repris, renvoyé, réassigné à résidence. En 1890, il réussit à s'installer à Odessa (dont parlera si bien Isaac Babel[38]) où se regroupent les grands intellectuels juifs russes du temps : Ahad ha-Am, Hayyim Nahman Bialik[51], Scholem Aleykhem, Lilienblum. C'est là que se décide sa vocation : il sera un « missionnaire de l'Histoire ».

Le sens de l'Histoire, pour lui, c'est une évolution vers la fin des nations et la coexistence d'entités culturelles non territoriales. Le projet sioniste que Herzl vient d'annoncer à Paris en 1895 lui semble une terrible régression, un particularisme étriqué qui « *veut faire tourner la roue de l'Histoire à l'envers* ». De même le Bund, ce nouveau parti socialiste juif russe et laïc, constitue, selon Doubnov, une trahison, parce qu'il s'intéresse à la classe ouvrière russe en général, et pas spécialement aux juifs. En 1903, année d'un terrible pogrom à Kichinev, capitale de la Moldavie, il organise à Odessa, avec le jeune sioniste Vladimir Jabotinsky[160], des groupes d'autodéfense des communautés juives. Mais, pour Jabotinsky, ce n'est qu'un pis-aller en attendant la mise en œuvre du seul projet auquel il tienne : le projet sioniste. Alors que pour Doubnov, le seul objectif qui vaille est de protéger l'autonomie du peuple juif en Russie, le *herut*, lui assurant une identité indépendamment de la religion et de la nation, en tant qu'entité culturelle non territoriale.

Il élabore ainsi une théorie de l'Histoire qui distingue trois stades successifs dans le destin de chaque nation : le premier, « tribal », caractérise les communautés anciennes, ethniques, unies autour d'une croyance et d'une langue ; le deuxième, « territorial », caractérise les groupes organisés autour d'un territoire et d'un État ; le troisième, qu'il appelle « national », rassemble les membres d'un peuple ayant perdu sa terre, unis autour d'une conscience nationale sans ambition d'un quelconque retour sur un territoire.

Pour lui, ce troisième stade ne constitue nullement un échec, mais, au contraire, un aboutissement, la forme ultime de la réussite, à quoi seul, dit-il, le peuple juif est parvenu jusque-là. Il imagine ainsi un avenir sans frontières où des nations sans territoire vivraient mêlées et en bonne intelligence.

En le relisant tout récemment, je fus surpris d'y retrouver, autrement formulée, l'hypothèse principale de mon propre travail : un retour au nomadisme après une parenthèse sédentaire. Doubnov imagine ainsi une humanité dans laquelle chaque peuple pourrait maintenir son identité sans pour autant disposer d'un État : une identité nomade.

Pour les juifs en particulier, il revendique le droit à l'éducation et à la culture dans leur langue, dans tous les pays où ils vivent : il prône donc, pour les juifs russes, le droit au trilinguisme (yiddish, hébreu, russe) et à une organisation politique spécifique. En 1906, pour mettre en pratique ces idées, il crée même un parti politique juif, le Volskpartei, rêvant d'une nation juive vivant heureuse en Russie.

Quand éclate la Première Guerre mondiale, alors que les juifs russes, accusés d'espionner pour le compte des Autrichiens, sont expulsés, déportés, massacrés, Doubnov renonce à son rêve, mais ne s'intéresse pas pour autant ni à la révolution communiste, parce qu'elle nie le judaïsme, ni au sionisme, parce qu'il est un nationalisme. Il fuit alors la Russie, hésite entre la France, l'Angleterre et les États-Unis où plusieurs universités le réclament, et finit par s'installer, à 58 ans, en 1918, à Berlin. Au cours des vingt années suivantes, il y rédige ses mémoires (*Le Livre de ma vie*[83]), son admirable *Précis d'histoire juive* qui ne quittait pas mon père, une *Histoire moderne du peuple juif*[84], une *Histoire des juifs en Russie et Pologne*[86], une *Histoire du hassidisme*. Il y parachève son *Histoire universelle des juifs*[85] en dix volumes, commencée à Odessa trente ans plus tôt. L'accession de Hitler au pouvoir en mars 1933 ne l'incite pas à partir : cet « accident » ne peut pas durer, pense-t-il. Pas en Allemagne…

En septembre 1939, juste avant l'entrée des armées du Reich en Pologne, et alors qu'il est invité, à 79 ans, à enseigner dans plusieurs universités d'Amérique, il choisit de s'installer à Riga où il se croit à l'abri, Hitler ayant signé en mars 1939 son pacte de non-agression avec les pays baltes et l'Union soviétique. À l'entrée des troupes allemandes en Lituanie, en 1941, il est parqué, comme les 200 000 juifs du pays, dans le ghetto de la ville dont un milicien l'extrait à coups de matraque, en décembre 1941, pour le pousser à bord d'un autobus. En montant, le vieillard (il a 81 ans) trébuche sur une marche ; le milicien l'abat d'une balle de fusil juste après qu'il eut écrit en yiddish : « *Schreibt und farschreibt* » (« Écrivez et consignez »).

## Ève

Ève : comment ne pas parler d'elle dans un dictionnaire amoureux ? Elle est pour moi bien autre que cette tentatrice ayant entraîné Adam dans sa chute, que décrivent les commentaires les plus classiques. Bien autre que cette ravissante idiote inférieure à l'homme, responsable de tous les malheurs de l'humanité. Adam serait encore aujourd'hui immortel et tranquillement installé au Jardin d'Éden, si Ève ne l'avait précipité dans un monde fini, où ses descendants sont, par sa faute, obligés de travailler.

Si on le lit tel qu'il est vraiment écrit, le texte de la Bible ne dit pas du tout cela. Il fait d'Ève, au contraire, une merveille mettant l'Histoire en mouvement.

D'abord, de l'aveu même des commentateurs de la Bible, Ève n'est pas la première femme. Avant elle, explique le *Zohar*[10], une autre femme, créée par Dieu à partir de l'argile, comme Adam, se serait révoltée contre son Créateur : Lilith, inspirée des légendes mésopotamiennes et de l'épopée de Gilgamesh, dont le nom dérive de l'assyro-babylonien *lilitu* (« démon femelle » ou « esprit du vent ») ; elle renvoie aussi à « Leïla » (la nuit), archétype du fantasme masculin, de la libido, du monde souterrain. Elle est immortelle comme Adam et exige d'être traitée sur tous les plans comme son égale, en particulier dans leurs relations sexuelles, refusant de faire l'amour *sous* lui. Quand l'homme essaie de la soumettre et la viole, elle s'échappe, enceinte de lui. Adam la dénonce alors comme la « lie de la terre ». En signe de défi, Lilith hurle celui des noms de Dieu qui s'écrit en soixante-douze lettres et qu'il est particulièrement interdit de prononcer. Dieu envoie alors trois anges à sa poursuite. Elle leur échappe et devient, avec sa fille Nahema (née avant Caïn), chef d'une tribu de démons. Pour rester libre, Lilith est prête à tout, y compris même à sacrifier quotidiennement cent de ses enfants. Selon ces commentaires, Lilith aurait resurgi tout au long de l'Histoire, libre et imprévisible, cause cachée d'événements par ailleurs inexplicables : Caïn aurait tué Abel parce que tous deux auraient convoité Lilith ; Salomon aurait chassé la reine de Saba parce qu'il l'aurait suspectée d'être Lilith ; les deux femmes venues par-devant lui réclamer leur fils seraient en fait Lilith et sa fille Nahema, toutes deux désireuses en fait de se débarrasser d'un enfant.

Bien d'autres événements énigmatiques de la Bible trouveraient ainsi leur explication : les femmes, refusant d'être réduites à leur rôle de mère, faisant peur aux hommes qui les désirent, auraient ainsi provoqué les malheurs de l'humanité. Mais le Mal, ajoute le *Zohar*, quand il est incarné par une femme, révèle aussi le Bien : ainsi de la prostituée qu'un roi envoie dans le lit de son fils pour tester sa force de caractère, et qui en envoie une autre à sa place pour ne pas avoir à encourir les foudres du souverain.

Lilith partie, Adam ne peut rester seul ; il lui faut une compagne plus soumise : Ève, non plus faite d'argile, comme Lilith, mais tirée de la chair d'Adam pour s'assurer qu'elle lui sera soumise. Le nom d'Ève (« Havah ») dérive, dit-on, de deux racines araméennes : *hiviah* (« serpent ») et *havoh* (« raconter »). Autrement dit, disent les rabbins[94], Ève est à la fois tentation et parole. Tentation par la parole. Ce qui sera très exactement le rôle qu'on voudra lui faire jouer : Ève, séduite par le Serpent, aurait poussé Adam à manger le fruit de l'Arbre de la connaissance, laissant les générations ultérieures expier cette désobéissance.

En réalité, à mon sens, la Bible ne dit rien de pareil. La véritable histoire d'Ève est beaucoup plus intéressante : comme Lilith, elle refuse d'être soumise ; et elle impose à l'homme d'accepter les avantages et les risques de la liberté et donne un sens à l'Histoire.

D'abord le célèbre verset qu'on traduit en général par « *Il a pris une de ses côtes* » (Gn 2, 21) doit en fait être traduit par : « *Il a pris un côté d'Adam* » – le côté féminin d'Adam. Le terme hébreu *tsela*, traduit généralement par « côte », signifie en effet aussi « côté ». Ce qui fait d'Ève l'expression d'une des deux dimensions de l'humain primitif, hermaphrodite. Par là, Ève est, comme Lilith, l'égale d'Adam. Une belle histoire talmudique raconte même qu'Ève a plus de valeur qu'Adam : un élève d'un grand sage, rabbi Gamaliel (petit-fils de Hillel, qui enseigna le Talmud à celui qui devint saint Paul), s'indigne : « *Ton Dieu est un voleur, car il est écrit dans ta Bible qu'Il fit s'endormir Adam et lui vola une de ses côtes.* » Avant que le rabbi ne puisse répondre, sa fille proteste : « *Tu dis n'importe quoi ! Faut-il appeler la police si quelqu'un pénètre en fraude chez toi et remplace un vase en argent par un autre en or ?* »

Ensuite Ève ne peut se contenter ni du jardin d'Éden (« enfer de l'ennui »), ni d'une confrontation morbide avec Adam. Elle veut plus et mieux. Mais comment vouloir quoi que ce soit si l'on est, comme les animaux, programmé pour être résigné ? Comment espérer, chercher, se révolter, si on n'est pas conscient de ses limites ? Comment créer, c'est-à-dire réparer l'univers, si on est content de son sort ?

Ève écoute alors l'animal le plus intelligent de la Création et le plus proche de l'homme : le Serpent (doté alors encore de mains et de pieds, dira le Talmud, GnR 19,1 ; 20,5). Il lui propose une autre vie, plus risquée, en consommant le fruit de l'Arbre de la connaissance. Comme Dieu n'a interdit directement qu'à Adam de le consommer (et seulement pendant trois heures, dit le Midrash), Ève n'est pas tenue par cet interdit.

Ève pourrait alors se contenter de manger seule ce fruit et de devenir libre comme Lilith. Seule et libre. Mais (c'est là la bifurcation), Ève a besoin d'Adam pour enfanter et rester éternelle par sa descendance. Toutes les femmes de la Bible le diront après elle ; Rachel, par exemple, suppliera Jacob : « *Donne-moi des enfants, sinon je meurs* » (Gn 30, 1). La maternité : une nouvelle forme d'immortalité, la seule possible, à laquelle les hommes, eux, n'ont pas accès, et que Lilith refuse parce qu'elle a déjà celle du Mal.

La consommation du fruit de l'Arbre de la connaissance n'est donc ni un péché, ni une faute, mais une libération. Elle libère le désir, et donc la sexualité : le Serpent, d'ailleurs, en perdant alors bras et jambes, le montre bien. Certains commentaires chuchotent même d'ailleurs qu'il est le vrai père de Caïn, donc de toute l'humanité qui en descend.

Une des plus belles choses que l'homme reçoit alors en partage à sa naissance est la conscience de sa mortalité, donc de Dieu. Car comment croire en Dieu si on n'a pas conscience de sa propre finitude ? Et comment vouloir quoi que ce soit si l'on est, comme les animaux, conçu comme résigné ? C'est le propre de l'homme (ou plutôt de la femme, car cela vient d'Ève) d'avoir conscience de cette limite et de chercher à la franchir.

L'Histoire commence alors. Féminine, comme le temps. Ou plutôt comme le « côté » féminin de chacun de nous. De fait, la Bible le répète souvent :

l'Histoire bifurque par les femmes. Sarah permet à Abraham d'enfanter une nation ; la femme de Putiphar envoie Joseph dans la prison qui en fera un Premier ministre ; la mère de Moïse le sauve, rendant possible le Décalogue et le retour vers Canaan ; Déborah installe le peuple hébreu sur toute sa terre ; Ruth rend possible la survie du peuple juif par les conversions ; Bethsabée installe une dynastie et annonce le Messie ; Esther sauve le peuple juif du massacre. Et c'est le cas de tant d'autres, après elles, tout au long de l'histoire ; de Gracia Hanassi à Sarah Warburg, pour ne parler que de quelques-unes de celles dont il sera question ici.

Ce qu'un proverbe yiddish reprend si joliment : « *Dieu ne pouvant être partout, Il a créé les mères.* »

## Ézéchiel

Qui n'a pas lu à haute voix la vision de la Résurrection ouvrant la prophétie d'Ézéchiel ne peut vraiment savoir ce qu'est la haute littérature. Il m'arrive de la relire (comme je relis le livre XI de la *Bhagavad-Gita*) juste pour me laisser emporter par ce déluge de mots énigmatiques. Je n'en sors jamais indemne, ébloui par un texte parfois insensé, comme par un oracle lancé en divaguant par un chaman en transes.

Tel est d'ailleurs le statut des prophètes : dans toutes les civilisations, des gens reçoivent un message d'ailleurs, et « ça » parle en eux. « Ça » : les ancêtres, la nature, les dieux ou toute autre expression de l'invisible. Ils s'expriment par des mots, des dessins, des chants, des danses. Ces gens sont chamans, pharmakons, devins. En hébreu ils sont *nabi* (« celui qui proclame », « celui qui est appelé »), mot traduit en grec par « prophète ».

Comme dans toute culture, leur rôle est de dire ce que les hommes ne veulent pas entendre, d'énoncer et annoncer les conséquences de leurs actes. Dieu – sauf dans le cas de Moïse – ne leur parle qu'en rêve. D'où l'importance extrême de leur interprétation.

Souvent, comme Moïse, Jérémie ou Jonas, le prophète refuse d'admettre que Dieu veuille s'adresser aux hommes par son intermédiaire. Certains accomplissent des miracles, comme Élie ou David. D'autres sont aussi chefs de guerre, comme Samuel ou Déborah. Ils sont parfois conseillers du prince, comme Nathan ou Gad ; ou ils s'opposent à lui, comme Jérémie ; parfois, ils en meurent, comme le premier Isaïe. Parfois, aussi, plusieurs prophètes sont regroupés sous le même nom, comme les trois Isaïe.

Ézéchiel est le premier prophète de l'exil ; le premier à dire dans une langue simple l'espoir possible ; le premier à dessiner le chemin du retour et de la liberté.

Il fait partie du premier groupe de Judéens exilés en – 597 à Babylone par Nabuchodonosor avec l'aristocratie du royaume de Juda et le roi Joiakîn. Cinq ans après son arrivée, à l'âge de trente ans, il a sa première vision, si fameuse, dans laquelle certains voient la description d'un char divin, d'autres celle d'un véhicule extraterrestre, d'autres encore celle d'un phénomène météorologique rare – le parhélie –, d'autres enfin un pur délire poétique renvoyant au retour espéré des captifs en Israël : « *Le ciel s'ouvrit et je fus témoin de visions divines. Je regardai : c'était un vent de tempête soufflant du nord, un gros* nuage, un feu jaillissant avec une lueur autour, et, au centre, comme l'éclat du vermeil au milieu du feu. Au centre, je discernai quelque chose qui ressemblait à quatre animaux dont voici l'aspect : ils avaient une forme humaine ; ils avaient chacun quatre faces et chacun quatre ailes... Au-dessus de la voûte qui était sur leurs têtes, il y avait quelque chose qui avait l'aspect d'une pierre de saphir en forme de trône, et sur cette forme de trône, dessus, tout en haut, un être ayant apparence humaine... Je vis quelque chose comme du feu et une lueur tout autour ; l'aspect de cette lueur, tout autour, était comme l'aspect de l'arc qui apparaît dans les nuages les jours de pluie. C'était quelque chose qui ressemblait à la gloire de Yahvé. »*

Je retrouve dans ces lignes des accents du dialogue entre Arjouna et Krishna dans le livre XI de la *Bhagavad-Gita* : « *Il est très bien que Tu Te sois décrit, Seigneur suprême, mais maintenant je désire voir Ta forme divine, ô Esprit suprême !* »... Et surtout la vision évoquée la strophe 12 de ce livre : « *Si mille soleils pouvaient se lever tous ensemble dans le ciel, cette splendeur ressemblerait à celle de ce grand Être...* » ; et à la strophe 13 : « *L'univers entier en Un seul, divisé en plusieurs espèces, dans le corps du Dieu des Dieux... Je Te vois, Toi l'incontemplable...* »

Tentant de faire connaître ce rêve, Ézéchiel est la risée des autres exilés, occupés à s'installer dans leur nouvelle vie. Il entend ensuite, dans un autre rêve, Dieu prédire la destruction de Jérusalem laissée sans roi ni prêtre : il voit soixante-dix hommes agenouillés dans le Temple, adressant des prières à des animaux, au dieu Tammouz (dieu babylonien de la fertilité dont le symbole est une croix), et au Soleil, en ricanant : « *Dieu ne nous voit pas ! Il a quitté le pays* » (Éz 8, 12). Puis Ézéchiel voit dans le même rêve Dieu faire marquer le front de tous ceux qui, dans la ville, s'opposent à ces sacrilèges. « *Puis Il dit à six hommes d'entrer et de tuer sans distinction (vieillard, jeune homme, vierge, petit enfant et femme) quiconque n'a pas la marque. C'est ce qu'ils font* » (Éz 9, 11). Dieu protège ainsi du couteau de ses envoyés ceux qui lui sont restés fidèles, comme il le fit avec Caïn et avec les premiers-nés hébreux en Égypte.

Ézéchiel ne se trompe pas : cinq ans plus tard, en – 587, a lieu à Jérusalem le massacre annoncé : la ville est occupée et pratiquement détruite par les Babyloniens qui rasent le Temple construit par Salomon. Les Babyloniens sont ici comme le bras de Dieu.

Puis, alors que le peuple hébreu semble – comme tant d'autres avant et après lui – condamné à se dissoudre dans l'exil, Ézéchiel annonce que les peuples alors triomphants (Ammonites, Phéniciens, Égyptiens) seront bientôt vaincus, et que les Hébreux reviendront en Judée. Plus exactement, il assiste en rêve à la résurrection des morts, ce que Dieu Lui-même lui explique être une métaphore du retour d'exil du peuple hébreu ; car l'exil, c'est la mort : « *Fils d'homme, ces ossements, c'est toute la maison d'Israël. Les voilà qui disent : Nos os sont desséchés, notre espérance est détruite, c'en est fait de nous. C'est pourquoi, prophétise ! Tu leur diras : Ainsi parle le Seigneur Yahvé : Voici que j'ouvre vos tombeaux ; je vais vous faire remonter de vos tombeaux, mon peuple, et je vous ramènerai sur le sol d'Israël* » (Éz 37). Et Il le fera parce qu'Il hait la mort ; ainsi qu'Il le dit alors à Ézéchiel dans la plus belle apologie qui soit de la vie : « *Je ne prends pas plaisir à la peine de celui qui meurt Oracle du Seigneur Dieu : revenez donc, et vivez !* » (Éz 18,12)

Des milliers de pages de commentaires ont été écrites sur ces lignes ; et les théologiens discutent depuis deux millénaires et demi sur le point de savoir qui sont ces ressuscités : ceux qui rentrent d'exil ? ceux qui ne croient pas à la résurrection ? ceux qui y croient ? ceux qui se sont assimilés ? les autres ? Et aussi : les golems ressusciteront-ils ? Avec qui vivront les veuves remariées, après leur résurrection et celle de leurs deux époux ?

D'autres, évidemment, voient dans cette résurrection l'annonce de la venue prochaine d'un Messie.

Après ce retour d'exil (dont la résurrection est une métaphore), Israël sera restauré, dit Ézéchiel. Une Nouvelle Jérusalem sera bâtie autour d'un nouveau Temple et d'un pays prospère ; la mer Morte elle-même redeviendra poissonneuse.

Ézéchiel entre même dans les détails : un ange lui révèle les caractéristiques du Nouveau Temple, il lui donne la mesure des murs, des portes, des salles de garde, des salles à manger, des cours et du Temple lui-même. « *Et voyez : la gloire du Dieu d'Israël venait de la direction de l'est, et Sa voix était comme la voix des eaux immenses ; et la terre brilla à cause de Sa gloire* » (Éz 43, 2).

Ézéchiel laisse même entendre qu'à ce moment-là, la Loi pourrait être modifiée. Dans son magnifique chapitre 20, où il résume toute l'histoire du judaïsme, il répète la promesse du retour d'exil et termine par une phrase qui sera ensuite beaucoup commentée, ouvrant selon certains à toutes les réformes : « *Et je dis à leurs enfants au désert : Ne vous conduisez pas selon les lois de vos pères, n'observez pas leurs coutumes, ne vous souillez pas avec leurs ordures* » (Éz 20, 18).

Après cette restauration de l'État, explique Ézéchiel, tout ne sera pas fini pour autant : un roi terrible, Gog, à la tête d'un peuple terrible, Magog, tentera de détruire ce nouvel Israël ; Dieu seul réussira à le repousser, ce qui conduira tous les peuples du monde à reconnaître enfin qu'Il est le seul vrai Dieu. Le monde entier sera alors en attente de rejoindre le peuple juif.

Sa prédiction commence par se réaliser : le Temple est reconstruit exactement comme Ezéchiel l'a annoncé : soixante-dix ans après avoir été détruit – au moment exact où Jérémie l'a lui aussi prédit. Mais aucune de ses prophéties ultérieures ne se réalise : ni la guerre de Gog à la tête de Magog contre Israël, ni la reconnaissance universelle de

Dieu. Le Nouveau Temple lui-même est à nouveau détruit, six siècles plus tard. Quant au Messie, même s'il est déjà venu, pour certains, pour tous il doit revenir.

C'est comme si quelque chose avait enrayé le programme de la prophétie.

Puis, à une époque variable selon les croyances, les prophètes se taisent. Il ne parle plus aux hommes. En tout cas, pas par des mots. Tout se passe comme si s'ouvraient d'autres voies vers l'immanence à d'autres accès à ses manifestations : le savoir, la beauté, les mathématiques, la musique...

## Ezra (Abraham ibn)

Rien ne me fascine plus que les quatre siècles du judaïsme de l'islam espagnol. Sans doute parce que j'y retrouve à la fois mes lointaines origines et les caractéristiques essentielles de ma vie, écartelée entre plusieurs ambitions contradictoires sans que je me résigne jamais à renoncer à aucune.

Un des plus fascinants d'entre les destins de ces juifs d'Espagne, vagabond miséreux, immense intellectuel, passant d'une communauté à l'autre, enseignant et écrivant, fut celui d'Abraham ibn Ezra. Baruch Spinoza en dira, six siècles plus tard, qu'il fut son seul inspirateur, parce que, le premier, il osa remettre en cause l'inspiration divine de la Bible.

Né en 1092 à Cordoue, capitale de l'Islam espagnol alors sous domination almoravide, Abraham ibn Ezra rencontre à Grenade le grand poète Yehudah Halévy dont il épouse la fille. Il voyage à travers l'Espagne musulmane, l'Afrique du Nord et l'Égypte, pour tenter de ramener au judaïsme son fils converti à l'islam et parti vers l'Arabie. Désespéré par son échec, ayant perdu son beau-père (mort en Palestine vers 1141), il revient en Espagne musulmane d'où il repart vers l'âge de cinquante ans, en 1149, quand l'Islam almohade chasse tous les juifs de son empire.

« Erudit errant », se faisant appeler « le Hasfaradi » (l'Espagnol), on trouve ensuite sa trace à Rome pendant cinq ans, puis à Lucques, Pise, Mantoue, Vérone, Narbonne, Montauban, Béziers et Dreux. En 1158 il est à Londres, avant d'en repartir deux ans plus tard (peu avant un massacre et l'expulsion de tous les juifs d'Angleterre) pour la France et l'Espagne chrétiennes. La légende veut aussi que, enlevé par des pirates, il ait obtenu sa liberté en battant leur capitaine au jeu des charades.

Imagine-t-on, dans ce XIIe siècle de croisades et de massacres, ce mendiant juif errant sur les routes d'Europe, contemporain de Louis VII en France, de Henry II Plantagenêt en Angleterre, sans rien d'autre avec lui que son châle de prière, son astrolabe (c'est aussi un grand astronome) et ses manuscrits ? Mendiant de communauté en communauté pour obtenir de quoi manger, il écrit beaucoup et en hébreu, ce qui est rare à l'époque, sur les sujets les plus divers : un *Traité sur les noms de Dieu*, un autre sur le *Fondement de la crainte*[153], un commentaire de la Torah, des livres de grammaire, d'astrologie[152], d'astronomie et d'arithmétique. Il invente notamment une méthode de résolution d'une équation linéaire particulière dite « de double fausse position », qui est encore enseignée. Il compose aussi des poèmes sur l'amitié, l'amour, le vin, la solitude, et sur sa nostalgie de la vie andalouse.

Pourquoi écrit-il ? Dans quel espoir d'être jamais lu ? Aucun, sans doute. Entendez sa voix, nourrie d'ironie, d'orgueil, d'amertume et de désespoir, racontant son refus des honneurs : « *Je ne veux point briguer un poste comme font les incapables bouffis d'orgueil. Qui s'imaginent occuper le premier rang alors que ce premier rang ne fait que masquer leur abjection. C'est moi qui donne du prestige à la place que j'occupe, et non l'inverse ; la place dépend de moi. Alors que, pour eux, c'est leur rang dans la société qui remplit leur vide.* » Et cette description ironique de sa malchance en affaires : « *Si je faisais le commerce des bougies,/ Le Soleil ne se coucherait pas./Si je vendais des linceuls,/Personne, jamais, ne mourrait.* »

Il dénonce ceux des rabbins qu'il appelle des
« *crétins universels* » ; il cache parfois le sens de ses
textes les plus audacieux derrière d'innombrables
jeux de mots, pour ne pas se faire trop d'ennemis
(« *Qui est intelligent comprendra* »). Ainsi ose-t-il
affirmer (ce qui est alors un terrible sacrilège qu'il
est le premier à commettre) que le Pentateuque n'a
pu être écrit tout entier par Moïse ; que Dieu est une
abstraction ; qu'il n'y a pas de récompense individuelle à attendre après la mort ni de résurrection ;
que les hommes ne peuvent espérer, après leur décès,
que de se fondre dans une « Âme universelle » ; que
la Providence, c'est-à-dire Dieu, n'influe que sur les
espèces, non sur chaque individu ; et qu'il est possible à chacun et à chaque peuple de contrecarrer son
influence par celle des planètes. Par exemple, explique-
t-il, le peuple hébreu est sous l'influence de la
planète Saturne, « *planète froide et sèche qui régit la*
*mort, la tristesse et le deuil, ainsi que les choses*
*anciennes, car c'est une planète supérieure, et son*
*mouvement est lent* ».

Il semble qu'il soit mort à soixante-quinze ans, en
1167, à Calahorra, à la frontière de la Navarre et de
l'Aragon.

Cinquante ans plus tard, Maimonide – le plus
grand, à mon sens, de tous les philosophes juifs
espagnols (chassé de Cordoue à l'âge de douze ans, en
même temps qu'Ibn Ezra qui en avait alors
cinquante-huit) – écrira à son propre fils : « *Ne perds*
*pas ton temps avec des commentaires bibliques*
*autres que ceux d'Ibn Ezra... Ce sage, cet érudit ne*
*craignait personne. Il écrivait en toute liberté et ne*
*se montrait complaisant à l'égard de qui que ce*
*soit.* » Beaucoup plus tard encore, Spinoza en fera

son maître à penser. Première voix de l'émancipation en Europe, Ibn Ezra ouvre ainsi « en toute liberté » la voie à une analyse scientifique de la Bible et à la révolution philosophique et politique.

## Falashas

Quelle belle histoire que celle des juifs d'Éthiopie ! Et qui nous en dit tant sur les menaces pesant aujourd'hui sur les langues, les cultures, les civilisations lorsqu'elles ne sont pas reliées à une communauté-pivot, capable de prendre soin d'elles. Car comme tant d'autres entités européennes, africaines, amérindiennes, indiennes ou océaniennes, ils auraient disparu sans laisser de traces si d'autres communautés juives ne s'étaient occupées d'eux[168].

Ceux que l'Occident nomme les Falashas (« étrangers » en guez, la langue liturgique des chrétiens éthiopiens) se nomment eux-mêmes, en hébreu, les « Béta Israël » (« Maison d'Israël »). Leur existence est une énigme historique. Ils vivent depuis au moins trois mille ans en Éthiopie. Certains les disent descendants d'Hébreux qui refusèrent de quitter l'Égypte avec Moïse ; ils se disent eux-mêmes descendants de

compagnons de voyage de Ménélik, fils hypothétique
du roi Salomon et de la reine de Saba, premier roi
d'Abyssinie. D'autres encore les disent membres de
la tribu de Dan, l'une des « dix tribus perdues »
déportées de Samarie par les Assyriens en – 722 ; ou
de juifs déportés de Jérusalem en – 587 par les Babyloniens. D'autres, enfin, les considèrent comme des
descendants de communautés juives d'Égypte plus
récentes, ou même de certains chrétiens qui ne reconnaissent comme texte sacré que le Pentateuque, ainsi
que le font encore aujourd'hui certains chrétiens russes et américains.

De fait, la présence de juifs dans cette région est
établie au IV^e siècle de notre ère, au moment même où
y apparaît avec certitude le premier royaume chrétien
d'Afrique. Un texte éthiopien du XIII^e siècle mentionne
encore la présence, au nord du pays, d'une « *communauté juive dirigée par une reine juive nommé Yodit* ».
Puis léger glissement : au XIV^e siècle, des archives
royales rendent compte d'une bataille, dans le nord du
pays, contre des « *renégats qui sont comme des
juifs* » : ils ne sont plus que « *comme des juifs* ». Au
début du XV^e siècle, le roi éthiopien (toujours chrétien), le Négus Yeshaq I^er, décrète que « *celui qui n'est
pas baptisé dans la religion chrétienne ne peut hériter
de la terre de ses ancêtres et devient un* falasi » –
c'est-à-dire un étranger[144].

Au XVI^e siècle, le judaïsme mondial commence à
s'interroger sur ces communautés juives d'Abyssinie
que croisent encore quelques rares marchands. Un
rabbin égyptien, David ben Zimra, les reconnaît
comme des juifs membres de la tribu de Dan, dispa-
rue à Ninive vingt-trois siècles plus tôt. En 1624, la
dernière de ces principautés est battue par l'armée du

souverain éthiopien soutenu par les Portugais ; leurs livres sacrés (des Torah écrites en guez) sont détruites. C'est la fin de la dernière entité juive au monde à être alors indépendante.

En 1769, un explorateur anglais à la recherche des sources du Nil décrit ce qu'il en reste : environ cent mille personnes employées comme forgerons pour les hommes et comme potiers pour les femmes, considérés comme sorciers et accusés de porter malheur.

En 1867, l'Alliance israélite universelle (qui vient d'être fondée à Paris à la suite du massacre de la communauté juive de Damas et de la conversion forcée au christianisme d'un enfant juif enlevé à Bologne en 1858, Edgar de Mortara) apprend que des missionnaires protestants anglais spécialisés dans la conversion des juifs ont approché les Falashas. Elle y envoie une mission[131] qui découvre que ces « Béta Israël » lisent, en guez, le Pentateuque et quelques autres livres de la littérature biblique, dits Apocryphes (comme ceux de Judith, des Maccabées et les Jubilés) ; qu'ils pratiquent le chabbat et respectent les lois de kashrout ; qu'ils fêtent le Nouvel an à Rosh ha-Shana ; qu'ils sacrifient un agneau et mangent du pain azyme à Pâque ; qu'ils jeûnent à Kippour. Mais ils ne connaissent aucune fête postérieure à l'exil à Ninive, comme Pourim ou Hanoukka, ni non plus le Talmud. Ils n'utilisent pas l'étoile de David que les rois chrétiens, qui se prétendent descendants de Salomon, ont pris pour symbole. Ils accueillent aisément leurs voisins dans leur religion et se mêlent à eux ; ils ne sont pas différents physiquement des autres Éthiopiens ; ils se considèrent comme « rouges » et désignent comme « noirs » certains d'entre eux, les « Baryas », esclaves transmis dans les familles « rouges » d'une génération à l'autre ; d'autres encore, les Falash Mura, convertis de force au christianisme, sont encore parfois juifs en secret. Douze ans avant la fondation du mouvement sioniste, le rapport de l'Alliance israélite propose de « *ramener en Palestine des milliers de colons falashas*[131] » ; mais elle n'en trouve pas les moyens et, entre 1888 et 1892, d'épouvantables famines font disparaître les deux tiers de ces communautés.

En 1904, une nouvelle mission de l'Alliance, venue de France, fait une tournée des villages faméliques, puis, revenue en Europe, collecte des fonds pour implanter des écoles juives en Éthiopie. En 1921, un très influent rabbin de Palestine, Rav Kook, les reconnaît comme juifs. En 1945, quelques femmes falashas ayant épousé des soldats juifs yéménites de l'armée anglaise s'installent avec eux en Palestine. Mais le premier gouvernement d'Israël ne les reconnaît pas comme juifs, à la différence de deux autres groupes venus eux aussi du fond des temps et reconnus, eux, juifs contre leur gré : les Samaritains (ultimes descendants des habitants du royaume d'Israël, 2 800 ans plus tôt) et les Karaïtes (qui rejettent tout texte écrit depuis 24 siècles, dont le Talmud).

Les derniers Falashas auraient sûrement disparu en se mêlant au reste de la société éthiopienne et en mourant avec les autres refugiés affamés s'ils n'avaient pas été reconnus, en 1973, comme juifs, descendants de la tribu de Dan, par le grand rabbin séfarade Ovadiah Yossef, s'appuyant sur la décision du rabbin égyptien du XVIe siècle ; deux ans plus tard, le grand rabbin ashkénaze Chlomo Goren se rallie à cette décision.

Il était temps : une grande famine se déclenche et ils ne sont plus que 40 000 quand, en 1984, le gouvernement israélien, aidé par les Américains, déclenche

l'« opération Moïse » qui évacue 6 500 Falashas
d'Éthiopie, retrouvés dans les camps des ONG ;
puis l'« opération reine de Saba » qui va en chercher 650 autres au Soudan. En 1990, 6 000 autres
sont encore évacués vers Israël. En 1991, après
l'effondrement du régime communiste éthiopien,
les 15 000 derniers Falashas, réfugiés à Addis-Abeba,
sont évacués en deux jours par le pont aérien de
l'« opération Salomon ».

Aujourd'hui, 80 000 personnes d'origine éthiopienne
vivent en Israël, dont 30 000 qui y sont nées ; 90 % des
adultes de 35 ans et plus appartenant à cette communauté sont restés analphabètes. Un tiers seulement de
chaque génération de jeunes Falashas entre à l'université, ce qui est la plus basse proportion en Israël.

N'ayant pas eu la même chance, aucun État
n'étant alors là pour les secourir, d'autres communautés juives ont disparu au fil des siècles : d'abord
celles de Ninive, il y a vingt-sept siècles, puis celle

des Khazars au XI$^e$ siècle, peut-être partie vers la Pologne, ainsi que certaines communautés dispersées en Chine et en Inde.

On a en effet des traces, dès le X$^e$ siècle, de la présence de juifs en Chine. Vers l'an mille, une communauté regroupe des marchands venus d'Oman, de Perse et d'Inde à Kaifeng, capitale impériale de la dynastie Song. Cette minuscule communauté, perdue au milieu de soixante millions de Chinois, sert d'abord de bureau de représentation pour tous les marchands juifs du Proche-Orient. Puis leurs descendants se font artisans, paysans, prêteurs. Un siècle plus tard, sous la dynastie Jin, on en retrouve dans l'administration de l'Empire à des niveaux parfois élevés ; en particulier, certains y sont responsables de la monnaie et du Trésor public, comme ils le sont ailleurs, à Bagdad, Lisbonne ou Cordoue. Il semble même, selon certains chercheurs chinois d'aujourd'hui, que ce soient des juifs qui, en 1154, aient les premiers au monde fabriqué des billets de banque : sur les quatre côtés d'une plaque d'impression retrouvée récemment, on peut lire en effet ce qui ressemble à des caractères hébraïques[34].

À cette époque, des juifs vivent encore en juifs dans plusieurs villes de Chine : on trouve trace d'une synagogue établie en 1163 à Shangzhi (aujourd'hui Acheng), dans la province de Heilongjiang. En 1271, si l'on en croit les souvenirs attribués à Jacob d'Ancône (marchand juif d'un État du pape, peut-être imaginaire), de passage à Canton, deux mille juifs y vivent encore au milieu de Francs, de Génois et de Romains ; il y entend même parler de plusieurs dizaines de milliers d'autres juifs installés plus au nord de la Chine. Ces communautés prospèrent jusqu'au XV$^e$ siècle, toujours reliées au reste du judaïsme mondial, sous les Yuan, puis sous les Ming qui règnent à partir de 1368. Quand, à la fin du XVe siècle, ces empereurs referment le pays, ces quelques milliers de juifs sont totalement isolés au milieu de cent millions d'autochtones. Faute de contacts avec les autres communautés, le judaïsme disparaît alors de Chine. Jusqu'à ce que, en 1937, quelques milliers de juifs allemands fuyant Hitler y reviennent, dans la concession de Shanghai qui leur accorde quelques visas.

Il en va de même pour le judaïsme indien pratiquement disparu lui aussi : si l'on exclut le passage hypothétique de certains voyageurs, comme Sabbataï Donnolo au Xe siècle, la présence juive en Inde commence de façon certaine au XIVe siècle. À Cochin, en 1344, des juifs de Mésopotamie, protégés par le radjah musulman local, fondent une communauté qui maîtrise vite le commerce de poivre à destination de l'Europe. En 1498, Vasco de Gama y découvre un certain Gaspar, venu de Pologne. En 1547, quand l'Inquisition portugaise débarque à Cochin, les musulmans protègent encore des juifs, acteurs du commerce du poivre, sous le nom d'Anjuvannam (la « cinquième caste » en langue malayalam). En 1568, ils y construisent une magnifique synagogue qui existe encore. Six ans plus tard, à l'arrivée de l'Inquisition espagnole, ceux d'entre eux qui refusent de se convertir sont massacrés.

Quand, le 9 août 1663, les Hollandais prennent Cochin et la côte de Malabar aux Portugais, ils y trouvent encore quelques juifs restés là en secret : banquiers, marchands, diplomates, interprètes ; le débarquement hollandais leur permet de sortir de la clandestinité. En 1686, des juifs d'Amsterdam leur apportent des Torah imprimées en hébreu, dont ils semblent n'avoir encore jamais vu d'exemplaires. Une communauté de juifs de Hollande s'installe à Cochin ; ils travaillent avec ceux qu'ils y ont trouvé sans pour autant se mélanger ni pour se marier, ni pour prier, ni même pour manger. Ces juifs de la « cinquième caste » ne sont plus qu'une vingtaine aujourd'hui et fêtent encore l'anniversaire de l'arrivée des Hollandais.

Ce destin est aussi, de tout autre manière, celui de bien d'autres communautés juives à travers les siècles, jusqu'au judaïsme maghrébin, celui de mon enfance, à peu près disparu après avoir transmis ses rites à des communautés dispersées en France, en Israël et au Canada.

Un jour, le peuple juif tout entier pourrait disparaître de la même façon, réduit à un groupe de religieux accomplissant mécaniquement les mêmes gestes, à côté d'un État hébreu et d'une diaspora nationale, les « Israéliens de l'étranger », aujourd'hui déjà très nombreux.

En cela comme en bien d'autres choses, le judaïsme est une avant-garde : nombre d'autres civilisations, nomades ou sédentaires, peuples premiers, sans soutien extérieur, ou martyrs d'un État central, disparaissent chaque jour. Des langues cessent d'être parlées. Des cultures, des cosmogonies, des spiritualités, des savoirs, des mythes, des arts, des instruments, des techniques s'effacent, fusionnant dans une globalisation uniformisante, en même temps que renaissent çà et là d'innombrables nouvelles diversités provisoires, individuelles et fugaces.

Le sauvetage des Falashas pourra apparaître alors soit comme un dernier sursaut de communautés agonisantes avant l'uniformisation globale, soit comme une préfiguration de la prise de conscience, par l'humanité entière, de l'importance vitale de sa diversité.

# Gabirol (Salomon ibn)

Longtemps je me suis demandé qui était l'auteur de ce merveilleux poème chanté dans toutes les synagogues séfarades du monde, au tout début de l'office du matin, à la fin de l'office du chabbat et au terme des prières récitées la veille de Yom Kippour : l'*Adon Olam* (« Maître de l'Univers ») résonne depuis l'enfance à mes oreilles. Comme pour tout poème, sa beauté ne saurait être complètement rendue par une traduction : *« Maître de l'Univers, qui a régné avant que rien ne fût créé ; Lorsque, par Sa volonté, tout s'accomplit, Il fut proclamé Roi. Et quand tout aura cessé d'être, Lui seul régnera avec gloire. Il fut, Il est, Il sera toujours, avec majesté. »*

Puis, en cherchant un peu, j'ai découvert l'extraordinaire destin de son auteur présumé, Salomon ben Yehudah ibn Gabirol, que le poète allemand Henri Heine, ami de Karl Marx, revenu sur le tard au judaïsme, appela « *le poète parmi les philosophes, le philosophe parmi les poètes, le rossignol de la piété* », exactement comme il aurait aimé qu'on parlât de lui.

J'ai aussi découvert à travers Gabirol le judaïsme espagnol de l'an mille, lové au sein d'une Espagne alors très largement musulmane sous l'hégémonie de l'Empire omeyyade de Cordoue. Un judaïsme heureux, malgré la domination de l'islam et d'innombrables humiliations, où s'est développée une extraordinaire créativité scientifique, littéraire, philosophique et politique : des juifs y sont médecins, professeurs, marchands ; quelques-uns sont hommes d'État ou généraux des armées des princes musulmans, à la merci d'intrigues de cour pouvant entraîner leur propre disgrâce, et, comme toujours dans l'histoire juive, le massacre de leur communauté.

En particulier, j'ai découvert le plus grand d'entre ces poètes, Salomon ibn Gabirol, et le plus grand d'entre ces politiques, Samuel Ha-Naguid, aux vies si imbriquées.

Né dans l'Empire omeyyade vers 1020, à Malaga, Salomon ben Yehudah ibn Gabirol, orphelin de bonne heure, passe son enfance dans la communauté juive de Saragosse, en Ibérie musulmane. Il y rédige à seize ans un abrégé en vers des 613 commandements qu'inventorie le Talmud. Conscient très jeune de son propre talent, il écrit alors : « *Je suis le prince dont la poésie est l'esclave./Je suis le luth des poètes et des musiciens./Mon chant est une couronne pour les rois,/Un diadème sur la tête des princes./Me voici avec mes seize ans,/Et mon cœur comprend/Comme le cœur d'un octogénaire !* » Repéré par quelques puissants, en particulier par le vizir juif du calife (c'est-à-dire le Premier ministre), Yekoutiel ben Isaac ibn Hassan, Salomon vit là trois années heureuses, jusqu'à ce que, en 1039, ledit vizir soit assassiné par les rebelles qui mettent fin cette année-là à l'Empire omeyyade d'Espagne. Il doit quitter Saragosse à l'âge de 19 ans et écrit : « *Ma gorge est enrouée par mes cris,/Ma langue se colle à mon palais,/Mon cœur bat la chamade à cause de ma grande douleur et de mon malheur,/Ma tristesse est grande et empêche/Le sommeil de s'épancher sur mes yeux./Combien je me lamente, et combien/Brûle en moi comme un feu ma colère !/À qui parlerai-je, devant qui témoignerai-je,/À qui ferai-je part de ma douleur ?/S'il y a un consolateur, qu'il me prenne/En pitié, qu'il me prenne par la main,/J'épancherai mon cœur devant lui,/Je lui dirai une part de mon malheur./Peut-être, en parlant de ma tristesse,/Calmerai-je mon émotion ?* »

Il rejoint alors à Grenade une communauté juive installée là quinze siècles plus tôt. Il y trouve un nouveau protecteur juif, lui aussi vizir du roi local, devenu indépendant depuis que l'Empire omeyyade s'est délité.

Ce vizir, Samuel ibn Nagrela, dit Samuel Ha-Naguid (« le Prince Samuel ») est lui aussi un personnage extraordinaire : né à Cordoue, formé au Talmud et à la philosophie grecque, parlant et écrivant le grec, l'hébreu et l'arabe, ayant fui Cordoue incendiée par les Berbères pour devenir marchand d'épices à Malaga, il devient, vers 1030, à Grenade, ministre des Affaires étrangères, vizir et commandant en chef de l'armée du roi Habbus, puis de son fils aîné, Badis. Il n'est pas le premier à exercer de telles responsabilités : en 960, à Cordoue – alors la plus grande ville d'Europe –, Hasdaï ibn Chaprout, médecin et savant, est grand vizir du calife Raman III qui dirige alors tout l'Islam espagnol. Samuel Ha-Naguid est aussi un écrivain, que Hayyim Bialik considérera au XX^e siècle comme le plus grand poète juif de tous les temps. Il est l'auteur d'un dictionnaire d'hébreu biblique, du *Sepher ha-Osher* (« *Le Livre des richesses* »), d'une synthèse des mitzvot, et de poèmes d'amour composés en hébreu, d'une incroyable modernité (« *Je souris quand elle est complaisante ;/ elle sourit quand je me fâche./Sa complaisance m'excite ;/ma mauvaise humeur l'excite*[134]... ») dont certaines élégies sur la mort d'un ami évoquent peut-être des amours homosexuelles.

Auprès de ce prince, Ibn Gabirol est accueilli à la fois comme un théologien et comme un poète ; mais ces deux dimensions de sa personnalité semblent si éloignées l'une de l'autre que, pendant des siècles, le Moyen Âge chrétien attribuera son œuvre théologique (en particulier son livre *Mekor Haim*[155], connu en latin comme *Fons Vitae* [« Source de Vie »]) à un philoso-

phe arabe imaginaire. De fait, dans ce livre qui exer-
cera une influence considérable sur Albert le Grand et
Thomas d'Aquin, il n'est fait aucune référence à la
Torah ou au Talmud ; et on y retrouve l'influence
d'Aristote et de la Kabbale. Pour lui, Dieu, être imper-
sonnel, « *première essence* », inconnaissable, accepte
de « *descendre* » jusqu'à la matière, tandis que l'âme
humaine tente de « *s'élever* » dans la hiérarchie des
formes de vie, vers Dieu, par un contrôle de la pensée,
une humilité et une ascèse.

Ibn Gabirol est aussi l'auteur en hébreu d'une
œuvre littéraire, dont le *Keter Malkhut*[154] (« La Couronne royale »), magnifique réflexion sur l'amour de
Dieu pour l'Homme : « *À toi, Dieu, la grandeur, la
puissance, la splendeur, l'éternité et la gloire./Tu
m'as créé non en vue d'une nécessité,/Mais en don
généreux, non contraint, mais avec volonté et
amour./Avant même que je sois, tu m'as accueilli par
Ta grâce,/Tu as insufflé en moi l'esprit,/Et Tu m'as
fait vivre. Tu ne m'as pas abandonné/Après m'avoir
fait sortir à l'air de ce monde*[154]. »

Puis tout se gâte : conscient, comme toujours, de
son grand talent, Ibn Gabirol se fâche avec son protecteur, Samuel Ha-Naguid, dont il ose critiquer
l'œuvre littéraire. Il quitte alors Grenade et meurt
dans d'obscures circonstances, à trente-sept ans, en
1057, à Lucena, grand centre d'érudition juive à
l'époque, près de Cordoue, en Ibérie musulmane.
Une légende veut qu'il ait été assassiné par un poète
jaloux (un de plus…), puis enterré sous un figuier
qui aurait donné tant de fruits qu'on aurait creusé
autour et trouvé son cadavre.

Trois ans plus tard, Samuel Ha-Naguid meurt à son
tour dans une bataille livrée contre une armée

chrétienne qui assiège Grenade. Il est resté trente ans au pouvoir, record absolu pour un Premier ministre juif dans toute l'histoire. Son fils Joseph lui succède, mais ne connaît pas la longévité de son père : il est assassiné sept ans plus tard par des rivaux musulmans, et la foule massacre avec lui 4 000 juifs de Grenade.

Trente ans plus tard, en 1090, les Almoravides unifient l'Islam d'Espagne et du Maghreb et détruisent la communauté de Grenade – cinquante ans avant que leurs successeurs, les Almohades, ne détruisent les derniers vestiges des communautés juives de l'Islam espagnol.

## Gaspar da Gama

C'est l'un des destins juifs qui m'a le plus fasciné, même si sa trajectoire n'a pas la même portée philosophique ou politique que les autres. Il est aussi invraisemblable que celui de Bibo, chef indien juif d'Amérique, et, comme lui, révélateur des tribulations juives. Né vers 1445 à Poznan, en Pologne, sous un nom inconnu, il part avec sa famille en 1456 vers la Palestine, fait rare à l'époque. Il n'y reste pas et s'installe un moment à Alexandrie dont la communauté juive est alors en pleine décadence. Voyageur et marchand, il devient ensuite pirate en mer Rouge, acquiert une excellente connaissance de l'océan Indien et des côtes africaines, avant d'être vendu vers 1480 comme esclave à Goa qu'il découvre ainsi, contre son gré, bien avant les autres Européens. Il n'a pas de contact avec la communauté juive de Cochin (à un bon millier de kilomètres plus au sud) venue de Mésopotamie et installée là depuis un siècle et demi. Il obtient sa liberté vers 1490, feint de se convertir à l'islam, et entre, sous le nom de Yousouf Abdil, au service d'un prince musulman d'un royaume proche de Calicut, dans le Kerala : Adil, shah de Bijapur, qui possède aussi, dit-on, une armée de 40 000 cavaliers. Gaspar est ensuite nommé amiral de sa flotte. Il y accueille, le 18 mai 1498, Vasco de Gama qui se croit le premier Européen à atteindre l'Inde par la mer. L'amiral portugais est stupéfait d'y rencontrer ce « *grand juif avec une barbe blanche flottant au vent* », et deux Arabes de Tunis qui s'expriment dans un castillan parfait ainsi que dans le dialecte de Gênes. Gama prend Gaspar pour un espion et le fait torturer avant de le libérer quand il constate qu'il parle, entre autres langues, le polonais, l'hébreu, l'arabe, le chaldéen, l'italien et l'espagnol, et qu'il connaît parfaitement les mers et les littéraux de la région. Quand Gaspar demande à Gama de le ramener en Europe, Gama lui explique que depuis six ans, les juifs sont interdits dans la péninsule Ibérique. Vasco de Gama, qui veut l'utiliser comme guide au retour, le fait alors baptiser hâtivement sous le nom de Gaspar da Gama, et le Polonais sert d'interprète et de pilote à la flotte sur le chemin du retour vers le Portugal. Arrivé à la cour du roi Manuel de Portugal, toujours juif en secret, Gaspar émerveille tout le monde en décrivant les merveilles des Indes. Il est nommé chevalier de la Maison du roi et reçoit une pension. L'année suivante, le 9 mars 1500, sur ordre de Vasco de Gama, Pedro Alvarez Cabral, autre navigateur portugais, l'emmène dans son premier voyage vers l'ouest avec une flotte de treize caravelles, espérant l'utiliser comme interprète lorsqu'il aura rejoint les Indes par l'Atlantique.

Le Polonais Gaspar da Gama est ainsi le premier Européen (après, peut-être, un compagnon de voyage de Colomb) à poser le pied, le 22 avril 1500, sur le sol de ce qui deviendra le Brésil, et qu'il croit être l'Inde. Il prend possession du territoire au nom de la Couronne portugaise ; mais il est incapable de traduire les langues des indigènes qu'il rencontre. Et pour cause : il n'est pas en Inde.

L'année suivante, sur le chemin du retour, il rencontre longuement, au cap Vert, un petit aventurier qui donnera un jour, sans le savoir, son nom au Nouveau Monde : Amerigo Vespucci. Le 4 juin de cette même année 1501, ce dernier raconte dans une lettre à un ami resté en Castille cette rencontre qui l'a émerveillé : un voyageur qui connaît si bien les Indes ! En 1502, Gaspar da Gama repart avec Vasco de Gama vers Goa ; il en revient l'année suivante, puis y retourne à nouveau en 1505, cette fois avec Francisco d'Almeida, autre officier portugais nommé cette année-là vice-roi des Indes portugaises. D'Almeida le rebaptise Gaspar de Almeida et l'installe avec lui à Cochin. Dix ans plus tard, en 1510, alors qu'Almeida refuse de laisser la place à son successeur, Alfonso d'Albuquerque, nommé gouverneur des Indes portugaises, Gaspar, toujours prudent, s'éloigne de son protecteur déchu. Il se choisit un autre nom, indépendant cette fois de toute référence à un maître : Gaspar de las Indias. Il rentre à Lisbonne, puis repart pour Calicut, là où Gama l'avait trouvé et où il semble rester, juif en secret, jusqu'à sa mort.

Tel fut cet homme aux cinq noms, juif polonais, amiral indien, pilote portugais et découvreur du Brésil...

## Glasberg (Alexandre et Vila)

Être amoureux du judaïsme, c'est aussi être amoureux des amoureux du judaïsme, de tous ceux qui l'ont rejoint en se convertissant ou qui ont risqué leur vie pour le défendre. Parmi eux, les 20 000 personnes, dont 2 262 Français, reconnus aujourd'hui comme des « Justes » par l'État d'Israël parce qu'ils ont protégé, çà ou là dans le monde, des juifs de la folie nazie et de l'antisémitisme de leurs collaborateurs.

Parmi eux, difficile de choisir un cas particulier. Chacune de leurs histoires mériterait d'être contée, car chacune permet d'espérer en l'humanité, capable de faire naître des gens d'une telle qualité au milieu de l'enfer. C'est en parlant avec Lucien Lazare, grand résistant et coordinateur du *Dictionnaire des Justes*[179], que j'ai découvert l'histoire de ceux dont je souhaite faire dans cet article le symbole de tous les autres : les frères Alexandre et Vila Glasberg.

Nés à Jitomir, en Ukraine, en 1902 et 1904, dans une famille juive assimilée qui se convertit tout entière au catholicisme en Pologne, les deux frères partent pour Vienne en 1921, puis s'installent en France en 1931. Parce qu'on ne retrouve pas trace de leur premier baptême, ils y sont « rebaptisés sous condition » en 1933. Après une expérience religieuse à la Trappe de Saint-Fons, Alexandre entre au grand séminaire de Moulins, puis au séminaire universitaire de Lyon, et devient prêtre. En 1938, il est nommé curé à Moulins, puis est envoyé dans un quartier pauvre de Lyon. Son frère le suit partout. En 1940, Alexandre devient délégué du Comité d'aide aux réfugiés créé par le cardinal Gerlier à Lyon. Il s'associe alors au père Pierre Chaillet, qui a fondé l'Amitié chrétienne avec Jean-Marie Soutou pour aider les victimes du nazisme. À l'été 1942, quand commencent les arrestations massives de juifs, les deux frères fabriquent ensemble des faux papiers et organisent des évasions et des transferts d'armes. Ils sauvent 108 enfants du camp de Vénissieux, font transférer, avec le docteur Joseph Weill, des centaines de juifs vers des centres d'accueil qu'ils contrôlent et qu'ils confient, le 20 décembre 1942, à la gestion de l'Amitié chrétienne.

Dans les premiers jours de janvier 1943, de plus en plus menacé par les Allemands qui ont compris son rôle, Alexandre devient Élie Corvin, prêtre du diocèse de Montauban. Son frère Vila le remplace à la tête de l'organisation secrète des centres d'accueil, jusqu'à son arrestation en août 1943. Laissant sans doute croire aux Allemands qu'il est Alexandre, Vila est déporté et assassiné.

Après la fin de la guerre, Alexandre devient agent du Mossad. À Sète, le 11 juillet 1947, il fabrique, avec une infirmière revenue d'Auschwitz, Rose Warfman, les faux passeports et visas de 4 500 personnes venues de douze camps de transit qui montent sur un bâtiment battant pavillon panaméen, le *Président-Warfield*, à destination de la Colombie. Après cinq jours de navigation, et hors des eaux territoriales françaises, le *Président-Warfield* devient le célèbre *Exodus 47* et file vers la Palestine.

En novembre 1947, Alexandre intervient auprès de Pie XII pour obtenir le soutien du Vatican au plan de partage de la Palestine. En vain. Il est ensuite envoyé en Irak où il participe à l'exfiltration de juifs de Mésopotamie arrivés là vingt-six siècles plus tôt. Il achète pour la Haganah des armes en Tchécoslovaquie, qu'il fait livrer en Corse. Après la proclamation de l'indépendance de l'État d'Israël, pendant la bataille pour le contrôle de la ville de Jérusalem, il organise les troupes juives barricadées à l'ouest de la ville, et celles de l'est par l'intermédiaire de certaines communautés catholiques de la ville. Il aurait pu alors devenir citoyen israélien, comme l'ont fait à ce moment d'autres prêtres catholiques, sans toutefois bénéficier de la loi du Retour, en raison de sa conversion. Deux de ses opuscules (*À la recherche d'une Patrie*[119] et *La Leçon sociale de l'*Exodus[120]) montrent qu'il est un fervent partisan du projet sioniste et très concerné par les problèmes des étrangers en France. À Paris où il revient, il fonde le Centre d'orientation sociale des étrangers (COSE), fait bâtir des centres de réadaptation fonctionnelle et des maisons de retraite pour eux.

Après la guerre de juin 1967, très hostile à l'occupation israélienne de territoires palestiniens, il prend part à Jérusalem aux premiers mouvements israéliens favorables au retrait des troupes. À Paris, après les événements de Mai 68, il est scandalisé par le renvoi d'étrangers qui n'ont pas encore obtenu le statut de réfugiés ; pour dénoncer ces atteintes au droit d'asile, il propose de créer un « comité de vigilance » qui voit le jour en 1971 sous le nom de « France Terre d'Asile », et qui existe encore. Après bien d'autres combats menés jusqu'à son dernier jour pour la défense des immigrés et des réfugiés, Alexandre meurt en France en 1981 à l'âge de 79 ans.

En 2004, Alexandre et Vilna Glasberg reçoivent à titre posthume la médaille des Justes parmi les nations.

# Guematria

Comment faire comprendre en quelques lignes la singularité d'une pratique unique en son genre, vertigineuse dans ses implications, absurde pour tout esprit moderne, mais à qui des gens, parmi les plus intelligents de leurs temps, ont néanmoins consacré toutes leurs facultés depuis plus de deux millénaires ? Une pratique qui se veut une science fondée sur l'idée que la langue hébraïque n'est qu'un code masquant les significations réelles de la Bible dictée par Dieu.

Pour ses adeptes, les mots hébreux de la Torah ne sont pas écrits au hasard. Inspirés par Dieu, jusqu'à la moindre lettre, conservés de siècle en siècle, ils cachent un sens réel dépendant de la valeur numérique des lettres qui les composent et de leurs relations avec les autres mots ayant même valeur numérique. Plus précisément, chaque lettre désigne aussi un nombre. Chaque mot vaut donc la somme des valeurs numériques de ses lettres ; les mots ayant même valeur numérique ont une signification voisine. C'est la *Guematria* (du grec « géométrie »). D'où le caractère sacré de chaque lettre et l'obligation de se débarrasser de tout manuscrit contenant la moindre faute d'orthographe.

En opérant ainsi, peut-être depuis l'exil de Babylone, ces lettrés participent sans le savoir à l'élaboration des principes mêmes du discours scientifique ; il visera lui aussi à découvrir le sens caché des choses et des invariants communs entre des faits *a priori* sans relation les uns avec les autres.

Ce sens peut être d'une extrême complexité et d'une très grande variété. D'où la modestie des exemples qui suivent, où l'on nomme *guematria* la valeur numérique d'un mot :

• La *guematria* de l'expression, très utilisée dans le Talmud, « *Moche Rabbénou* » (« Moïse notre maître ») est 613, soit justement le nombre des enseignements que Moïse a transmis au peuple juif. Et le total des chiffres de ce nombre $6 + 1 + 3 = 10 = 0 + 1 = 1$, l'unité de Dieu.

• La *guematria* du mot qui désigne la circoncision (*Brit*, de *Brit Mila*) est 612, ce qui voudrait dire qu'elle est l'équivalent de tous les autres enseignements, hormis la croyance en Dieu.

• La *guematria* du mot *Emet* (vérité) est 441 soit $4 + 4 + 1 = 9$, qui est la même que celle de *Lev* (Moi ou Dieu ou Amour) (= $36 = 3 + 6 = 9$).

• Les Justes, selon le *Zohar*, sont 36 à soutenir le monde. 36, parce que c'est la valeur numérique de « Lui-même », (un homme ou Dieu) et le nombre de bougies allumées à Hanoukka.

• La *guematria* du premier mot de la Torah (*Béréchit* : « Au commencement ») est 1 819, ce qui est le numéro de verset du premier commandement donné aux Hébreux : la bénédiction du nouveau mois (Ex, 12, 2)

• Le Tétragramme apparaît 1 820 fois dans la Torah, ce qui est la *guematria* de ce premier mot plus un, ce qu'on nomme la « valeur pleine ». Autrement dit, Dieu est évidemment « au commencement », ou, comme on l'a vu, avec Beth, « dans l'esprit ».

• Le nom d'*Amalek*, petit-fils d'Ésaü, dont le rôle est d'empêcher le peuple juif de sortir d'Égypte en le faisant douter, a la même valeur numérique (240) que le mot *Safeq*, qui justement signifie « doute ».

• Dans son commentaire sur le premier verset de la Torah, Rachi cite le psaume 111 : « *Il a fait connaître aux membres de Son peuple la force de Ses œuvres.* » La « force » se dit en hébreu *coa'h,* dont la valeur numérique est 28, tout comme le nombre de lettres du premier verset de la Torah.

• La *guematria* de l'année 5769 (2007-2008) est 768, soit la même valeur que celle d'un verset d'Isaïe supposé annoncer la venue du Messie : « *Comme les joies infinies du paysan au moment de la récolte* » (Is IX, 2).

Et ainsi à l'infini, de signification en signification...

Ceux qui pratiquent cette discipline vertigineuse (qui peut paraître vaine, puisqu'il est toujours possible de trouver des coïncidences de ce genre entre tout et n'importe quoi) reconnaissent qu'elle a tôt fait de devenir envahissante et d'absorber la vie entière. Tout est alors lu au travers de ces codes, comme si derrière chaque message décrypté se cachait encore d'autres messages, masqués à l'infini.

Mais de cela nul n'est revenu assez indemne pour en témoigner...

## Haggadah

Si j'aime tant ce livre[4], le plus recopié, puis le plus imprimé de toute l'histoire juive en dehors de la Bible, celui qu'on lit pendant les deux repas des deux premiers soirs de Pessah, c'est qu'y sont attachés maints souvenirs de mon père et de ma mère. Et aussi parce que Moïse, principal héros de la sortie d'Égypte, en est absent, ce qui en révèle la nature profonde...

Son canevas, ainsi qu'une bonne partie de son contenu, sont fixés dans la Michna (Pes 10). Il constitue le résumé de l'essence du judaïsme, dont il raconte la naissance et se termine par « l'an prochain à Jérusalem ». Le judaïsme s'enseigne ainsi par un texte sur la transgression et la désobéissance. Il regroupe un florilège de commentaires midrashiques, de bénédictions, de prières, d'hymnes, d'explications du rituel du *seder*, de chants venus de diverses périodes et de nombreux lieux.

Moïse y est mentionné une seule fois, et son nom est précédé du qualificatif « Son serviteur » (« *Le peuple révéra Dieu et eut foi en Dieu et en Son serviteur Moïse* ») comme pour le rabaisser. Le nom du prophète est même explicitement censuré. Par exemple, sur les six versets du chapitre 24 de Josué, la Haggadah ne cite que les trois premiers, s'arrêtant juste avant que ne soit cité le nom de Moïse. Le Gaon de Vilna explique cette mise à l'écart du prophète par le désir de la Haggadah de faire comprendre que les juifs ne sont sortis d'Égypte que par la seule volonté de Dieu : aux temps bibliques il n'y a pas d'Histoire au sens humain du mot ; il n'y a qu'un destin. La liberté est donc à la fois un combat de chacun et une décision de Dieu. Autrement dit, chacun est face à Dieu, sans l'intermédiaire d'un chef, d'un guide ou d'une patrie. Tel est le message de la Haggadah : on doit affronter les dangers sans attendre un sauveur.

Ce livre est aussi une des rares occasions juives de faire montre d'ostentation : entre le XIIIe et le XVe siècle, avant l'apparition de l'imprimerie, les juifs fortunés d'Europe commandent des *Aggadot,* manuscrits enluminés (parfois une page entière est consacrée à un seul motif, voire à un seul mot) sous forme de livres, et non de rouleaux comme la Torah. Tant séfarades (la Haggadah dorée, la Haggadah Kaufmann, la Haggadah de Sarajevo) qu'ashkénazes (la Haggadah aux têtes d'oiseaux, la Haggadah de Darmstadt, de Prague, celle de Mantoue, celle de Cincinnati) ; parmi ces manuscrits le plus célèbre est sans doute la Haggadah de Sarajevo, réalisée au XIVe siècle à Barcelone : illustrée d'une série de miniatures peintes de couleurs vives, représentant des scènes bibliques, son texte manuscrit est accompagné d'enluminures d'or et de cuivre, et complété de textes bibliques destinés à la semaine de Pessah. Cette Haggadah, tachée de vin, a suivi les juifs dans leur exil de 1492 en Italie ; elle est réapparue en 1894 à Sarajevo lorsqu'un enfant juif, dont le père venait de mourir, l'a apportée à son école pour la vendre afin de nourrir sa famille. Elle est aujourd'hui conservée au musée de Sarajevo.

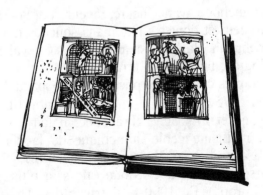

Les premières *Aggadot* imprimées apparaissent en Espagne vers 1482 et en Italie vers 1505. La Haggadah de Mantoue (1560) sert de modèle aux *Aggadot* publiées à Venise au début du XVIIᵉ siècle, qui inspirent à leur tour la Haggadah d'Amsterdam (fin du XVIIᵉ siècle).

Des éditions populaires de la Haggadah, généralement copiées sur les éditions de Venise et d'Amsterdam, apparaissent par la suite. Depuis lors, il en existe des milliers d'éditions différentes. À partir de 1917 paraissent aux États-Unis des *Aggadot* destinées aux soldats ; d'autres sont publiées par les kibboutzim en Palestine, substituant parfois des textes laïques aux passages religieux et aux prières. En 1956 est aussi publiée par l'aumônerie de l'armée israélienne une Haggadah dite « de rite unifié » pour servir aux soldats des différentes traditions.

## Halévy (Yehudah)

Don Quichotte avant l'heure, rêveur dont la Dulcinée est Jérusalem et dont les Ottomans sont les moulins à vent, Yehudah Halévy est, comme le Chevalier à la Triste Figure, un idéaliste errant sur les routes d'Espagne, et le plus célèbre des poètes judéo-espagnols.

Né en 1075 à Tudela, à la frontière entre l'Espagne musulmane et l'Espagne chrétienne, il fait ses études dans la meilleure école talmudique de la péninsule, celle d'Isaac al-Fassi. Il devient médecin et gagne un concours de poésie à Cordoue (alors la plus grande ville d'Europe). En 1090, à l'arrivée des Almohades, d'abord très intolérants, il part pour Tolède, en Espagne chrétienne. Il devient médecin à la cour du roi, sous la protection d'un juif influent, Salomon ibn Ferrizuel. En 1108, quand son protecteur est assassiné, il revient à Cordoue – où les Almohades font montre de beaucoup plus de tolérance – avec sa femme et leur fille, qui épouse Abraham ibn Ezra.

Il écrit en arabe *Al-Khouzari*[129], qui compare les trois religions du Livre sous la forme de dialogue entre lui et le roi des Khazars, peuple d'Asie converti au siècle précédent au judaïsme, au moment même où ce royaume disparaît sous les coups d'envahisseurs nordiques, les Rus. Dans ce livre, le roi demande à un rabbin, à un prêtre et à un imam quelle religion il choisirait s'il était forcé de choisir une des deux autres. Tous trois choisissent le judaïsme. Le roi demande alors au rabbin : « *Pourquoi y a-t-il l'islam, pourquoi y a-t-il le christianisme, alors que nous, juifs, représentons la vérité ?* » Le rabbin répond par une étrange métaphore : « *Le peuple juif est une graine. Il faut l'enfouir dans la terre pour que l'arbre pousse. La terre qui fertilise et fait pousser l'arbre, ce sont les autres religions monothéistes*[129]. »

Comme son contemporain musulman Al-Ghazali (et à l'opposé d'Aristote et de la plupart des autres philosophes juifs et musulmans de son temps), Halévy estime qu'il faut croire sans réfléchir, avec le cœur, en poète ; qu'il faut penser le bien et non le vrai ; qu'il faut s'abandonner à Dieu : « *La servitude à Son égard est la vraie liberté, et l'humiliation devant Lui constitue l'honneur réel.* » Six siècles plus tard, en Pologne, le Ba' al Shem Tov et le hassidisme reprendront ces mêmes thèses.

Alors qu'il est installé, reconnu et admiré à Cordoue, le destin de Yehudah Halévy bascule : il devient le Chevalier à la Triste Figure, obsédé par une seule idée : s'installer à Jérusalem, alors capitale du Royaume latin de Baudouin III. Rêve impossible : les juifs, tout comme les musulmans, y sont interdits de séjour. Y aller devient pourtant sa hantise. Il écrit un poème, la « Sionide », à la gloire de « Sion », autre nom de Jérusalem. Cette lamentation d'un exilé deviendra le chant de ralliement de tous ceux qui, à travers les siècles, souhaiteront à leur tour aller « l'an prochain à Jérusalem ». Elle est encore récitée dans toutes les synagogues du monde : *« N'es-tu pas inquiète, ô Sion ? Du sort de tes captifs, alors qu'ils se tourmentent du tien, eux, les rescapés de ton troupeau ? De l'Occident et de l'Orient, du nord et du midi : de partout, que nous soyons loin ou près, reçois nos vœux de félicité ! Agrée les vœux de bonheur d'un captif de tes larmes, qui sécrète des pleurs aussi abondants que la rosée de l'Hermon et brûle de les verser sur tes montagnes ! Pour plaindre ta détresse, je hurle comme les chacals. Mais, quand je rêve du retour de tes captifs, je suis une cithare toute vibrante de tes hymnes*[130]. »

Onze siècles après la destruction du Temple, des millions de juifs disséminés à travers le monde pensent comme lui.

Halévy le dit encore dans un autre poème poignant que tant de juifs répéteront après lui : *« Mon cœur est en Orient et je suis à l'extrémité/De l'Occident./Comment pourrais-je goûter mes aliments/Et les savourer ?/Mais pourrai-je accomplir mes souhaits et mes serments ?/Sion est dans le servage d'Édom/*

*Et je suis moi-même esclave des Arabes./Quant au bien-être de Séfarade,/Qu'il me serait facile d'y renoncer !/Si ardent est mon désir de contempler/Les poussières du sanctuaire dévasté.* »

Vers 1140, à soixante ans, malgré les objurgations de sa famille, heureuse et riche à Cordoue, il part pour Jérusalem avec quelques amis. À son arrivée à Alexandrie, il est reçu avec de grands honneurs par la communauté locale et y écrit un texte magnifique sur la fierté d'être libre, texte que tout homme échappant à la servitude pourrait reprendre à son compte : « *J'en ai fini, pour toujours, de ramper sur les mains, tête courbée, en présence d'hommes ! Je me suis fait un chemin au cœur de la mer, vers le lieu où les propres pieds de Dieu trouvent un repos, où je peux déverser mon âme et mon chagrin...* »

Son voyage est en effet terminé : quelques mois après son arrivée, en 1141, il disparaît sans laisser de traces. Selon la légende, il aurait été piétiné par un cavalier à l'entrée de Jérusalem. Ses compagnons rentrent sans lui en Europe.

Comme son successeur espagnol, le « Don Quichotte juif » n'est pas le dernier fantôme d'un monde disparu, l'ultime avatar d'une utopie désespérée. Il est au contraire l'avant-garde d'une utopie qui mettra plus de huit siècles à prendre corps : « *J'en ai fini de ramper.* »

## Hanassi (Gracia)

Deux destins très particuliers parmi tous ceux, si fascinants, des juifs de la Renaissance restés fidèles à leur identité, malgré l'obligation qui leur était faite de se convertir... Conseillers de princes, acteurs des plus grands événements de leur temps, obsédés par la sauvegarde du judaïsme, l'un et l'autre précurseurs d'un sionisme de l'urgence, faisant tout pour sauver tous les marranes des griffes de l'Inquisition : une femme d'exception et son beau-fils. Je rêve d'un film tiré de leurs vies.

Née au Portugal en 1510 sous le nom chrétien de Béatriz de Luna, dans une famille de marranes (ces juifs portugais convertis en 1496, quand le choix leur fut donné entre la conversion et la mort), Gracia Hanassi épouse en 1531, à Lisbonne, un marchand de pierres précieuses, Francisco Mendes, marrane lui aussi, mais beaucoup plus âgé qu'elle.

Cinq ans plus tard, en 1536, à la mort de son mari, Béatriz (qui n'aura pas d'enfant), rejoint à Anvers, alors incluse dans les Pays-Bas espagnols, son beau-frère Joseph Diego Mendes, également veuf et parti l'année précédente de Lisbonne avec son fils Juan, alors âgé de vingt et un ans (elle en a vingt-six). Juif clandestin lui aussi, Joseph épouse la veuve de son frère, comme il est de tradition dans le judaïsme.

Dans cette ville qui est alors le cœur du capitalisme mondial, Joseph Mendes finance le commerce entre les marchands flamands et les marranes restés dans la péninsule Ibérique, risquant leur vie à chaque transaction, s'ils viennent à être dénoncés. Mendes devient même le banquier de divers souverains européens, avant d'être anobli par Charles Quint dont il devient le conseiller financier. Béatriz et Joseph Mendes aident alors certains marranes portugais à fuir l'Inquisition et à les rejoindre à Anvers.

En 1543, à la mort de son second mari, Béatriz Mendes (elle a alors trente-trois ans) quitte Anvers avec son beau-fils, Juan Diego Mendes (alors âgé, lui, de vingt-huit ans). L'histoire ne dit pas s'ils sont amants. En tout cas, ils ne se quitteront plus. Traversant la France, ils passent par Venise et s'établissent à Ferrare, ville des États du pape encore ouverts aux juifs et même aux calvinistes. Là, ils se reconnaissent ouvertement juifs et abandonnent le nom de Mendes : ils deviennent Gracia et Juan Hanassi (« le Prince ») et continuent d'aider leurs coreligionnaires à fuir le Portugal, cette fois pour Ferrare.

En 1552, une sœur de Gracia – elle aussi *conversa* au Portugal, mais résolument chrétienne – la dénonce à l'Inquisition. Juan et Gracia doivent prendre à nouveau la fuite : si le pape autorise les juifs sur ses terres, il leur interdit d'aider des *conversos* ibériques à revenir au judaïsme.

En 1553, ils s'installent à Constantinople où les juifs sont largement admis. Dans cette capitale du commerce avec l'Asie face à Venise en déclin, ils se spécialisent dans le placement des capitaux des marchands de la ville dans des affaires européennes qu'ils connaissent mieux que personne. Devenu l'un des financiers de Soliman le Magnifique, Juan réunit aussi 150 000 ducats pour un allié du sultan, le roi Henri II de France. Quand celui-ci refuse de les lui rembourser (comme la plupart des rois de France l'ont si souvent fait avec leurs prêteurs, juifs ou non), Juan Hanassi obtient de Soliman le droit de confisquer en contrepartie une flotte française alors en escale dans les Détroits.

Juan et Garcia restent très concernés par le sort des juifs d'Europe : en 1555, soit deux ans à peine après son arrivée, Juan persuade Soliman de demander au pape de libérer un millier de juifs retenus à Ancône. En 1558, Gracia achète à Soliman des terres situées près de Tibériade afin de les y installer. Il n'y a là à cette époque que quelques juifs, en particulier à Safed, vivant autour de quelques maîtres cabalistes majeurs, dont Moïse Cordovero. Cette tentative de retour en Palestine constitue le premier projet sioniste d'envergure depuis la destruction du Second Temple, quinze siècles plus tôt. Mais le premier bateau d'émigrants venus d'Ancône est arraisonné en pleine mer par des pirates barbaresques, et ses passagers massacrés.

En 1566, Soliman accorde à Juan le titre de duc de Naxos et lui fait don de l'île éponyme (où, selon la mythologie grecque, Thésée aurait abandonné Ariane après leur fuite de Cnossos). Juan Hanassi est alors un homme d'influence : pour les Juifs, il protège et finance les communautés de Salonique venues d'Espagne en 1492, dont Albert Cohen sera un des derniers descendants ; pour le sultan, il utilise ses relations avec les juifs d'Amsterdam afin d'aider la Sublime Porte contre Philippe II d'Espagne qui ordonne à ses flottes de l'arrêter et de le ramener mort ou vif en Sicile.

Quand Gracia meurt en 1569 à l'âge de cinquante-neuf ans, près de Juan, elle se fait enterrer par lui sur ses terres de Tibériade. Elle est le premier personnage d'influence de la diaspora, depuis quinze siècles, à prendre une telle décision.

Juan continue leur combat pour sortir les marranes des griffes de l'Inquisition. En 1569, il conseille à Soliman de prendre Chypre, alors vénitienne, pour les y installer. Le sultan accepte, mais meurt juste à ce moment. Son fils et successeur, Sélim II, poursuit la même politique et déclare la guerre à Venise. Le 7 octobre 1571, devant Lépante, (aujour-d'hui Naupacte, près de Patras), les Turcs affrontent les armées vénitiennes (au milieu desquelles se trouve Miguel de Cervantès, considéré par beaucoup comme un autre marrane) et celles de toutes les autres puissances catholiques, dirigées par don Juan d'Autriche, fils caché de Charles Quint dont son père fut l'ami et conseiller.

La plus grande bataille navale de l'Histoire, la plus célèbre bataille de la Chrétienté contre l'Islam, est ainsi largement inspirée par le conseiller juif d'un sultan musulman pour protéger les juifs du pape et les marranes...

C'est un désastre pour l'armée turque : les Ottomans perdent jusqu'aux quatre cinquièmes de leur flotte. Malgré cette défaite qui donne un coup d'arrêt à l'expansion ottomane en Europe, Venise cède Chypre au sultan par une paix séparée en date du 7 mars 1573. Juan Hanassi tombe alors en disgrâce et Chypre n'est pas ouverte aux juifs. Juan meurt oublié en 1579.

Sa belle-mère et lui auront ainsi servi successivement les rois portugais, Charles Quint, le pape et Soliman le Magnifique, avec pour principale préoccupation de sauver des juifs d'Europe.

## Hanoukka

Depuis mon plus jeune âge, cette cérémonie ne cesse de m'émouvoir : pendant une semaine, chaque jour, depuis vingt-deux siècles, au crépuscule, chaque famille juive, dans le monde entier, allume chez elle des mèches placées sur un chandelier à huit branches. L'une sert à allumer les sept autres. Le premier soir, on en allume deux, et ainsi de suite jusqu'à sept, le dernier soir. Soit 36 au total. Fête en apparence très simple, qui renvoie à l'idée que les juifs se font de Dieu (une lumière) et à l'utopie majeure de tous les hommes (la liberté).

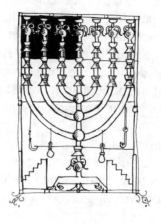

Tout commence en 175 avant notre ère, quand les Séleucides de Syrie succèdent aux Ptolémées d'Égypte comme puissance dominante en Palestine. L'une et l'autre dynasties sont grecques, héritières d'Alexandre. Le premier souverain ptolémaïque, Antiochos IV Épiphane, désireux d'en finir avec le judaïsme, interdit le chabbat et la circoncision, transforme le Second Temple, à Jérusalem, en temple grec, éteint le chandelier d'or et fait détruire tous les rouleaux de la Torah. En – 170, quand ses soldats installent un autel aux dieux grecs sur la place du marché de Modiine, le rabbin Matiathyaou, du clan d'Hasmon, tue un juif venu y faire un sacrifice. Une bagarre éclate ; la plupart des officiers et soldats grecs sont tués ; des juifs prennent le maquis. Un des fils de Matiathyaou, Yehouda, prend la tête de la révolte sous le nom de Judas Maccabée (*Makabi* signifie « marteau », et c'est aussi le sigle de la prière juive : *Mi El Kamokha Baélim Hachem* [« Qui est comme Toi parmi les Puissants, ô Éternel »]).

En 164 avant notre ère, les Maccabées écrasent les armées des Séleucides, reprennent Jérusalem, nettoient le Temple et organisent son inauguration (*hanoukka* en hébreu). Pour que celle-ci soit parfaite, il leur faut rallumer le grand chandelier d'or à sept branches avec une huile d'olive absolument pure. Mais ils ne trouvent plus qu'une petite fiole de cette huile, à peine suffisante pour un jour. Or, il en faut huit pour en fabriquer. Que faire ? Ne pas allumer la mèche ? Impossible. La laisser s'éteindre ? Impossible aussi. Ils l'allument ; et elle brûle pendant huit jours ! Hanoukka commémore ce prodige.

Comme toujours, il s'agit là d'une fête symbolique. D'abord fête de la lumière, qui symbolise l'âme : lorsqu'une personne meurt, on doit allumer des bougies dans la maison du défunt pendant les premiers sept jours de deuil, puis à l'anniversaire de sa mort, et le jour de Kippour. La lumière symbolise aussi le Buisson ardent, donc Dieu Lui-même, car « *la lampe de l'Éternel est le souffle de l'homme* » (Pr 20, 27). C'est aussi une fête du passage : le miracle ne crée pas une lumière éternelle, juste ce qui est nécessaire pour que le travail humain prenne le relais. Autrement dit, Dieu peut aider l'homme lorsque celui-ci est matériellement incapable d'être fidèle à la morale ; mais Il ne peut pas, ne veut pas le remplacer.

Trois questions :

Pourquoi de l'huile d'olive ? Parce que, comme elle, le peuple juif s'obtient par pression – la pression des autres peuples qui l'aide à maintenir son identité ; parce qu'elle ne se mélange pas aux autres liquides, mais surnage, « distinguée », tout comme le peuple juif doit demeurer à part pour survivre ; enfin, parce que, comme l'huile d'olive, ce peuple est utile à tous les autres qui tirent profit de sa présence. L'olivier, symbole du peuple juif, reviendra par Noé et par le Messie, dont le nom signifie justement « oint » d'huile d'olive.

Pourquoi un chandelier à huit branches alors que le chandelier du Temple en compte sept ? Parce que l'une représente la lumière de Dieu, et les sept autres représentent les jours. Parce que le chiffre 7 représente l'ordre répétitif de la nature (le nombre des jours de la semaine, celui des fêtes juives majeures), et le chiffre 8 le dépassement du temps, l'ouverture vers le temps messianique, l'infini. En 1948, le rabbinat d'Israël a ajouté une huitième fête aux sept du calendrier religieux : *Yom Haatsmaout*, anniversaire de la création de l'État d'Israël qui brise le cycle répétitif du temps et – laissent-ils entendre – fait commencer l'ère messianique...

Enfin, qu'arrive-t-il ensuite au chandelier d'or du Temple ? En 70 après notre ère, Titus met Jérusalem à sac, détruit le Temple et emporte le chandelier à Rome où il disparaît sans laisser d'autres traces que sa représentation, qu'on peut encore voir, sur l'arc de Titus, au Foro Italico.

# Haskalah

Pour avoir vécu en l'espace de deux générations le passage de la misère du Sud, en Algérie, à la pointe la plus avancée de la civilisation occidentale, je reste fasciné par l'immense saut que firent certaines générations, parmi tous les peuples, pour le bien des suivantes. Tel est sans doute le propre de l'homme, qui le distingue des animaux : agir en fonction de l'intérêt de ses petits-enfants sans être certain ni d'en avoir, ni de les connaître, et sans espérer qu'ils se montreront loyaux envers leurs ancêtres, happés par le monde nouveau que ceux-ci leur auront ouvert.

On rencontre de tels audacieux à toutes les époques, parmi toutes les civilisations. Quittant la campagne pour venir à la ville ou fuyant un pays pour un autre ; ils sont à la fois Rastignac et le Père Goriot. Que d'arrachements, que de désillusions ! Que de fabuleuses réussites, aussi...

Pour les juifs, cela commence avec Flavius Josèphe, né au temps de Caligula, et continue avec Samuel Ha-Naguid, au temps des princes omeyyades. Mais j'aime plus particulièrement ceux que les historiens désignent non sans mépris les « juifs de cour », ces financiers juifs allemands – en rien des courtisans – qui eurent, les premiers, à vivre un tel passage dans l'Europe du XVIIᵉ siècle et dont Mayer Amshel Rothschild est le plus célèbre exemple. Leurs enfants et petits-enfants, qui ne désirent pas toujours reprendre la banque créée par leurs parents, veulent devenir avocats, universitaires, industriels, professeurs, médecins, écrivains, musiciens. Ils abandonnent le yiddish, mais pas le judaïsme, et rêvent de ce qu'ils appellent en hébreu, langue nouvelle pour eux, la *Haskalah* (« lumière » ou « discernement »).

Le premier à théoriser ce mouvement est Moïse Mendelssohn, fils d'un copiste de manuscrits bibliques dans une école juive. Né en 1729 à Dessau, en Prusse, dévoreur de livres, Moïse vient à Berlin en parlant l'allemand, l'hébreu, le français, le latin, le grec, l'anglais et l'italien.

Comme mon père, mais deux siècles avant lui, Moïse Mendelssohn a l'obsession d'être accepté dans le monde des autres sans perdre le sien. Comme mon père aussi, qui parlait parfois de « Nous autres Français », Moïse Mendelssohn est un des premiers juifs à dire « Nous autres Allemands ».

Entré comme précepteur d'hébreu chez Isaac Bernhard, fabricant de soieries, juif lui-même, il en devient l'associé en 1778.

Au même moment sont ouvertes à Berlin par des juifs les premières écoles juives laïques pour garçons et filles. Beaucoup tentent alors de rentrer à l'Université. En vain encore, sauf à se convertir. Mendelssohn, qui étudie la philosophie, devient l'ami du philosophe Lessing et se dispute avec Kant[112]. Il refuse, lui, de se convertir, ce qui lui ouvrirait pourtant les portes de l'Université. Dans *Jérusalem, ou pouvoir religieux et judaïsme*[111], il souligne l'importance de séparer le politique du religieux. Il traduit la Torah en allemand dans une interprétation conforme à la tradition juive, traduction aussi importante que celle, en grec, des Septante, ou que celle, en arabe, de Saadia Gaon. Il meurt à Berlin en 1786, à cinquante-sept ans.

Après lui, les juifs allemands entrent en masse dans la société laïque, alors même que la plupart des métiers leur sont encore interdits, y compris celui d'avocat dont beaucoup rêvent comme, à Trèves, le père de Karl Marx. Exercer comme médecin ou banquier reste, pour un siècle encore, le seul moyen, avec la conversion, d'échapper au ghetto. De ce fait, la conversion advient souvent : le fils de Moïse Mendelssohn se fait protestant ; son petit-fils, né en 1809, n'est autre que Félix, le musicien.

## Hassidisme

Cette dimension incontournable du judaïsme, si éloignée de mon mode de pensée, est indispensable à qui veut comprendre comment une religion, quelle qu'elle soit, oscille entre deux extrêmes : le simplisme, qui rassemble les masses, et l'élitisme, qui défend le dogme. Incontournable aussi parce qu'elle a conservé au judaïsme l'adhésion de l'essentiel des juifs de Pologne et de Russie. Incontournable, enfin, parce qu'elle a introduit un souffle, une audace nouvelle dans l'interprétation de la Torah et parce qu'elle a suscité l'écriture de grands chefs-d'œuvre littéraires.

À la fin du XVIIᵉ siècle, quatre millions de juifs vivent à l'Est de l'Europe dans une vaste zone fermée. Les élites de ces communautés se déconsidèrent en ne voulant pas voir les pogroms (qui font plus de 250 000 morts en Ukraine entre 1648 et 1658) et en encourageant les masses à suivre des imposteurs tels que Sabbataï Tsvi.

Après de pareils désastres, les gens ne savent plus qui croire ni où aller. Beaucoup protestent et se

révoltent. Les rabbins cherchent alors un moyen
d'empêcher le peuple de verser dans le découra-
gement, voire, pis, de s'éloigner du judaïsme. La
réponse va venir du Besht.

Né avec le XVIIIe siècle à Okup, en Pologne, près de
la frontière russe, Israël ben Eliezer, dit Ba'al Shem
Tov (« détenteur du nom divin »), ou dit encore le
*Besht*, quatrième chef d'une société secrète dite des
« Justes cachés », est un véritable révolutionnaire.
Vers 1735, il tente de redonner aux communautés
d'Europe de l'Est une fierté d'être juif en prenant
l'exact contre-pied des exigences du judaïsme anté-
rieur. Il fait l'apologie de la ferveur, du chant, de la
danse, de l'extase, de la prière, de la nourriture, de la
sexualité, du présent, de la simplicité, remplaçant
même – rupture majeure – l'hébreu par le yiddish dans
les prières. Il cherche à fonder le rapport à la foi sur le
cœur et non plus sur la raison. Plus d'apprentissage,
plus de maîtres, plus d'élèves. En usant d'un discours
qu'on dirait aujourd'hui populiste : « *Tout le monde
marche sur nous, les juifs, comme on marche sur le
sol. Mais Dieu a donné au sol le pouvoir de produire*

*des plantes et des fruits qui sont capables de donner*
*des forces à Ses créatures, et on y trouve aussi l'or,*
*l'argent, les diamants et tous les autres métaux et*
*minerais précieux. Comme le sol, le peuple juif est*
*plein des plus belles et des plus précieuses qualités de*
*l'homme. Et même le plus ordinaire des juifs en dis-*
*pose. Comme le disaient nos Sages : "Même les plus*
*indignes parmi vous sont pleins de vertus, comme une*
*grenade est pleine de grains".* » Autrement dit, tout
juif est le préféré de Dieu, surtout s'il est piétiné par
les autres. C'est au plus bas que se trouve le plus haut.

Mais le Besht prône aussi une grande liberté d'interprétation des textes, et montre une audace impertinente
dans l'art de poser les questions sur le sens de chaque
verset. Un exemple : pourquoi, demande-t-il, existe-t-il
quelque chose autour du Jardin d'Éden ? – Parce que,
répond-il, Dieu savait que les hommes allaient en sortir.
Cette sortie n'est donc pas, dit le Besht, une punition,
mais une nécessité prévue par Dieu dès la Création de la
Terre.

Son mouvement (le hassidisme ou « mouvement
des Pieux ») se répand comme une traînée de poudre :
en moins de trente ans, la quasi-totalité des juifs
d'Europe centrale s'y rallient ; en 1746, le Besht – il a
quarante-cinq ans – explique à ses disciples que le jour
où ses enseignements seront connus de tous, le Messie
se révélera dans le village où il habite – Medzibozh,
aujourd'hui en Russie –, où il meurt en 1760 à l'âge
de soixante ans, immensément célèbre, fêté et respecté.

Quelques rabbins de la région s'inquiètent alors de
voir le hassidisme risquer de faire surgir un autre faux
Messie, comme l'avait été Sabbataï Tsvi. Ils dénoncent
ce qu'ils appellent une « apologie de l'ignorance ». À
leur tête, vers 1770, Elyahou ben Shlomo Zalman

Kramer, dit le « Gaon de Vilna », intellectuel austère et brillant, est une grande autorité. Dès l'âge de trois ans, dit-on, il aurait mémorisé la Bible... À trente ans, il s'inquiète de voir s'instaurer un culte de la personnalité autour de la mémoire du Besht, et il dénonce le hassidisme comme une hérésie. Rien n'est plus dangereux, dit-il, pour un peuple qui fonde sa survie sur le savoir, que cette religion de la facilité et de la naïveté. La bataille entre le Gaon et les successeurs du Besht est si terrible qu'à la mort du Gaon, le 9 octobre 1797, les communautés hassidiques, majoritaires à Vilna, maintiennent leurs célébrations de la fin de Soukoth, et dansent comme pour fêter la mort de leur ennemi.

Le hassidisme regroupe alors la moitié du judaïsme mondial dans une pratique populaire où les contes remplacent les commentaires, où la littérature prend le pas sur la théorie et où se réinventent d'autres commentaires. Leur force est immense. Leur souci de préserver l'identité juive les conduit même à combattre avec les Russes contre Napoléon qui veut précisément leur émancipation. Ils mourront par millions dans les camps nazis.

Aujourd'hui, les hassidim, encore très nombreux à New York, en France, en Angleterre, en Israël et ailleurs, vivent pour la plupart en yiddish, parfois aux crochets des autres communautés, refusant souvent de travailler, ou de reconnaître l'État d'Israël et portant encore les vêtements de leurs ancêtres polonais du XVIII$^e$ siècle. Même s'ils incarnent, à mon sens, une réponse inadaptée aux enjeux du judaïsme, il faut regarder avec tendresse et affection ces gens qui payèrent un si lourd tribut à la démence nazie et qui ont donné naissance à l'une des plus belles littératures.

# Hillel (l'Ancien)

Le plus impressionnant, le plus moderne, le plus haut : Hillel dit l'Ancien, dit Ha Zaken, fondateur de l'une des deux grandes écoles d'interprétation rabbinique, le premier à avoir affirmé que le judaïsme est une religion d'amour. Selon la légende, il aurait vécu cent vingt ans (comme Moïse avant lui, comme Yohanan ben Zakkaï et rabbi Akiba après lui), divisés en trois périodes de quarante ans : il aurait quitté Babylone à quarante ans, étudié pendant quarante ans à Jérusalem, puis dirigé le peuple juif pendant quarante ans.

Il semble qu'en fait il soit né vers − 60 à Babylone où il préfère y gagner sa vie comme bûcheron plutôt que de se faire financer par son frère Shebna, qui est un riche marchand. Contre l'avis de sa famille, il quitte à trente ans la Babylonie pour Jérusalem occupée par les Romains, où il étudie avec les deux grands maîtres du moment, Shammaï et Avtalion (Pes 70b). Selon le Talmud, n'ayant pu se procurer le demi-dinar nécessaire pour payer ses cours, il écoute les leçons des maîtres juché sur le toit où on le retrouve un jour à demi gelé ; il est alors admis gratuitement.

Après la mort de Shammaï et d'Avtalion, il devient le chef de la communauté de Jérusalem (Tosef, Pes iv. Pes 66a ; Yer Pes 33a) avec le titre de *nassi* (prince). Extrêmement pragmatique, il crée, par exemple, pour protéger les prêteurs, le *Prosbul* qui permet le remboursement des prêts même quand on approche du Jubilé (qui annule toutes les dettes au bout de quarante-neuf ans).

Il fonde une école d'interprétation souple de la loi, par opposition à celle, plus rigoureuse, de Shammaï, son prédécesseur. Pour Hillel, « *on n'édicte pas de décret si la majorité ne peut le supporter* ». Par exemple, pour lui, le remariage d'une femme, dont le mari est porté disparu, est autorisé sur la base de preuves indirectes de sa mort (alors que, pour Shammaï, cela exige des témoins visuels). À la différence de Shammaï, il accepte même la conversion au judaïsme de quelqu'un qui lui dit n'être disposé à apprendre que pendant le temps « qu'il peut passer sur un pied ». Hillel répond : « *Ce que tu ne voudrais pas que l'on te fît, ne l'inflige pas à autrui. C'est là toute la Torah, le reste n'est que commentaire. Maintenant, va et étudie* » (Talmud de Babylone, traité du Shabbath 31a.). Celui qui deviendra saint Paul, un élève de Gamaliel, petit-fils de Hillel, dira la même chose (Ga v, 14 ; comp. Rm xiii, 8).

Le Talmud (qui relève 300 différences d'opinion entre Shammaï et Hillel) se range en général du côté de Hillel. Il dit : « *Un homme doit être humble comme Hillel et passionné comme Shammaï* » (Shabbat 31a). Au XVIe siècle, Isaac Luria, le grand maître kabbaliste de Safed, dira que les règles de Hillel s'appliquent maintenant, et celles de Shammaï s'appliqueront au temps du Messie.

De l'idée que l'homme est à l'image de Dieu, Hillel déduit que chacun doit prendre soin de son corps et se méfier de soi-même : « *N'aie pas confiance en toi jusqu'au jour de ta mort.* » Et il ajoute ce commentaire si célèbre : « *Si je ne suis pas pour moi, qui le sera ? Si je suis seulement pour moi, que suis-je ? Et si pas maintenant, quand ?* » (*Pirké Avot* 1, 14). Sa parole n'est pas toujours claire, il aime à s'exprimer par paradoxes : « *Mon humilité est une jubilation ; ma jubilation est mon humilité* » (en référence à Ps cxiii, 5). Voyant un crâne flottant sur l'eau (Ab ii, 6), il dit : « *Parce que tu as été noyé, tu es noyé, et à la fin ceux qui t'ont noyé le seront à leur tour.* »

Après sa mort se perpétue à Jérusalem une dynastie dont l'influence est tenace, malgré la destruction du Temple et la dispersion du judaïsme de Palestine. Selon la tradition talmudique (Souk 28a), trente de ses quatre-vingts disciples ont le don de prophétie et peuvent arrêter le Soleil comme le fit Josué.

Parmi eux, Flavius Josèphe mentionne Judah ben Sarifai et Mattithiah ben Margalot, qui se révoltent contre Hérode quand celui-ci décide de fixer une aigle romaine sur la porte du Temple ; l'historien ajoute que rabbi Shimon ben Gamaliel, arrière-petit-fils de Hillel, « *appartient à une famille très honorée*[107] ». Sa dynastie, qui dirige l'écriture du Talmud de Jérusalem, dure qu'à la mort de celui qu'on nomme rabbi Hillel II, en 365 de notre ère, et le basculement du pouvoir talmudique de Jérusalem à Babylone.

## Humour

La Bible n'est pas en elle-même un chef-d'œuvre d'humour, même si le Talmud est empli d'anecdotes d'une ironie glacée. On les retrouvera bien plus tard dans les poèmes d'Ibn Ezra en Espagne et dans les contes de Nahman de Bratslav en Ukraine, puis chez Tristan Bernard, Georges Pérec, Woody Allen, les frères Marx, Saul Bellow, Philip Roth, Jérôme Charyn et René Goscinny…

Ce qu'on appelle les « histoires juives » sont les héritières de cette tradition.

Pour les juifs qui les colportent et adorent se les raconter entre eux, elles remplissent deux fonctions essentielles : d'une part, elles permettent de *désamorcer les critiques* (le juif serait avare, prétentieux, narcissique, querelleur, il n'aimerait que sa mère, etc.) en se les adressant à soi-même ; d'autre part, elles aident à *apprendre à spéculer sur le futur,* à détecter ses menaces en imaginant ses bifurcations, y compris les plus farfelues.

Toutes les histoires juives – toutes sans exception, si elles sont vraiment drôles – renvoient à l'une ou l'autre de ces catégories : autocritique ou anticipation. Les meilleures appartiennent aux deux à la fois. Toutes renvoient ainsi à l'art de l'esquive en permettant de retourner la puissance de l'autre : l'humour juif et les arts martiaux relèvent du même paradigme. Humour du faible au fort, comme celui de Chaplin (qui n'est pas juif), ou celui de Woody Allen (qui l'est). Autodérision, quand celui-ci dit : « Non seulement Dieu n'existe pas, mais essayez de trouver un plombier le 15 août... »

Toutes prennent évidemment une couleur très différente quand elles ne sont pas racontées par un juif à un autre. Elles peuvent même, prises au premier degré, constituer une véritable mise en accusation de ceux qu'elles décrivent.

Je fais partie de ceux qui les retiennent assez aisément pour être capable de gâcher un dîner entier en en racontant vingt d'affilée. Il suffit qu'un des convives, concerné ou non, soit assez poli (ce qui n'est pas toujours le cas) pour faire semblant de ne pas connaître la première, et d'en rire, pour que j'enchaîne sur la suivante. Après (disent mes amis indulgents), même l'arrivée du Messie ne pourrait m'interrompre.

En raconter ici ? Impossible. Les centaines qui encombrent aujourd'hui ma mémoire, petits aphorismes, dialogues cinglants, contes parfaits, à la chute toujours inattendue, perdent l'essentiel de leur charme à la lecture. Comme les plus belles œuvres musicales à la lecture des partitions.

Presque toutes ces histoires ne valent en fait que racontées devant un public amical, capable de comprendre au second degré, où chacun rit avant et avec les autres, soucieux de faire savoir qu'il connaît déjà l'histoire ou qu'il est capable d'en comprendre des subtilités inaccessibles aux autres auditeurs. Exactement comme les personnages d'une des meilleures scènes de *Trois Hommes dans un bateau*, de Jerome K. Jerome[162], seul écrivain avec Mark Twain à me faire rire en me donnant à lire des histoires drôles.

Sauf une, peut-être, la plus courte qui soit, que tant de gens ne comprennent pas (ce qui me fait beaucoup rire quand je vois leur visage perplexe, attendant la suite d'une histoire déjà terminée) : « Dieu soit loué ! »

# Isaïe

Le plus moderne, le plus passionnant des prophètes, dont les enjeux de la traduction sont les plus stratégiques dans la mesure où il peut être interprété comme annonçant la venue du Messie. Un des rares personnages lucides de son temps, parlant à un peuple entouré d'ennemis, miné par des divisions internes, incapable de penser le long terme.

Cette situation, si actuelle pour bien des peuples, ajoute à l'intérêt de celui qu'on nomme Isaïe. Sa réponse aussi est d'une extraordinaire actualité : le pire ennemi d'un peuple est son propre aveuglement, qui provoque l'émergence d'ennemis à qui il doit, en fin de compte, sa survie, parce qu'ils le forcent à réagir. Autrement dit : l'engourdissement attire les rivaux qui provoquent la renaissance. Ou encore : le silence laisse entendre des bruits d'où peut surgir un nouvel ordre. Ou encore, comme le répétera Nietzsche dans une phrase célèbre du *Crépuscule des idoles* : « *Tout ce qui ne me tue pas me rend plus fort.* » Ou, encore une fois, la dialectique de la transgression et du repentir.

Mais quel Isaïe ? Le livre qui porte son nom est en fait constitué de textes très différents, écrits par au moins trois auteurs à plusieurs siècles de distance et réunis beaucoup plus tard par un rédacteur unique, lui-même grand écrivain[58].

Le premier Isaïe, auteur de la plupart des 39 premiers chapitres du livre qui porte son nom, naît vers – 740. Prêtre, il a ses entrées, à Jérusalem, à la cour d'Ézéchias, roi de Juda, alors menacé par l'alliance contre nature entre la Syrie et l'autre royaume hébreu, celui de Samarie. Il dispense des conseils au prince (« *Respecte le droit et pratique la justice ; ne fait confiance à aucun allié, sinon à Dieu* ») ; il console (« *Réconfortez, réconfortez mon peuple* », 40, 1). Il demande qu'on laisse de la place dans la région à d'autres peuples, par une formule si moderne : « *Malheur à vous qui annexez maison à maison, qui ajoutez champ à champ sans laisser un coin de libre, et prétendez vous implanter seuls dans le pays !* » (Is 5, 8-9).

En – 721, il assiste, impuissant, à la chute de la Samarie où règne le roi Osias, sous les coups du roi Sargon à la tête des troupes assyriennes ; puis à la chute d'Ashdod. Il voit partir à Ninive les dix tribus du royaume du Nord. Sous le choc, il se tait pendant quinze ans. Quand Ézéchias, nouveau roi de Juda, se soulève contre l'Assyrie, provoquant le siège de Jérusalem, Isaïe réussit, dit-on, à le convaincre de se repentir de ses fautes, obtenant ainsi le retrait miraculeux des troupes assyriennes. Mais cette intervention divine aura des conséquences tragiques : croyant bénéficier en toutes circonstances de l'aide de Dieu, les Hébreux ne font plus rien pour se sauver eux-mêmes, et un siècle plus tard, Jérusalem tombe sous les coups des Babyloniens.

Homme d'influence autant que prophète, Isaïe souhaite donc faire advenir le pire (« *Appesantis le cœur de ce peuple, rends-le dur d'oreille, englue-lui les yeux de peur que ses yeux ne voient, que ses oreilles n'entendent, que son cœur ne comprenne, qu'il ne se convertisse et ne soit guéri* ») pour que le peuple judéen se laisse aller à ses penchants (« *Ce ne sont que harpes et cithares, tambourins et flûtes, et du vin pour leurs beuveries. Mais, pour l'œuvre de Yahvé, pas un regard, l'action de ses mains, ils ne la voient pas* »), et qu'il en résulte des catastrophes (« *Malheur ! Nation pécheresse ! Peuple coupable ! Race de malfaiteurs, fils pervertis ! Ils ont abandonné Yahvé, ils ont méprisé le Saint d'Israël, ils se sont détournés de lui...* ») pour le peuple judéen comme pour ses ennemis (« *Damas et Samarie seront dévastés par l'Assyrie, elle-même ensuite punie. Car, en ce jour-là, chacun rejettera ses faux dieux* ». « *Assur tombera par l'épée, non celle d'un homme, il sera dévoré par l'épée, non celle d'un mortel, il s'enfuira devant l'épée, et ses jeunes gens seront asservis* » (Is 31, 7). Jusqu'à ce que ces avanies provoquent le sursaut, la révolte, la victoire, enfin la réunion de tous les juifs en Israël.

Isaïe prononce alors des paroles d'espoir, répétées depuis vingt-sept siècles dans toutes les communautés dispersées : « *Ce jour-là, le Seigneur étendra une seconde fois la main pour prendre possession du reste de son peuple. Il lèvera l'étendard vers les nations pour recueillir les exilés d'Israël et rassembler les débris épars de Juda des quatre coins de la terre* » (Is 11, 11-12).

Il annonce même que l'Égypte, l'Assyrie et Israël formeront un jour un seul et même peuple de Dieu ; il prédit pour plus tard l'unité du monde, sans prééminence particulière de personne. Enfin, il annonce la fin absolue de la violence, et dresse un tableau célébrissime de la fin de l'Histoire : « *Le loup habitera avec l'agneau, la panthère se couchera avec le chevreau. Le veau, le lionceau et la bête grasse iront ensemble, conduits par un petit garçon. La vache et l'ourse paîtront, ensemble se coucheront leurs petits. Le lion comme le bœuf mangera de la paille. Le nourrisson jouera sur le repaire de l'aspic, sur le trou de la vipère le jeune enfant mettra la main. On ne fera plus de mal ni de violence sur toute ma montagne sainte, car le pays sera rempli de la connaissance de Dieu, comme les eaux couvrent le fond de la mer* » (Is 11).

Isaïe ou la connaissance de Dieu...

Selon la tradition, cet Isaïe-là serait mort à Jérusalem vers – 701, assassiné par le nouveau roi Manassé, fils d'Ézéchias, qui aurait fait découper l'arbre creux dans lequel le prophète se serait caché.

Puis, sous le même nom, seraient apparus au moins deux autres prophètes, écrivant l'un vers 520, après la chute de Jérusalem, et encore un autre, beaucoup plus tard encore.

Le deuxième Isaïe, dont les contributions sont regroupées dans les chapitres 40 à 55 du livre portant son nom, parle à quatre reprises d'un mystérieux personnage que Dieu appelle son « *serviteur* » (42, 6), « *lumière des nations* » (49, 6), « *serviteur souffrant* » (53, 1), qui subit une persécution effroyable et expie les « *crimes de son peuple* » (53, 5) : « *Voici mon serviteur, que je soutiens... J'ai mis mon esprit sur lui, il fera paraître le jugement parmi les nations. Il ne criera pas, il n'élèvera pas la voix... il ne brisera pas le roseau blessé... Je t'ai destiné à être alliance des nations, lumière des peuples... à ouvrir les yeux des aveugles... »* (Is 42, 1-7).

C'est là évidemment un texte essentiel, très disputé entre les différentes branches du monothéisme, lesquelles traduisent et interprètent ensuite ce texte chacune à leur façon.

Pour les rabbins, c'est du peuple juif qu'il s'agit. Pour les chrétiens, « *ce serviteur souffrant* » annoncerait, cinq siècles à l'avance, la venue du Messie.

Jusqu'au troisième, qui reprend les pensées des deux premiers.

Étonnant jeu de miroirs : un Isaïe dans un autre Isaïe, un sauveur à l'intérieur d'un autre sauveur...

# Jacob

C'est par lui que le peuple hébreu devient Israël. Fils d'Isaac et de Rebecca, Jacob naît en tenant par le talon son frère jumeau premier-né, Ésaü. Son nom signifie d'ailleurs « il talonna », ou « mon talon[96] ».

Tout se joue dans ses relations avec son père : Ésaü vend d'abord son droit d'aînesse à son cadet ; mais quand leur père, devenu aveugle, veut rétablir Ésaü dans ses droits, leur mère, Rébecca, lui fait bénir Jacob à sa place. Ésaü, furieux, veut tuer Jacob qui fuit chez leur oncle Laban, à Harran. Droit d'aînesse ? Voire : l'aîné des deux faux jumeaux est le second venu au monde...

Premier hébreu à voyager hors de Canaan, Jacob est, selon le *Zohar*, « *le premier époux de la Chekhinah* » (l'immanence, la forme nomade de Dieu). Au cours de ce voyage, Jacob rêve de Dieu se tenant en haut d'une échelle, et d'anges « *montant et descendant* » : première localisation géographique de Dieu à l'intérieur de l'Univers. Mille commentaires ont été écrits sur le nombre de barreaux de cette échelle : quatre, dix, vingt-deux…, autant de gradations vers la connaissance.

À Harran, Jacob rencontre Rachel, fille cadette de son oncle Laban. C'est son « âme sœur ». Laban lui accorde sa main en échange de sept années de travail. Mais, au bout de cette période, Laban trompe Jacob et lui donne pour épouse sa fille aînée, Léa. Pour épouser Rachel, Jacob reste sept ans de plus au service de Laban. Léa lui donne successivement quatre fils (Ruben, Siméon, Lévi, Juda). Rachel, qui semble stérile, lui offre sa servante Bilhah, laquelle lui donne deux fils (Dan et Naphtali). Léa, de son côté, lui offre sa servante Zilpa qui lui donne deux autres fils (Gad et Acher). Léa lui donne encore deux fils (Issachar et Zabulon) et une fille (Dinah).

Après deux ans d'exil, jalousé par les fils de Laban, ses cousins, Jacob décide de retourner en Canaan pour sceller la paix avec son frère Ésaü. Avec sa famille, il traverse l'Euphrate et marche vers Canaan quand naît son onzième fils, Joseph, premier fils de Rachel. À Sichem, Jacob acquiert une terre, puis repart vers Béthel. En arrivant près de Bethléem, Rachel meurt en mettant au monde son second fils, le dernier des douze fils de Jacob, Benjamin.

Dans la nuit précédant ses retrouvailles avec Ésaü, Jacob se bat avec un ange qu'il réussit à faire prisonnier. L'ange le frappe à la tête, au cœur, au ventre. Jacob reste droit. Mais quand il le frappe au sexe, Jacob se met à boiter. Les quatre coups désignent, disent les kabbalistes, les quatre exils : Égypte, Babylone, Perse et Rome où, selon eux, nous sommes encore. Rome, lieu du danger par le sexe, par l'assimilation.

Au lever du jour, l'ange cherche à s'enfuir. Mais Jacob exige qu'il le bénisse avant de le relâcher ; l'ange le rebaptise « Israël », « prince de Dieu » (« *car tu as combattu avec Élohim comme avec des hommes, et tu as vaincu* », Gn 32, 25-30). En fait, Jacob est « le talon », et Israël est « la tête ».

Israël redevient ensuite Jacob, car il aspire à redevenir obscur, à la différence d'Abram, devenu à jamais Abraham.

Il faut donc trois générations pour arriver à Israël : la bonté d'Abraham, la rigueur d'Isaac et la synthèse de Jacob, le cœur et la raison.

Les douze fils de Jacob deviennent alors les « enfants d'Israël » ; et le pays de Canaan devient « Erets Israël », (« la terre d'Israël »). Jacob prévoit le destin de chacune des douze tribus issues de ses fils. De l'une d'elles, celle de Juda, dit-il, pourrait surgir le Messie. Quand Joseph, onzième enfant de Jacob, premier fils de Rachel, raconte à ses frères qu'il a rêvé que le soleil, la lune et les étoiles s'inclineraient devant lui, ceux-ci pensent que ce rêve désigne Jacob, Rachel et eux, qui tous seraient ainsi soumis à la puissance de Joseph. Devant cette menace, ils vendent leur frère à des marchands qui l'emmènent en Égypte. Pour faire croire à la mort de leur frère, ils montrent à Jacob le manteau de Joseph taché du sang d'un animal.

Vingt-deux ans après leur séparation, Jacob apprend que son fils perdu, Joseph, est encore en vie et qu'il administre l'Égypte. Tous s'y retrouvent et Joseph présente son père à Pharaon. Le vieil homme se plaint : « *Courts et mauvais ont été les jours des années de ma vie* » (Gn 47, 9). Jacob meurt en Égypte dix-sept ans plus tard, à l'âge de cent quarante-sept ans ; il a demandé à être enterré près de ses parents et grands-parents, dans la grotte de Makhpélah : aucun exil, si luxueux soit-il, ne lui a fait oublier Canaan.


## Jérémie

Parce que Jérémie est le prénom de mon fils, ce prophète a été l'un des rares sujets de discorde entre François Mitterrand et moi : « *Comment avez-vous pu donner à votre fils le nom de ce lâche, ce geignard, ce pleurnichard qui refusa de résister et préféra faire l'apologie de la collaboration ?* » Je lui répondis qu'à mon avis, Jérémie n'était ni un lâche, ni un collaborateur, mais un très grand stratège, un des hommes les plus lucides de tous les temps, et qu'il existe deux sortes de prophètes (comme, toutes propositions gardées, deux sortes de conseillers…) : d'une part, ceux qui décrivent l'avenir qu'ils espèrent, comme Ézéchiel ; d'autre part, ceux qui dénoncent celui qu'ils redoutent, comme Jérémie. Le premier espère avoir raison ; le second espère avoir tort. Le premier explique aux hommes ce qu'ils doivent faire pour que s'accomplisse leur rêve ; le second explique ce qu'ils doivent faire pour éviter la catastrophe.

À la différence d'Ézéchiel, un peu plus jeune que lui, Jérémie dit donc aux hommes ce qu'ils doivent craindre, non ce qu'ils doivent espérer. Il parle pour avoir tort ; il se plaint non pour le plaisir de geindre, mais pour dénoncer la catastrophe à venir. Grand expert en géopolitique, il analyse les menaces qui pèse sur le peuple hébreu et espère en l'action des hommes, mais plus encore en l'action divine, la plus rapide possible.

Jérémie ou l'impatience de Dieu…

Jérémie (*Yirmayahu*, « Dieu relèvera »), dont l'existence historique ne semble pas établie, incarne la vision que les Hébreux de ce temps ont eue de leurs défaites, qui mirent fin aux deux royaumes héritiers de celui de Salomon.

Il serait né en Canaan vers l'an 600 avant notre ère, à un moment charnière de l'histoire juive : l'empire assyrien de Ninive décline ; son rival, celui de Babylone, surgit. Samarie vient d'être détruite par les Assyriens. Le royaume de Judée est désormais une proie tentante pour les deux empires rivaux. Devant la menace, le roi de Judée, Josias, annexe une partie du territoire de l'ancien royaume de Samarie et songe à s'allier à l'Égypte pour se protéger de Babylone et de l'Assyrie.

Jérémie, (qui serait le fils d'un prêtre d'Anatoth, ville située sur le territoire de la tribu de Benjamin, au

nord de Jérusalem,) dénonce l'état moral du royaume de Judée : « *Parcourez les rues de Jérusalem. Regardez, informez-vous, cherchez dans les places. S'il s'y trouve un homme, s'il y en a un qui pratique la justice, qui s'attache à la vérité, alors je pardonne à Jérusalem* » (Jr 5, 1). Il prévoit la victoire de Babylone sur l'Égypte et prévient que si le royaume de Juda s'allie à celle-ci, il sera lui aussi détruit : « *Tout ce pays deviendra une ruine, un désert, et ces nations seront asservies au roi de Babylone pendant soixante-dix ans.* » Soixante-dix ans seulement ; car, après, l'empire assyrien aussi, prévient-il, sera détruit : « *Lorsque ces soixante-dix ans seront accomplis, je châtierai le roi de Babylone et cette nation, dit l'Éternel, à cause de leurs iniquités ; je punirai le pays des Chaldéens et j'en ferai des ruines éternelles* » (Jr 25, 12). Il recommande donc au roi de Judée de se soumettre à Babylone et d'attendre que l'occupant nouveau soit à son tour détruit par une force supérieure.

En fait, le roi de Judée, Josias, furieux de ces recommandations qu'il ne sollicite pas, le fait mettre en prison, s'allie à l'Égypte et déclenche la guerre contre Babylone.

Jérémie n'espère plus alors qu'en une réaction de Dieu qui déciderait d'agir plus vite encore contre Babylone pour sauver Israël : il espère en l'impatience de Dieu. Il prend pour emblème l'amandier dont le nom hébreu évoque la hâte et qui fleurit avant même que ne commence le printemps.

En vain : toutes ses prédictions se réalisent. Le royaume de Juda est attaqué en − 592 par Babylone. Josias est tué et Jérémie se lamente sur la mort de ce roi qui n'avait pas voulu l'écouter et l'a fait emprisonné, au moins autant qu'il se désole sur le sort de Jérusalem : « *Celui qui était pour nous un principe de vie, l'oint de l'Éternel, a été pris dans leurs chausse-trapes, lui dont nous disions : "À son ombre, nous vivrons au milieu des peuples"* » (Jr 4, 20).

En − 587, comme Jérémie l'a aussi prévu, les Babyloniens occupent Jérusalem ; le Temple de Salomon est détruit. Les Judéens sont déportés en Babylonie avec un nouveau roi, Joiakîn, et un jeune homme qui deviendra le prophète Ézéchiel. Babylone prend le contrôle de toute la région. Jérémie part, lui, en Égypte.

C'en est fini des deux royaumes héritiers de celui de David et de Salomon. Et cela aurait sans doute entraîné la disparition du peuple hébreu sans la victoire à Babylone du roi Cyrus de Perse en − 539, qui permet aux Judéens de revenir chez eux et de rebâtir le Temple soixante-dix ans après sa destruction. Exactement comme l'avait prévu Jérémie ; ce qui donne à penser que le récit de ses prédictions est sans doute une reconstruction *a posteriori* des événements.

« *Qu'importe la douleur, la dureté du malheur qui nous éprouve, Dieu ne nous a pas abandonnés !* », dit Jérémie dans les deux derniers versets de ses *Lamentations*, d'une phrase qui sera répétée par toutes les communautés juives pour se consoler des vicissitudes et fléaux des siècles ultérieurs.

Et c'est bien cela que j'entends dans ces *Lamentations* telles que François Couperin les a mises en musique de façon si bouleversante pour une voix de haute-contre. Une voix d'homme chantant comme une femme, ambiguë comme ses prophéties.

## Jérusalem

Le village natal de Bethsabée, dont la destruction fut annoncée par Jérémie. « Ursalimmu » des Assyriens, « Jebus » de Bethsabée, « Sion » de David, « Ville de la Justice » d'Isaïe, « Trône de l'Éternel » de Jérémie, « Être aimé » du *Cantique des Cantiques*, « Argile d'Adam » du Midrash, « Ville du Saint-Sépulcre » des chrétiens, « Al Qods » des musulmans, « Ville de la paix » d'aujourd'hui, ville sacrée pour la moitié de l'humanité ; tous les juifs rêvent d'y être l'année prochaine, depuis qu'« *au bord des fleuves de Babylone, nous étions assis et nous pleurions, nous souvenant de Sion...* » (Ps 137).

Ville par excellence, rêvée, espérée, utopique, toute l'histoire du monde s'y joue depuis trois mille ans, tour à tour égyptienne, cananéenne, jébuséenne, hébraïque, judéenne, assyrienne, babylonienne, perse, grecque, juive, romaine, perse, parthe, byzantine, arabe, ottomane, anglaise, israélienne. C'est à Jérusalem qu'Abraham va sacrifier Isaac ; c'est là qu'est construit par deux fois le Temple abritant le Décalogue ; c'est là que Jésus est crucifié. C'est de Jérusalem que, dans un rêve, Mahomet, au VI<sup>e</sup> siècle, monte vers le ciel sur un cheval ailé ; c'est là qu'est construite, au VII<sup>e</sup> siècle, la mosquée Al-Aqsa sur l'emplacement même des ruines du Second Temple que Julien avait voulu reconstruire au IV<sup>e</sup> siècle. Ville où, à la fin du XIX<sup>e</sup> siècle, on entendait parler l'arabe, l'allemand et le yiddish bien plus que l'hébreu. Ville sainte pour les trois monothéismes et pour les innombrables Églises qui parlent en leur nom.

Comment la comprendre ? Arriver par la route qui serpente dans la montagne depuis Tel-Aviv et y observer, sur les bas-côtés, les traces soigneusement conservées des combats de 1948. Se rendre près du Mur occidental, un vendredi en fin d'après-midi, et y attendre les élèves des yeshivot descendant en dansant par l'escalier venant du quartier juif. Visiter la ville trois fois, chaque fois avec un guide différent : grec, hébreu, arabe. Monter sur l'Esplanade des Mosquées. Suivre le chemin du Calvaire. Attendre le début du troisième millénaire devant la Porte d'Or par laquelle est supposé entrer le Messie. Assister au Saint-Sépulcre à la succession parfois houleuse des offices des diverses Églises chrétiennes. Flâner dans le quartier arménien, puis dans le quartier arabe de la Vieille Ville en se demandant comment les marchands du bazar vivent l'insupportable. Se promener dans les cafés des rues piétonnes de l'ouest, et y dîner dans la hantise de l'attentat. Monter sur le mont Scopus où s'est joué le contrôle de la ville en 1948. Se recueillir dans la petite synagogue de Chagall. Aller visiter les laboratoires ultramodernes de l'hôpital Hadassah, juste à côté. Dormir dans une des chambres, donnant sur la Vieille Ville, de l'hôtel King David, là où était installé l'état-major britannique à l'époque du Mandat. Passer quelques semaines à Mishkanot Shaananim, magnifique résidence face à la Vieille Ville, pour y écrire. Contempler, sur la droite, le moulin de Montefiore, symbole de l'utopie rurale des mécènes juifs du XIX$^e$ siècle. Prendre un thé, comme il se doit, à l'American Colony où la Palestine se rêve depuis soixante ans. Dîner dans un restaurant arabe, si possible *Le Pacha*. Voir le Golgotha, qui n'est plus que quelques pierres derrière une vitrine, à droite de l'entrée du Saint-Sépulcre, puis rouler vers le mont des Oliviers, à travers la ville arabe, si délaissée par les maires israéliens successifs, en croisant une église russe ; et, au loin, les colonies israéliennes. À chaque instant, où que l'on soit, qui que l'on soit, se laisser prendre par la lumière, si particulière, par l'ambiance, si sereine, par la couleur, si rose, des pierres.

Puis se heurter au mur, l'autre, celui de huit mètres de haut, en béton, qui sépare désormais Israël de la Palestine.

Enfin, penser à la future Jérusalem, capitale de deux États en paix, puis capitale unique d'un Moyen-Orient rassemblé. Utopie réaliste, celle-là, à portée de main.

## Jésus

Jésus est un très grand juif. Qui accepte ce fait parmi les chrétiens ? Qui s'en souvient parmi les juifs ? Pour ma part, dès mon enfance, j'ai été sensible à sa voix, à la façon dont il remet à leur place les hiérarques pour rappeler le message essentiel du Décalogue : l'Amour seul permettra d'en finir avec la violence.

Je suis aussi fasciné par la façon dont ses paroles ont été ensuite utilisées par ceux des juifs qui ont vu en lui le Messie ; par la façon dont leurs successeurs juifs, puis non juifs, ont traduit la Torah, en grec, puis en latin et en d'autres langues, pour y trouver – ou y semer – des indices de sa venue ; enfin par la façon dont ils ont fondé une Église pour remplacer le peuple juif, devenu inutile et encombrant.

À l'époque de sa naissance, l'occupation romaine dure déjà depuis soixante ans et se fait de plus en plus sévère. Des sectes juives se disputent le droit de détenir la vraie parole de Dieu et lancent divers mouvements : de renouveau (autour de Jean Baptiste), de protestation éthique (esséniens et qumrâniens) ou d'insurrection militaire (zélotes). Nombreux sont ceux qui se prétendent prophètes, maîtres de justice, voire même messies. Menace une révolte du type de celle des Hasmonéens qui, deux siècles auparavant, avaient recréé une dynastie de rois hébreux. Or, les Romains n'en veulent absolument pas.

Né à Bethléem d'un père et d'une mère juifs, trois ou quatre ans avant notre ère, sous le nom de Yeshu (« Dieu sauve »), circoncis à huit jours, racheté par ses parents à trente jours, comme tout premier-né, il vient à Jérusalem au début de sa treizième année. Il stupéfie les rabbins du Temple par sa mémoire, pourtant apanage de nombreux autres juifs de son temps. Flavius Josèphe, qui ne parle jamais de lui, écrit à la même époque : « *Un juif interrogé sur nos lois les récitera plus vite que s'il devait dire son propre nom, et cela tient à ce que nous les avons apprises immédiatement sitôt que nous sommes devenus sensibles aux choses*[107]. »

Jeune homme très pratiquant, Yeshu enseigne la Loi, citant la Torah, en particulier le Lévitique (« *Tu aimeras ton prochain comme toi-même : Je suis l'Éternel ton Dieu* » (19, 18-34), ajoutant, comme

Jonas, qu'il faut aimer ses ennemis ; comme Amos, que la richesse injuste et la corruption autour du Temple sont scandaleuses ; comme Isaïe, que les pécheurs seront accueillis dans le royaume de Dieu ; comme Ézéchiel, qu'il devient possible de ne pas suivre toutes les lois. Il cite aussi rabbi Hillel, son presque contemporain, quand il insiste sur la primauté absolue de l'amour. Comme beaucoup d'autres juifs le font au même moment – et aujourd'hui encore –, il parle de Dieu comme de « mon père » ou « notre père ». À l'instar de beaucoup d'autres, en particulier comme le prophète Daniel, il se présente comme un « fils de l'homme ». Jamais il ne se dit lui-même fils de Dieu. Jamais il n'est accusé par les grands prêtres du Temple de s'être prétendu fils de Dieu. Tous, même ses opposants, l'appellent respectueusement Rabbi. Lui, ne parle qu'aux juifs et n'incite jamais qui que ce soit à quitter le judaïsme, encore moins à fonder une nouvelle religion. Les témoins, comme Matthieu, Marc et Luc, le décrivent comme un juif de son temps, sans cesse accompagné et soutenu par sa mère.

Mais les Romains pensent qu'il veut prendre la tête de la révolte contre eux, devenir le roi des juifs et rééditer l'aventure des prêtres hasmonéens autoproclamés rois contre les Grecs, cent soixante ans plus tôt. Après quelques années d'énigmatique disparition, ils décident de le mettre à mort. À l'âge de 36 ou 37 ans, Yeshu est crucifié sur le Golgotha (« le rocher du crâne »), près de Jérusalem, puis enterré à proximité dans le jardin d'un de ses disciples, Joseph d'Arimatie.

Par le regard posé par ses premiers disciples (ceux qu'on appelle les apôtres, tous juifs pratiquants) sur ce qui se serait passé après sa mort, – les quatre Évangiles disent tous qu'il est ressucité –, Jésus devient « celui qui ressuscite », qui peut faire ressusciter, celui qui annonce la « fin des temps ».

Ses disciples hésitent alors : peut-on transformer l'Alliance de Dieu avec le peuple juif en une Nouvelle Alliance avec l'humanité entière ? Ils relisent les textes, et d'abord Isaïe, Ézéchiel et Daniel, pour y trouver des signes annonciateurs de la venue de Yeshu. L'un d'entre eux, rabbi Shaoul, qui deviendra Paul de Tarse, élève du plus grand rabbi de l'époque, rabbi Gamaliel, petit-fils de rabbi Hillel, hésite : peut-on franchir le pas ? Peut-on, comme le suggère Ézéchiel, ne pas appliquer toutes les règles juives ? Faut-il admettre que tous les hommes auront désormais accès à la même parole de Dieu ? Dans une lettre aux Romains, il franchit le pas et se dit « mis à part pour annoncer l'Évangile de Dieu » et « pour conduire à l'obéissance de la foi tous les peuples païens ». Dieu lui-même, qui n'existe pas en tant que personne dans le judaïsme, devient un être unique, simple, puis fait de trois parties.

Le peuple juif, accusé de déicide, devient encombrant ; l'Église, qui naît alors, doit être le nouveau peuple élu. Nul ne veut plus se souvenir que Jésus est un juif, mort en juif. Ainsi débute l'antijudaïsme chrétien. L'Église à ses débuts fait alors sienne la Torah, qui devient l'« Ancien Testament », pour l'essentiel mis de côté ou traduit à sa façon. Elle se pose aussi d'autres questions : Jésus est-il seulement le Messie annoncé par les juifs, ou est-il au surplus le fils de Dieu ? Puis, une fois cette question réglée par l'affirmative, en vient une autre : le Dieu dont Jésus est le fils est-il le même que le Dieu que prient les juifs ? Oui, répond en 318 un prêtre d'Alexandrie, Arius, qui soutient que le Père préexiste au Fils et qu'Il l'a créé. Non, réplique au même moment Athanase, évêque d'Alexandrie, qui excommunie Arius, affirmant que le Fils coexiste avec le Père de toute éternité, et que le Dieu des chrétiens ne peut donc être le même que celui des juifs. Mais alors, faut-il se débarrasser de la Torah ? Et que penser de Jésus, qui est juif et ne s'adresse qu'au Dieu de ses pères ?

Il faut attendre le premier concile, convoqué en 324 à Nicée par l'empereur Constantin, devenu chrétien, pour que l'Église, tout en reconnaissant l'existence simultanée du Père et du fils, affirme l'identité du Dieu des chrétiens et de celui du peuple juif, décrété un peu plus tard « peuple odieux », c'est-à-dire « peuple qu'il faut haïr »…

Les prières juives sont alors traduites quasiment à l'identique, à commencer par le *Pater Noster*, traduction du *Avinou Malkénou* (« Notre Père, notre Roi ») des offices hébreux. Les fêtes chrétiennes se glissent dans les fêtes juives tout en en changeant le sens : le Chabbat devient Jour du Seigneur et passe du samedi au dimanche ; Pessah, fête de la Liberté, devient Pâques, fête de la Résurrection ; Chavouot, fête du Désert, devient la Pentecôte…

Les deux monothéismes divergent et s'éloignent. De siècle en siècle, le christianisme interdit toute conversion au judaïsme, surveille tout juif converti ; construit un discours de haine du judaïsme. Il faut attendre le début du XXe siècle pour qu'un écrivain allemand, Franz Rosenzweig, écrive, dans la barbarie des tranchées de la Première Guerre mondiale, sur des cartes postales envoyées à sa famille, une œuvre philosophique majeure, *L'Étoile de la Rédemption*[249], dans laquelle il soutient que la survie du peuple juif démontre que le christianisme n'incarne pas toute la vérité. « *Si le chrétien n'avait le juif dans son dos, il se perdrait, où qu'il soit.* » Les chrétiens, explique-t-il, ont besoin des juifs pour maintenir leur foi, et les juifs ont besoin des chrétiens pour universaliser la leur.

D'autres, après lui, tel Jules Isaac[158], reprendront ce discours. Vatican II et les papes récents feront successivement des pas décisifs dans cette direction.

Ce serait même le moment, pour le judaïsme comme pour le christianisme, de réaliser enfin que la seule chose qui les distingue est que, pour l'un, le Messie est à venir, alors que, pour l'autre, il doit revenir.

## Job

Évidemment, la plus fascinante de toutes les figures bibliques, qui ose poser la plus difficile question qu'une religion puisse affronter : « *Dieu peut-Il vouloir le malheur des hommes ?* » Autrement dit, cette question qui m'a obsédé comme tant de juifs depuis soixante ans : « *Pourquoi Dieu aurait-il ouvert la mer Rouge devant les Hébreux en fuite et n'a-t-il pas empêché la Shoah ?* »

Évidemment, le plus audacieux chapitre de la Bible : un livre entier consacré à la question de l'injustice du destin des hommes, sur laquelle se sont fracassées toutes les religions, croyances et philosophies !

Évidemment, le plus embarrassant : le judaïsme étant un monothéisme, il ne saurait y avoir une divinité autonome, responsable du Mal ; celui-ci fait nécessairement partie de la Création : « *L'Éternel a tout créé en vue de son but, et Il a même créé le méchant pour le jour du malheur* » (Pr 16, 4).

Évidemment, le livre le plus énigmatique : il n'y est presque pas question de Dieu, ni de la Torah, ni de quoi que ce soit de juif…

Évidemment, un des plus grands chefs-d'œuvre littéraires, inspiré entre autres d'un récit sumérien, dont les magnifiques descriptions d'animaux égyptiens pourraient laisser penser qu'il pourrait avoir été écrit au temps de Moïse, ou à tout le moins à l'époque de Salomon.

D'après le prologue, tout part d'un des « fils de Dieu » (c'est-à-dire d'une des créations de Dieu), un procureur, un « satan » (sans majuscule, car, pour le judaïsme, qui puise la notion dans la tradition babylonienne, c'est un accusateur, non un rival de Dieu). Ce procureur vient, dit le texte, « *de parcourir la Terre de fond en comble et de* [s']*y promener au-dessus et en dessous d'elle* » (Jb 1, 7). Il explique qu'il n'a rencontré aucun croyant véritable, qu'aucun homme ne croit en Dieu de façon vraiment désintéressée.

Pour lui prouver qu'il a tort, Dieu décide alors de mettre à l'épreuve l'homme le plus croyant, le plus intègre, le plus heureux, le plus riche du moment : Job (en hébreu Iyor, de la racine *Aleph Yod Rech*, « haïr ») dont le texte ne précise pas explicitement s'il est hébreu.

D'innombrables commentaires ont discuté de l'historicité de Job et de sa judéité. Pour certains, il est contemporain d'Abraham ; pour d'autres, de Jacob ; pour d'autres encore, des Juges. Pour Rachi, il est de la même époque que la tour de Babel. Pour le *Zohar*, il n'est pas juif. Pour Maimonide, il n'a pas existé : ce n'est qu'une métaphore.

Job est supposé vivre près d'Édom, et est considéré par Ézéchiel comme un sage, à l'égal de Noé qui n'est pas non plus hébreu.

Pour démontrer que sa foi est désintéressée, Dieu commence par le ruiner. Cela n'entame en rien sa foi : « *Je suis sorti nu du ventre de ma mère et j'y retournerai nu. Le Seigneur m'avait tout donné, le Seigneur m'a tout ôté. Il n'est arrivé que ce qu'il Lui a plu. Que son nom soit béni !* » (Jb 1, 21). Pour le mettre davantage encore à l'épreuve, Dieu lui reprend ses sept fils, et ses trois filles meurent aussi. La foi de Job reste inébranlable. Le voici ensuite couvert d'« *ulcères de la plante du pied au sommet de la tête* » (2, 7). Sa femme lui explique alors que ces drames et avanies sont sûrement de la faute de son Dieu, et qu'il lui suffirait de Le renier pour mettre un terme à leurs souffrances. Maudissant « *le jour de sa naissance* » (3, 1) (parce que les astres sont sans doute, pense-t-il, responsable de ses malheurs), il refuse d'en vouloir à Dieu : « *L'Éternel a donné, l'Éternel a repris. Béni soit Son Nom.* » Parlant comme le fera bien plus tard Jérémie, dans les deux derniers versets de ses *Lamentations*, Job ajoute : « *Qu'importent la douleur, la dureté du malheur qui nous éprouve. Dieu ne nous a pas abandonnés.* » Puis il explique qu'il sait qu'il peut arriver que Dieu massacre les innocents avec les coupables (Jb 9, 22s.).

Trois amis viennent alors lui rendre visite : si stupéfaits de l'état dans lequel ils le trouvent qu'ils passent d'abord avec lui sept jours en silence (encore le silence…). Puis, chacun à sa façon, ils tentent de trouver la cause de son malheur. Même si chaque visiteur incarne une école de pensée différente, tous lui disent qu'il doit avoir quelque chose à se reprocher, et qu'il lui suffirait de se l'avouer à lui-même, et donc à Dieu, pour être guéri. (La psychanalyse ne dira rien d'autre au XX$^e$ siècle.) Job nie farouchement : non, il n'a rien à

avouer ! Il s'indigne même que ses amis le pensent capable d'un crime quelconque : « *Qui prétendez-vous soutenir ? À qui donnez-vous conseil ?* » Puis arrive un quatrième ami, plus jeune, Élihu, qui ne pense pas que Job ait quoi que ce soit à se reprocher et qui lui recommande d'être patient : car Dieu finit toujours par récompenser la vertu (Jb 8, 6-8).

Curieusement, nul ne lui parle de récompense ou de punition dans l'au-delà ; chacun ne parle que d'un retour de fortune et de santé. Job lui-même ne semble pas croire en la Vie éternelle. De même, à aucun moment, il n'est question de la Torah, ni même du Décalogue.

Job explique qu'il pense pouvoir être guéri seulement s'il est admis à plaider en personne sa cause devant Dieu et lui faire ce qu'il appelle un « *serment d'inno-cence* » (Jb 27-31). Il implore donc Dieu de se mani-fester et de bien vouloir l'écouter : « *Que le Tout-Puissant écoute ce que je désire lui expliquer !* » (Jb 13, 3 et 31, 35). Encore une fois le silence…

Dieu se manifeste deux fois, sortant d'un « *nuage* », puis d'une « *tempête* » (Jb 38, 1 ; 40, 6). Ce n'est pas le Dieu que Job espère : c'est un Dieu furieux, d'une fureur toute humaine, reprochant à Job d'oser émettre un avis sur Ses motivations ; un Dieu qui n'a rien à faire des serments d'innocence de Job !

C'est là un des plus beaux morceaux de la littérature universelle. Entendez cette voix, écoutez Dieu parler de Son œuvre et de l'immensité de Sa tâche : « *Quel est celui qui dénigre les desseins de Dieu par des discours dépourvus de sens ? Où étais-tu lorsque je fondais la Terre ?* » (Jb 38, 2-4) ; « *As-tu jamais de ta vie donné des ordres au Matin, assigné sa place à l'Aurore pour qu'elle saisisse les bords de la Terre et en rejette les méchants d'une secousse ?* » (Jb 38, 12-13). Dieu raconte à Job comment Il a créé l'âne, le cheval, l'hippopotame, le crocodile. As-tu imaginé, dit-Il à Job, ce que c'est que de devoir prendre la vie des uns pour que vivent les autres ?... Et puis cette phrase terrible, shakespearienne : « *Qui m'a prêté pour que j'aie à lui rendre ? Tout est à moi sous l'étendue des cieux !* »

Finalement plus impressionné par le fait que Dieu lui parle que par ce qu'Il lui dit, Job admet qu'il n'a pas à Lui demander d'explications : « *Je suis trop peu de chose : que te répliquerais-je ? Je mets ma main sur ma bouche. J'ai parlé une fois... Je ne prendrai plus la parole... Je ne dirai plus rien* » (Jb 40, 3-5). « *Je sais que Tu peux tout et que rien ne dépasse Ta puissance. Qui ose, disais-tu, dénigrer Tes desseins, faute d'intelligence ? Oui, je me suis exprimé sur ce que je ne comprenais pas, sur des choses trop merveilleuses pour moi, que je ne connaissais pas* » (Jb 42, 2-3). « *C'est*

*pourquoi je me rétracte et me repens sur la poussière et*
*sur la cendre »* (Jb 42, 6).

Tout est fini : bien qu'Il ait expliqué qu'Il n'a de
comptes à rendre à personne et que Ses jugements
sont, par nature, inexplicables, Dieu condamne les
amis de Job à financer de très riches offrandes pour
s'être permis de prétendre interpréter Sa pensée. Puis
Il rend à Job sa richesse, ses sept fils et ses trois filles
(les mêmes, dira plus tard un commentaire, que ceux
qui sont morts, car ils n'ont en fait été qu'exilés).
Job, dit le texte, les voit prospérer jusqu'à la quatrième
génération (Jb 42).

Du livre de Job je retiens deux constats essentiels :

D'une part, l'homme est libre. Il n'y a pas de pré-destination ou de grâce. Même si Dieu prétend tout pouvoir, Il ne décide de rien. L'homme est pour lui-même sa propre Providence. Comme le dit rabbi Akiba : « *Tout est entre les mains de Dieu, sauf la crainte de Dieu.* » Maimonide ajoutera au XII$^e$ siècle : « *Tout homme peut devenir juste ou coupable, bon ou mauvais ; c'est par sa volonté qu'il choisit la voie qu'il désire. Tout homme peut devenir juste comme Moïse ou pécheur comme Jéroboam.* » Et de conclure : « *Si nous souffrons, c'est par des maux que nous nous infligeons nous-mêmes de notre plein gré, mais que nous attribuons à Dieu.* » Job n'est même jamais plus libre que dans le malheur. Il est dans la position du résistant face au peloton d'exécution : il peut décider ce qu'il veut. Pauvre et nu, il est même plus libre qu'il ne l'est ensuite quand lui reviennent fortune et enfants, responsabilités et devoirs...

D'autre part, le Livre de Job constitue une très grande œuvre littéraire, ce qu'illustre en particulier ce passage que je ne résiste pas au plaisir de citer longue-ment, que j'aime relire à voix haute, où Dieu se vante d'avoir créé le crocodile et le compare à l'homme dont il a fait son « serviteur ». L'homme qui n'ose pas affronter le crocodile comme Lui, Dieu, affronte l'homme : « *Iras-tu prendre avec ton hameçon le cro-codile ? Pour le tirer de l'eau, vas-tu lier sa langue avec ta ligne ? Lui mettras-tu un jonc dans les naseaux ? Perceras-tu d'un crochet sa mâchoire ? Te fera-t-il de nombreuses prières ? Te dira-t-il douce-ment des tendresses ? Conclura-t-il une alliance avec toi ? Le prendras-tu pour serviteur à vie ? Ou pour jouet, comme un petit oiseau ? Le lieras-tu pour amu-*

ser tes filles ? Des associés le mettront-ils en vente ?
Des commerçants le partageront-ils ? Vas-tu cri-
bler de dards sa carapace ? Vas-tu barder sa tête
de harpons ? Attaque-le et tu te souviendras de ce
combat, tu n'y reviendras plus !... Il éternue : c'est un
jet de lumière. Ses yeux ressemblent aux paupières de
l'aube... Quand il se dresse, les plus vaillants ont peur.
Ils se dérobent, saisis par l'épouvante. L'épée l'atteint
sans trouver nulle prise, la lance même, la flèche et la
cuirasse ne servent pas à celui qui l'approche. Pour lui,
le fer est comme de la paille, il prend le bronze pour du
bois vermoulu. Les traits de l'arc ne le font jamais fuir,
et les cailloux qu'on lance avec la fronde ne sont pour
lui que des fétus de paille. Oui, la massue est un brin de
roseau, et il se rit du sifflement des lances. Son ventre,
armé de tessons acérés, est une herse qu'il traîne sur
la vase... Les eaux profondes, il les fait bouillonner
comme un chaudron. Il transforme le lac, lorsqu'il y
entre, en un brûle-parfum » (Jb 40 et 41).

L'auteur à jamais anonyme sait fort bien qu'il a
écrit là un chef d'œuvre. Il le concède d'une phrase
nostalgique lâchée comme en passant : « *Oh ! Comme
je voudrais que mes paroles fussent écrites, qu'elles
fussent écrites dans un livre !* » (Jb 19, 23-24).

# Jonas

Chaque année, au début de l'après-midi de l'office
de Kippour, Jonas défie Dieu et marchande avec lui.
Chaque année, ce moment-là me fascine : alors que
Job pose la question de la raison d'être de la souffrance, Jonas pose celle de l'universalité de Dieu.

J'aime le portrait du Dieu des juifs dessiné dans ce livre étrange : un être tout de miséricorde, pour tous les hommes, même les pires, qui ne met aucune vie au-dessus des autres, affirmant même que la vie d'un animal appartenant à un ennemi du peuple juif vaut autant que la vie d'un prophète.

Jonas (dont le nom, *Yona*, signifie « pigeon » ou « colombe ») vit en Judée, dit le texte, au temps du roi Jéroboam II, soit vers – 760, au moment où l'Assyrie domine la région. Étrange prophète, contemporain du premier Isaïe, dont la prophétie se résume à cinq mots prédisant la reconquête par Israël de territoires perdus. Un homme antipathique, rancunier, limité, méprisant, xénophobe...

Son histoire est simple : il reçoit de Dieu l'ordre d'aller à Ninive (ville immense dont la réalité historique n'a été que très récemment établie) qui existe depuis trois mille ans et dont Sennachérib vient de faire sa capitale. Dieu lui demande d'annoncer à ses habitants qu'ils seront bientôt anéantis en raison de leur comportement. Jonas refuse : il refuse d'aller dire aux habitants de la capitale de la première puissance du temps, qui menace de détruire les deux royaumes hébreux, qu'ils pourront éventuellement s'en sortir par la simple promesse d'un changement de conduite. *« Après tout le mal qu'ils nous ont fait, ils ne seraient pas punis ? Pas question ! »* Il refuse de porter le message de Dieu, fuit à Jaffa, ville réelle, et prend un bateau pour Tarsis, ville imaginaire. Pour l'empêcher de fuir, Dieu déclenche une tempête qu'aucune prière des marins ne peut calmer. *« Jonas dormait profondément »* (Jon 1, 5) quand, désigné par le sort comme responsable de la tempête, il ne répond aux questions de l'équipage que par : *« Je suis un*

*Hébreu et je crains le Seigneur, Dieu du ciel… »*
Furieux de ce qu'ils prennent comme un aveu, les
marins le jettent à l'eau. Bien leur en prend : la
tempête s'apaise. Dieu, qui ne voulait qu'empêcher
Jonas de fuir, le fait avaler par un « grand poisson »

(la Torah ne parle jamais de baleine ; le Midrash le
décrit comme ayant des yeux comme des hublots) et
le laisse trois jours dans le « *ventre de la Mort* »
(Jon 2, 3), à supplier Dieu de l'en sortir. (Les chrétiens voient là un symbole prémonitoire du nombre
de jours que Jésus passera au tombeau avant de ressusciter). Rejeté sur la rive près de son point de
départ, Jonas s'étonne (« *De la fosse Tu m'as fait
remonter vivant ? »*, Jon 2, 7) et comprend qu'il ne
peut refuser sa mission. Mais il arrive trop tard :
Ninive, sans l'attendre, a décidé de jeûner, de quitter
« *son mauvais chemin* », et a obtenu de Dieu qu'Il

renonce à la détruire. « *Jonas le prit mal, très mal* » (Jon 4, 1) et proteste contre Dieu (qui le fait passer pour un faux prophète, dira Rachi) : « *Je me le disais bien* [...]. *Je savais bien que Tu es un Dieu miséricordieux* » (Jon 4, 2).

Dieu lui inflige alors une leçon : alors que Jonas contemple avec amertume la ville sauvée malgré lui, Dieu fait croître une plante « *qui pousse rapidement, donne de l'ombre, mais qui se fane* » (ce que la Bible des Septante, pour être plus concrète, comme dans le cas de la baleine, traduira à tort par du « ricin »). Puis Dieu fait disparaître cette plante, ce qui désespère Jonas : « *Comment peux-tu te préoccuper,* ironise Dieu, *d'une plante que tu n'as même pas fait pousser, et me demander de ne pas tout faire pour sauver une ville de douze myriades d'habitants que j'ai moi-même créée ?* »

Telle est la magnifique leçon sous-jacente à ce texte, si éloignée de la caricature habituelle qui est donnée du Dieu des juifs : pour Lui, aucun homme ne vaut plus qu'un autre. Il n'est pas de peuple meilleur qu'un autre. Il aime également la vie de toutes Ses créatures. Même les pires monstres, même ceux qui veulent massacrer les juifs, ne méritent pas de mourir.

Ironie : c'est à ce prophète (sans doute né dans l'imagination d'un grand écrivain vivant à Jérusalem au VIᵉ siècle avant notre ère) qu'on doit la découverte de Ninive, qu'on croyait jusque-là être une ville imaginaire comme Tarsis. En 1845, en fouillant deux monticules appelés localement Kuyunjik (« le château de Ninive ») et Nebi Yunis (« Prophète Jonas »), dans la région de Mossoul (dans l'Irak d'aujourd'hui), des archéologues français et anglais découvrent les fondations d'une muraille de douze kilomètres, les somptueuses portes du palais de Sennachérib, 22 000 tablettes d'argile de la bibliothèque de son petit-fils Assurbanipal, et une stèle racontant, comme dans la Bible, la chute de Ninive, en 612 avant notre ère, sous les coups des Babyloniens. C'est un coup de tonnerre archéologique et religieux, la première preuve que le texte de la Torah correspond à une réalité historique.

## Joseph

Le premier « homme d'influence », avant même les Prophètes. Démontrant que, pour réaliser ses rêves, il faut d'abord rêver. Première figure du juif de cour, aventurier, audacieux, imaginatif, séducteur. Esclave devenu le principal collaborateur de Pharaon, diplomate et tendrement fidèle à ses valeurs et à sa famille : je l'imagine comme le Solal d'Albert Cohen...

Joseph est le onzième fils de Jacob et le premier fils de Rachel. Il vit donc, selon la Bible, il y a quelque trente-sept siècles. Dix de ses frères, effrayés quand il leur raconte avoir rêvé que le soleil, la lune et les étoiles (c'est-à-dire son père, sa mère et ses frères) s'inclineraient devant lui, le vendent à des marchands d'esclaves en partance pour l'Égypte. Là, plus qu'il ne veut bien le reconnaître, il se laisse séduire par Putiphar, l'épouse de son maître, capitaine des gardes et intendant de la maison de Pharaon ; envoyé en prison, il y interprète les rêves de deux échansons du roi ; l'un d'eux, revenu en grâce au moment d'une terrible sécheresse, conseille à Pharaon de le consulter sur l'interprétation d'un de ses cauchemars dans lequel sept vaches maigres sortent d'un fleuve et dévorent sept vaches grasses, et où des

gerbes de blé s'avalent les unes les autres. L'interprétation de Joseph fournit à Pharaon une façon de
résoudre la sécheresse : constituer des réserves, forme
primitive de l'épargne. Ce premier cours d'économie
politique révolutionne l'ordre social et la conception
du temps : ne pas consommer toute la récolte, prévoir
les menaces que réserve l'avenir, en tenir compte.

Les rabbins se demanderont longtemps pourquoi
Pharaon, qui dispose à sa cour des meilleurs chiro-
manciens du monde, a eu besoin d'un esclave juif
pour interpréter ce songe. Au XVe siècle, le rabbin
marocain Haim ben Attar l'explique subtilement :
« *Joseph a compris le sens du rêve de Pharaon en
écoutant le récit qui lui en était fait. Il est dit en effet :
"Du fleuve sortaient sept vaches"* (Gn 41, 2) *alors
qu'il eût été plus logique d'écrire : "Sept vaches sortaient du fleuve." À moins que le texte ait voulu suggé-
rer que l'existence de ces vaches dépendait du fleuve et
de ses eaux ? D'où l'interprétation qu'il donna du*

*rêve.* » Et que seul un esprit attentif aux mots plus qu'aux images pouvait comprendre.

Pharaon libère alors Joseph, en fait son conseiller et lui donne pour épouse la fille d'un grand prêtre, dont Joseph a deux fils ; leurs noms hébreux (Manassé – « *Dieu m'a fait oublier* » – et Éphraïm – « *Dieu m'a fait fructifier dans le pays de ma misère* », Gn 42, 51-52) soulignent la volonté de l'ancien esclave de s'intégrer à la haute société égyptienne, sans pour autant oublier Dieu. Selon un midrash, commentaire écrit il y a quelque vingt siècles, cette épouse est en fait Oznat, la fille de la demi-sœur de Joseph, Dinah, arrivée en Égypte après bien des aventures.

Vingt et un ans après la disparition de Joseph, la famine sévissant aussi en Canaan, Jacob, toujours désespéré par la perte de son fils préféré, envoie dix de ses onze fils en Égypte pour y acheter du blé. Là, ils rencontrent Joseph sans le reconnaître, jusqu'à ce que celui-ci se révèle à eux par cette phrase bouleversante : « *Mon père vit-il encore ?* » – phrase par laquelle il souhaite vérifier si son rêve (voir son père s'incliner devant lui) peut encore se réaliser. Informé, Jacob vient en Égypte et se retrouve alors, à l'âge de cent trente ans, face au fils qu'il croyait mort depuis vingt-deux ans. Tous s'inclinent devant le conseiller de Pharaon.

Ni Joseph ni ses frères ne songent plus à revenir misérables en Canaan ; ils restent en Égypte malgré la nostalgie de leur terre. Quand Joseph meurt à l'âge de cent dix ans, il demande néanmoins que son corps soit ramené en Canaan avec celui de son père, mort peu auparavant auprès de lui. Ce que fera, six siècles plus tard, Moïse, un des descendants des douze tribus qui prospèrent pendant longtemps en Égypte avant d'y tomber en esclavage.

Joseph est évidemment l'archétype de tous ceux qui, dans le judaïsme d'exil, se sont approchés du pouvoir. Et ils auront été fort nombreux : Ibn Chaprout et Samuel Ha-Naguid, gagnant des batailles aux noms de princes de l'Espagne musulmane ; Abraham Señor, organisant la réunion des deux royaumes catholiques d'Aragon et de Castille ; Isaac Abravanel, finançant le voyage de Christophe Colomb ; Juan Hanassi, conseillant au sultan de l'Empire ottoman de déclencher la bataille de Lépante ; Gerson Bleichröder, aidant la Prusse bismarckienne à devenir le Reich allemand ; les frères Pereire, finançant et conseillant la France de Napoléon III ; Benjamin Disraeli, Premier ministre de la reine Victoria ; Max Warburg, conseillant le Kaiser puis les ministres de la République weimarienne, dont Walther Rathenau, autre Joseph assassiné ; Henry Kissinger, tenant la politique étrangère de l'Amérique à bout de bras au temps de Nixon ; Karl Kahane, l'industriel juif autrichien, conseillant le président égyptien Sadate au moment des accords de Camp David, etc. Tous, ou presque, professeurs, écrivains, bien plus passionnés par la création que par les agissements éphémères de ceux qu'ils conseillent…

# Julien

J'ai toujours détesté qu'on surnomme « Apostat » cet empereur tolérant qui refuse de se plier aux rigueurs du monothéisme, osant revenir à la religion de ses ancêtres, décidant la reconstruction du Temple de Jérusalem que seul interrompt son assassinat par un soldat chrétien.

Neveu de Constantin I^er qui fit, en 324, de l'Empire romain un État chrétien, né en 332 à Constantinople, élevé dans le christianisme, Julien revient secrètement à l'ancienne religion romaine lors de ses études de philosophie en Grèce. En 355, son cousin, l'empereur Constance II, dont il a épousé la sœur, l'envoie en Gaule avec le titre de vice-empereur. Julien fait de Lutèce sa capitale et repousse les Alamans en 357 et les Francs en 358. Deux ans plus tard, proclamé empereur par ses soldats, Julien défie Constance qui meurt quelques mois plus tard. Julien devient alors empereur à Constantinople, en 361. Il y promulgue un « édit de tolérance » autorisant le judaïsme, le christianisme « non arien » et toutes les autres religions, tout en demandant aux chrétiens dit « ariens » (souscrivant à la doctrine d'Arius selon laquelle le Dieu des juifs est le même que le père de Jésus) de reconnaître d'eux-mêmes leurs erreurs, mais sans les y forcer.

À ce moment, la Perse se fait plus pressante et menace d'envahir les colonies romaines en Palestine.

Pour en finir avec eux, Julien décide de prendre les devants et d'attaquer leur capitale. Il s'installe à Antioche, en Palestine. Là, depuis deux siècles, il ne reste presque plus de juifs. Il les autorise à y revenir. Et plus encore : par conviction, mais aussi parce qu'il espère provoquer un soulèvement en sa faveur des juifs de Perse, très nombreux et très puissants (des écoles talmudiques s'y sont installées), Julien décide de faire reconstruire le Temple de Jérusalem. À l'automne 362, il en fait déblayer l'emplacement et entamer les travaux. Mais un tremblement de terre (avéré) et un incendie (hypothétique) sur le chantier sont interprétés par les chrétiens d'alors comme un signe de Dieu dirigé contre ces travaux. Julien, à l'inverse, accuse les chrétiens d'y avoir mis le feu et menace de les enfermer, au retour de sa campagne contre les Perses, dans une prison qu'il promet de construire avec les matériaux du Temple.

Au printemps suivant, les armées romaines avancent à grande vitesse en territoire perse. Elles prennent même la forteresse de Mahuza, faubourg de Ctésiphon. Mais, au moment de déclencher l'attaque finale, le 26 juin 363, Julien est mortellement blessé par une flèche lancée par un archer chrétien de sa propre garde.

Son successeur, l'empereur Jovien, interrompt les travaux de reconstruction du Temple, conclut une paix avec le roi des Perses, Schabur, et rétablit le christianisme comme seule religion officielle de l'Empire.

Trois siècles plus tard, après que Jérusalem eut encore changé par trois fois de mains, une mosquée est construite sur les décombres du Temple.

# Kabbale

Longtemps je me suis gardé de m'en approcher : pour un esprit formé à la science, rien de moins supportable *a priori* que ces discours métaphoriques et filandreux sur des univers imaginaires. Rien de plus ridicule, aussi, que ces théories découpant Dieu en membres, en branches, en chemins, comme pour en revenir au polythéisme.

Puis, un jour, le déclic : et si ces gens se posaient depuis des millénaires les mêmes questions que nous sur l'origine de l'Univers ? Et si leurs réponses présentaient de l'intérêt ? Et si, derrière leurs métaphores, il y avait un outil très utile et profond pour réfléchir à la cosmologie ? Car c'est bien de cela qu'il s'agit : la Kabbale (de *qabbalah*, « tradition ») se veut, comme la science, une histoire de l'Univers, dont celle de l'homme ne constitue qu'une anecdote[217].

Pour la résumer au plus court, je dirai que, selon elle, l'Univers représente un espace à dix dimensions et trente-deux sortes de particules élémentaires. Ces dix dimensions sont si difficiles à concevoir qu'elles peuvent, dit la Kabbale, être figurées par les dix parties d'un corps humain ou par dix parties d'un arbre. Autrement formulé, le corps humain, comme l'Univers, obéit aux mêmes lois qu'un arbre, tout comme l'arbre peut être mis en parallèle avec le cosmos (l'arbre supporte le ciel) et avec le corps (les bras, le tronc, les jambes). Pour que l'Univers soit parfait, pour que l'homme soit accompli, il doit se comporter comme un arbre, en particulier rechercher ses racines et s'élever vers le ciel.

Cette théorie met des siècles à se construire, à partir du IIe siècle de notre ère. Dieu y est d'abord décrit comme une sorte de géant infiniment plus grand que l'Univers ; chacun de ses membres porte un nom, et il faut traverser plusieurs univers pour atteindre le trône où il est assis. Au siècle suivant apparaît un ouvrage mystérieux, que la tradition prétend écrit par Abraham lui-même, le *Sepher Yetsirah*[7]. Il est le premier sans doute – bien avant que la physique n'y pense – à spécifier que l'Univers n'a pas trois dimensions, mais bien plus, qu'il nomme *sephirot*. Les *sephirot* constituent son architecture qui se forme peu à peu, dimension par dimension. Ces *sephirot* sont, pour ce livre, au nombre de dix : six spatiales, deux temporelles, deux éthiques. Elles sont aussi les dix manifestations de la présence divine, les dix étapes de tout processus de création. On peut les représenter comme les branches d'un arbre (l'Arbre de vie).

D'autres « arbres de vie » existent dans de nombreuses autres civilisations, contemporaines ou antérieures au *Sepher Yetsirah*, comme en Égypte avec le

« sycomore sacré[220] ». L'Arbre de vie du *Sepher Yetsirah* renvoie à celui dont parle explicitement la Genèse : « *Il bannit l'homme et il posta devant le jardin d'Éden les chérubins et la flamme du glaive fulgurant pour garder le chemin de l'Arbre de vie* » (Gn 3, 24).

Il faut attendre le XIIe siècle pour que circulent des commentaires, sans doute beaucoup plus anciens, de ce livre, mettant en correspondance les dix dimensions de l'Univers avec celles du corps humain. Ces commentaires viennent de partout : Isaac l'Aveugle de Posquières, les frères Cohen, Ramban, rabbi Abraham Aboulafia, Samuel ben Kalonymus Ha-Hassid, rabbi Eléazar ben Yehouda de Worms.

Ces commentateurs répartissent les dix dimensions de l'Univers en trois groupes[217]. Les trois premières représentent la tête de Dieu (« Couronne ») et les deux dimensions de l'Esprit (« Sagesse » et « Intelligence »). Les trois suivantes représentent le haut du corps : bras droit (« Force »), bras gauche (« Puissance ») et « cœur » (« Splendeur »). Trois autres désignent le bas du corps : la jambe gauche (« Éternité »), la jambe droite (« Gloire ») et l'organe sexuel masculin (« Fondement ») par lequel la dixième, féminine (« Présence de Dieu »), gouverne l'Univers.

Chacune de ces dimensions est ainsi caractérisée par divers paramètres. Par exemple, la dixième est, comme les neuf autres, caractérisée par une signification (royaume), une planète (la Terre), un élément (la terre), une couleur (le brun), un nombre (le 10), une image (une jeune femme couronnée, assise sur un trône), une correspondance (la stabilité), une vertu (discernement), un vice (avarice et inertie), une expérience spirituelle (vision du saint Ange Gardien), un titre (la Porte), un des noms de Dieu (Adonaï Melekh), un archange (Sandalphon), un ordre angélique (Ishim), un nom commun (le monde réel).

Par ailleurs, ces dix dimensions sont aussi reliées entre elles par trente-deux chemins, nombre qui est aussi le total des chiffres du système décimal ou des doigts de la main (10) et des lettres de l'alphabet hébreu (22). Ces liaisons représentent aussi les interactions des *sephirot*, combinaisons de forces, zones de transition, flux, formes d'énergie – on dirait aujourd'hui : « particules élémentaires ».

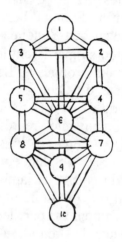

Un siècle plus tard – au XIIIe – apparaît le *Zohar*[10], livre sans doute écrit en Espagne par un certain rabbi Moïse de León. Il fait la synthèse de ces mille ans de travaux visant à interpréter l'intégralité de la Torah, comme un message codé, à partir du *Sepher Yetsirah*. Son influence s'étend vite à quelques groupes ésotériques installés en Allemagne, en Palestine, en Italie, à Byzance et au Tafilalet, dans le Sud marocain.

Après leur expulsion d'Espagne au XVIᵉ siècle, nombre de kabbalistes espagnols migrent à Safed, en Palestine, autour de Moïse Cordovero. Là, vers 1570, Isaac Luria, venu de Pologne, énonce que la condition humaine est le reflet d'une imperfection apparue lors du retrait de Dieu de sa Création, permettant au Mal d'y prospérer. Il faut donc, dit-il, corriger cette imperfection, réparer le monde pour aider Dieu à parachever Son œuvre. La prière aide les étincelles de lumière divine à se libérer du Mal.

Tout au long des siècles, ces concepts s'affinent et se complexifient : chaque *sephira* (dimension) est décrite de mille et une façons qui renvoient tout aussi bien à la cosmogonie qu'à la science cognitive et à la psychanalyse.

Au XVIᵉ siècle, Abraham Cohen de Herrera (ce marrane au destin si extraordinaire, dont il est question ailleurs), expliquera joliment : « *Les sephirot sont les miroirs de Sa vérité, les analogies de Son être le plus sublime, les idées de Sa sagesse et les conceptions de Sa volonté, les réservoirs de Sa force, les instruments de Son activité, les coffres de Sa félicité et les distributrices de Sa grâce* […]. *Elles sont aussi les désignations, les attributs et les noms de Celui qui est le plus haut et la Cause de tout. Elles sont dix inextinguibles, dix attributs de Sa Majesté exaltée, dix doigts de la main, dix lumières grâce auxquelles Il se réfléchit lui-même, et dix vêtements dont Il se couvre.* »

Pour passer d'une signification d'une *sephira* à l'autre, il faut, disent les commentateurs, écarter progressivement trois « voiles » : celui de l'initiation, celui de la conscience de sa propre nature, celui de la conscience même. Écarter le dernier voile permet de sortir de soi, d'atteindre à ce qui existait avant la Création, c'est-à-dire au non-créé (*Ein Soph*), à l'impensable. De remonter le temps jusque avant la création de l'Univers (avant le big-bang, dirait-on aujourd'hui pour parler cosmologie, ou le « Ça », pour parler psychanalyse). Et ainsi d'atteindre Dieu.

Comme tout est dans les lettres, et que les lettres ne sont pas du tout placées par hasard, le voyage en Kabbale continuera ici à la lettre L, avec *Luria*.

## Kippour

Là encore, l'image de mon père me revient : il passait cette journée à la synagogue, dix jours après le début de l'année – « *Jour des Expiations* », « *tourment de soi* ». Il y allait à pied, la veille, à la tombée de la nuit ; il en revenait vers vingt-deux heures, puis le lendemain, y retournait – toujours à pied, bien évidemment – dès l'aube et y restait jusqu'à la fin de l'office du soir. Toutes ces heures il les passait debout, sans manger ni boire, à chanter les prières qu'il connaissait par cœur, comme la totalité de la Bible et une partie du Talmud. Jusqu'à la fin de sa vie, cette journée lui conféra une énergie exceptionnelle : au terme de vingt-cinq heures de jeûne et de prières, il était bien plus reposé qu'en commençant.

Enfant, comme mon frère, je jeûnais d'abord jusqu'à midi ; puis jusqu'à seize heures. À onze ans, complètement. Je me souviens de notre arrivée à la synagogue, cette année-là, à Alger, vers les seize heures, disant à mon père que nous n'avions pas encore rompu le jeûne. Il l'avait fièrement murmuré à ses voisins : nous étions à présent des hommes, à ses yeux.

Depuis, cette journée se répète à l'identique. Elle suit les dix « jours redoutables » commencés à Rosh ha-Shana, les plus dangereux de l'année, interstice entre la mort et la renaissance, comme l'aube est la charnière entre la nuit et le jour. Dix jours, comme les dix *sephirot*.

Ma journée est aujourd'hui en général partagée entre plusieurs synagogues, dont celle de mon père, rue Saint-Lazare, où il avait droit à la place d'honneur, sur la *teba*. Ma mère, elle, était (est encore) assise au-dessus, dans la galerie des femmes, et me faisait – m'adresse encore – un petit signe, à mon arrivée. Car elle était – elle est – toujours là avant moi. Chaque heure de cette journée est rythmée par les mêmes textes, les mêmes prières ; et par une confession poignante, *Hatenou* (« Nous avons péché »), récitée à dix reprises pendant la journée, qui m'a toujours impressionné parce qu'elle dresse la liste des péchés et considère que médire est encore plus grave que voler...

Cette journée est aussi l'occasion d'une réflexion sur le repentir, la *Techouvah*, qui m'a toujours intrigué : puisqu'on sait qu'avec Kippour sera accordée chaque année une occasion d'être pardonné, pourquoi donc se priver de pécher ? En fait, il faut se repentir non une fois l'an, m'expliqua mon père, mais chaque jour, comme si on était à la veille de sa mort. Et il convient d'admettre ses propres faiblesses, qui sont normales, puisque humaines : « *Il n'existe point de juste parfait sur la terre qui ne fasse que du bien sans jamais pécher* » (Qohelet 7-20). L'acte de repentance qui suit la transgression est ce qui permet de découvrir ; il constitue le processus de la connaissance : apprendre par ses erreurs.

Là, encore et toujours, un jeu sur les mots : celui qui désigne la transgression (*Havera*) a la même racine que celui qui désigne le peuple juif (*Evel*). Et le mot qui désigne les limites (Misraïm) est le même que celui qui désigne l'Égypte. Pas de judaïsme sans transgression ni sans repentir...

Le jour de Kippour, pour savoir l'heure, nul besoin de chercher des yeux l'horloge placée sous la galerie des femmes. Ni de sortir dans la rue pour contempler l'état du ciel ou de la ville. Il suffit d'écouter : il est deux heures de l'après-midi quand vient l'histoire des fils d'Hanna, torturés pour avoir bravé, au IIe siècle, l'interdit de l'empereur Hadrien d'étudier la Torah, et mis à mort sous les yeux de leur mère. Il est quinze heures quand on rapporte celle de Jonas et du pardon à Ninive ; seize heures quand sont énoncées toutes les catégories de péchés imaginables (qui n'a pas menti ou médit au moins une fois dans l'année ?) ; dix-sept heures quand vient l'évocation des morts ; puis c'est l'ouverture de l'Arche, le *Avinou Malkénou*, le *Chema*, le *Kaddish* où chacun songe à ses morts.

Enfin, tant attendu, mystérieux, au terme de la *Neïla*, quand s'égrènent des prières de Yehudah Halévy et Ibn Ezra, au moment où les trois premières étoiles apparaissent dans le ciel, quand tous les enfants de la synagogue sont réfugiés sous le châle du père, monte le son du *chofar* : cette corne de bélier, entendue pour la première fois par Moïse et le peuple assemblé au pied du Sinaï au moment où le prophète leur transmet les dix commandements ; cette corne dans laquelle souffle le rabbin pour annoncer la fin du jeûne ; cette corne qu'enfant je ne parvenais jamais à apercevoir, masquée qu'elle était par une mer de châles blancs.

C'était donc fini. Nous étions pardonnés, si nous avions pardonné à nos ennemis. Nous avions obtenu de nos ennemis qu'ils regrettent de l'avoir été. Nous avions participé à la réparation du monde. C'était, disait mon père en repliant son châle, comme la répétition générale du jour où viendrait le Messie et où il effacerait du « Grand Registre » toutes les fautes de l'humanité. On pouvait rentrer à la maison où ma mère, revenue un peu plus tôt, toujours à jeun, avait préparé – prépare encore – confitures de coings, de cédrats, de cerises, gâteaux au miel, aux dattes, aux amandes, soupes, pâtés de viande et poulets que nous ne touchions presque pas : rien ne rassasie mieux qu'un peu de thé, de biscuit et de miel après vingt-cinq heures de jeûne.

Rien ne permet mieux d'atteindre à la sérénité qu'une journée passée ainsi avec des millions d'autres à travers le monde, à penser à une meilleure façon d'être soi au service des autres ; à se juger ; non pour se détester ou se complaire, mais pour poursuivre un dialogue exigeant avec Celui que certains nomment Dieu, et d'autres conscience ; dans la joie d'être encore là et d'avoir été, peut-être, pardonné.

## Luria (Isaac)

C'est un survivant d'Auschwitz qui, le premier, me parla de lui. « *Dieu s'est retiré du monde depuis longtemps. Il ne nous écoute plus. Luria avait raison : Il nous a laissés. Et Il doit pleurer en voyant ce que les hommes font sans Lui.* »

Le retrait de Dieu ? Mais alors, si Dieu s'est retiré, qu'est-ce qui oppose encore judaïsme et agnosticisme ? Et si Dieu n'était qu'une façon de nommer le processus de création de l'Univers sans lui attribuer aucun rôle moral ?

Je me suis alors intéressé à celui qui osa, dès le XVIᵉ siècle, parler de l'absence de Dieu. J'ai compris que, par lui, la Kabbale, dont il fit le cadre de sa réflexion, ne parle pas seulement de science, mais rejoint aussi tout ce que la philosophie occidentale dira plus tard de la solitude de l'homme.

Né en 1534 à Jérusalem, réduite alors à l'état de misérable bourgade au fin fond de l'empire de Soliman le Magnifique, d'une mère née en Palestine et d'un père venu de Pologne, Isaac Luria, dit Ha-Ari (« Le Lion ») (dont le nom viendrait de celui du fleuve Loire, en France). Devenu marchand en Égypte, il est pris d'une révélation mystique à vingt ans et se retire sur une île du Nil, près du Caire. Là, il étudie les textes des mystiques, dont le *Zohar* et le *Sepher Yetsirah*, et écrit le seul ouvrage qu'on connaisse de lui, le *Livre du Secret*. Vers 1569, à trente-cinq ans, se sachant sans doute malade, il déménage à Safed, en Galilée, village en altitude au climat agréable, fondé selon la tradition par l'un des trois fils de Noé, juste à côté de l'endroit où Gracia Hanassi vient de se faire enterrer.

Y vivent alors quelques rabbis dans une fébrile attente messianique, autour d'un maître vénéré, rabbi Cordovero[77], qui meurt quelques mois après l'arrivée de Luria, en 1570. Isaac devient tout de suite un maître, accueille des disciples qu'il entraîne dans de longues promenades dans les cimetières de la ville, sans plus rien écrire, obligeant ses disciples à garder le secret sur son enseignement.

Imagine-t-on ces quelques hommes perdus au fin fond de l'Empire ottoman, sans aucun espoir de voir jamais rétablie une souveraineté juive sur cette terre presque vide de juifs, si loin et si près à la fois des bouillonnements de la Renaissance à Florence, Venise et Anvers ? Les imagine-t-on, misérables, recevant quelques subsides d'Europe, consacrant l'essentiel de leur temps à réfléchir à la création de l'Univers, en s'interdisant même de mettre par écrit leurs idées pour ne pas troubler la raison des croyants ordinaires ?

La question que se pose Luria est pourtant incroyablement moderne. C'est même la plus difficile que se pose la physique d'aujourd'hui : celle du processus de création de l'Univers. Pour lui, Dieu, étant tout, n'a pu créer un univers qu'en créant d'abord du vide afin d'y ménager de la place à la fois pour un univers matériel (où vont être créées les galaxies, les étoiles, la Terre et les vies) et pour ce que nous nommons l'« au-delà » (où vont les âmes). Ainsi, pour faire de la place à Ses propres créations, Dieu a dû Se contracter : Luria nomme cela le *tsimtsoum* (« contraction »), sorte d'exil de Dieu – un retrait de Sa lumière.

Pendant que ce vide s'opère et que Sa lumière se retire, Dieu y lance l'une après l'autre les *sephirot* – concept repris par Luria au *Sepher Yetsirah* mais qu'il adapte à sa thèse : les *sephirot* ne sont pas seulement pour lui des dimensions de l'Univers, mais aussi des sortes de « vases » qui le structurent (étonnante métaphore de l'espace-courbe, que reprendra, plusieurs siècles plus tard, Albert Einstein dans la théorie de la relativité). On va voir pourquoi il utilise cette métaphore des « vases ».

Le processus de création de l'Univers s'enraye, explique Luria avec une incroyable audace théologique : la lumière de Dieu n'est pas homogène et elle ne réussit pas, en se retirant, à créer un vide parfait. Comme l'eau laisse des traces d'humidité sur le vase qu'on vide, la lumière divine laisse, en se retirant, des traces (des étincelles) sur les vases que Dieu a placés pour structurer l'univers. Ces étincelles constituent, en se regroupant, le Mal, qui empêche les autres étincelles encore libres de rejoindre la lumière divine, dont elles font partie. Le Mal naît ainsi d'une négligence de Dieu dans le processus de création de l'Univers.

Alors tout se dérègle : comme les étincelles sont devenues le Mal, les « vases » conçus par Dieu se rebellent contre Lui ; certains refusent même de participer à la création de l'Univers voulue Lui, et se brisent. C'est la première *chevirah* (« brisure » des vases), d'où découle l'absence d'harmonie de l'univers.

La création de l'Univers constitue donc un échec. Il ne pourra devenir stable qu'après un immense travail de réparation qui libérera les étincelles prisonnières du Mal et leur permettra de rejoindre la Lumière divine.

C'est donc pour L'aider à réparer Son erreur que Dieu crée l'homme et le met au travail. Pour réparer les « vases » et permettre à l'Univers de devenir homogène, l'homme doit réparer le monde (*Tiqqoun Olam*), c'est-à-dire lutter contre le Mal.

Mais l'homme ne parvient pas à libérer les étincelles et à les faire se fondre dans La lumière divine ; des étincelles emprisonnées dans son âme vont même renforcer le Mal ; c'est le meurtre d'Abel et la deuxième « brisure ».

Pour lancer une nouvelle tentative de réparer le monde, Dieu choisit alors un peuple spécifique, le peuple juif. Mais ce peuple échoue à son tour quand il fabrique le Veau d'or. C'est la troisième « brisure », qui renforce encore le Mal en lui donnant accès à de nouvelles étincelles de la Lumière divine.

Le combat continue depuis lors. Le rôle de l'homme, en particulier du peuple juif, consiste toujours à lutter contre le Mal pour libérer les étincelles encore prisonnières pour rendre à Dieu Sa plénitude. Chaque bonne action, chaque acte juste, chaque prière, chaque obéissance à un commandement libère une étincelle. À l'inverse, chaque faute de chaque homme renvoie une étincelle vers le Mal. Chacun, par ses actes les plus modestes, influe ainsi sur le sort de l'Univers. Le Messie n'est donc pas un figure qu'il faudrait attendre, mais la réunion de l'ensemble des actions des hommes au travers des générations.

Nul ne sait quand la bataille sera gagnée ou perdue : chaque action morale est peut être même celle qui libérera la dernière étincelle prisonnière.

Pour ajouter à la complexité de l'ensemble, cette histoire se joue, selon Luria, avec des êtres humains réceptacles d'âmes divisées en cinq éléments, chacun en quête d'un rôle dans la réparation de l'Univers, migrant chacun indépendamment de corps en corps, formant de nouvelles âmes, combinaisons d'éléments ayant vécu plusieurs fois par le passé en différents lieux et circonstances.

Comment ne pas être ébloui par cette construction si subtile élaborée en trois ans par un seul homme, et qui rejoint, au moins de façon symbolique, les dimensions les plus abstraites de la physique moderne ?

Quand Luria meurt à l'âge de trente-huit ans, moins de trois ans après son arrivée à Safed, son principal disciple, Hayyim Vital, entend interdire aux autres de poursuivre ses recherches. Il rassemble, pour les censurer, toutes les notes prises par les élèves de Luria, hormis celles de deux d'entre eux qui refusent de les lui livrer. Encore une fois, un disciple veut organiser, canaliser, orienter la diffusion posthume de la pensée de son maître.

Pourtant, très vite, les textes de Luria se répandent. En 1578, six ans après sa mort, la première imprimerie du Moyen-Orient est même installée à Safed et fait connaître sa pensée à travers le monde.

Les Ottomans, intrigués par les rumeurs courant sur ses pouvoirs mystiques, demandent à son disciple Hayyim Vital de faire transporter de manière miraculeuse l'eau de la rivière de Gihon jusqu'à Jérusalem. Il s'y refuse. Les Ottomans le traitent alors de charlatan. Il fuit à Damas où il aurait rêvé de Luria lui reprochant d'avoir refusé d'accomplir ce miracle, car cette eau aurait « *accéléré la réparation du monde* ». Vital n'en continuera pas moins à mettre en forme[295] et diffuser la pensée de Luria jusqu'à sa mort en 1620.

Du Yémen à Amsterdam, de la Pologne au Maroc, bien des juifs venus d'Espagne se retrouvent alors dans cette théorie qui donne sens à leur vie quotidienne, même la plus humiliée : chaque exilé devient essentiel pour la rédemption de l'humanité. L'espoir peut alors renaître. Non pas en un regroupement en Palestine, d'où pourtant a écrit Luria, mais en une action humaine au service de l'humanité entière.

Au même moment, le judaïsme commence à penser à entrer dans le monde. Luria, le Lion, le génie fugitif leur a donné une nouvelle raison de le faire : chaque homme est une étincelle de Dieu.

## Maimonide

Mon fils, alors âgé de huit ans, me demanda : « Si Dieu existe, peut-Il tout ? – Oui, pourquoi ? – Alors, peut-Il décider qu'Il n'existe pas ? » C'est pour chercher la réponse à cette question (qu'aucun théologien, d'aucune religion, n'a su me donner) que j'ai ouvert ce livre que m'avait laissé mon père, *Le Guide des Égarés*[198], dont l'auteur est devenu mon préféré parmi tous les géants de la philosophie juive. Par ses audaces autant que par ses prudences.

Par lui transite en effet la route qui va des philosophes grecs jusqu'à la Renaissance, en passant par les grands penseurs musulmans, en particulier Ibn Rushd que l'islam fera taire mais dont Maimonide assurera la pérennité.

Né vers 1138 dans la Cordoue, devenue bienveillante, des Almoravides, ce fils et petit-fils de rabbin est chassé en 1149 de celle, fondamentaliste, des

Almohades. Il fuit en Andalousie chrétienne, puis à Fès où il arrive vers 1160. Devenu rabbin et médecin, il en repart en 1165 pour la Palestine, si inhospitalière, avant de s'installer l'année suivante à Fostat, l'ancienne ville du Caire, où il devient médecin attitré du vizir de Saladin, Al-Fadil, théologien d'exception. Il est désigné en 1177 comme le chef de cette communauté juive, alors la plus importante du Moyen-Orient, travaillant sans cesse, le matin comme médecin à la cour, l'après-midi et le soir comme théologien et juge pour tout le judaïsme d'Orient. Il en est ainsi jusqu'à sa mort en 1204.

Comme médecin, c'est un observateur exceptionnel. Sa théorie des poisons reste aujourd'hui encore d'une grande acuité. Il y compare la médisance, déjà condamnée sévèrement par la Bible, à la lèpre dont il analyse les effets sociaux : « *La lèpre décrite dans la Torah est un châtiment pour la médisance, car celui qui médit se coupe de la société qui ne peut supporter les dégâts causés par son discours. Celui qui se met dans une situation où son apport à la société est négatif, porte atteinte à la vie et à sa vie propre* » (Nezakim 12, 5). C'est aussi un précurseur de la psychanalyse quand il explique la fonction thérapeutique de la conversation, l'importance de l'interprétation des rêves et celle d'un rapport lucide avec la mort. Dans le *Traité sur l'asthme,* il note en particulier : « *Lorsque Votre Altesse ressentira un grand chagrin ou une grande détresse – car ni les régimes habituels ni les médicaments ne parviendront à les guérir entièrement... –, Votre Altesse devra rester sur ses gardes et rejeter la crainte exagérée de la mort.* » « Crainte exagérée de la mort » : huit siècles plus tard, Freud en parlera en des termes quasi identiques.

C'est aussi un grand – le plus grand – théologien du Moyen Âge : pour lui, la foi doit être un acte de raison et non d'émotion. Contrairement à Yehudah Halévy et à Ibn Gabirol, il manifeste peu d'intérêt pour la poésie, même liturgique ; il souhaite même que les offices religieux ne soient pas chantés. Par ailleurs, il s'inquiète de voir des juifs cultivés s'éloigner du judaïsme ou être attirés par la Kabbale (non rationnelle), la science trop rationnelle, la pensée grecque, l'islam ou le christianisme. Il appelle « Perplexes » ceux qui, « *au-dessus des intelligences vulgaires* », s'éloignent ainsi du judaïsme. En 1187, il conçoit à leur intention le projet d'un *Guide de ceux qui sont perplexes*, titre maladroitement traduit en français par *Guide des Égarés*.

Ce livre, écrit en arabe, ne quitta jamais mon père ; il m'en parlait souvent ; j'ai fini par le lire. Trop tard pour en parler avec lui.

Les audaces de Maimonide sont considérables : pour lui, aucune superstition n'est acceptable ; tout doit s'expliquer par la logique. La foi et la raison sont nécessairement compatibles, toutes deux étant des créations divines. Dieu existe hors du temps et c'est ce qui Le distingue de l'Univers. Lorsque la Genèse évoque la création de l'homme « à l'image » de Dieu, elle ne parle, dit Maimonide, que de la communication possible de l'homme avec l'esprit de Dieu, et pas d'une forme physique ; si la Bible parle du « doigt », du « souffle », de la « colère » de Dieu, ce n'est que pour être plus accessible au peuple ; le « dos » de Dieu signifie la nécessité d'obéir à ses commandements ; « ses yeux » désignent la Providence divine ; Il n'a ni « bonté », ni « jalousie », ni « orgueil », ni « justice ». Dieu est l'intellect parfait, immuable. « L'intellect-agent » (expression philosophique qu'il emprunte aux Grecs pour désigner le gouvernement de l'Univers) n'est pas Dieu mais une « lumière venue de Dieu ». On ne peut poser la question du pouvoir de Dieu, car la toute-puissance engendre l'impuissance. Dieu n'est pas libre de ne pas vouloir exister (parce qu'étant hors du temps, Il ne peut détruire ce qui n'est pas créé) ; mais Il est libre de ne pas vouloir maintenir l'Univers, qui n'est que le *« souvenir de Dieu »*, qu'Il porte dans son esprit et qu'Il aura éternellement à penser pour faire en sorte qu'il continue d'exister. Comme Dieu ne peut pas vouloir changer Ses propres lois, les miracles n'existent pas.

Pour lui, l'homme n'est qu'une anecdote dans l'histoire de l'Univers ; il n'en est pas la raison d'être et Dieu ne juge pas chaque âme individuellement. L'esprit, immortel comme la raison, est le Bien. L'Histoire n'obéit pas à des lois morales ; elle vise à la fusion de l'homme en Dieu par le savoir.

Le rôle du peuple juif est de mettre ce savoir à la disposition des autres hommes. Pour lui, la Bible n'est pas un message codé, comme le dit la Kabbale, mais un ensemble de paroles, claires et rationnelles. La prière ne doit pas être une demande de pardon ni de récompense, ni même l'expression d'une foi, mais une occasion de méditer. Les Psaumes ne sont pas des invocations contre le mal, ni des moyens de le guérir. Le Messie – qui ne sera ni Dieu, ni fils de Dieu – sera un homme de paix qui imposera aux hommes de faire la paix entre eux mais ne changera pas les lois de la vie.

Les audaces de Maimonide ont aussi leurs limites : il n'ose pas aller jusqu'à penser que Dieu puisse remettre en cause la raison, ou qu'Il pourrait décider qu'Il n'a pas existé. Il n'ose pas non plus réfuter ouvertement l'immortalité, la résurrection individuelle, ni croire ouvertement – comme l'osent Aristote et Ibn Rushd – à l'éternité de l'Univers. Il se permet seulement de dire que si la science démontrait cette éternité (ce qu'elle n'a pas fait depuis lors), on pourrait de même montrer que la Bible établit que l'Univers existe aussi de toute éternité. En effet, explique-t-il, puisque la Genèse parle d'un « début », c'est que, selon la Bible, le temps pourrait avoir existé *avant* même ce début, donc avant toute création ; mais, ajoute-t-il, le temps faisant partie de l'Univers, si le temps est incréé, l'Univers l'aura été lui aussi – et cela, il n'ose le soutenir, pourrait donc être incréé, tout comme le serait le temps.

Enfin Maimonide résume en treize propositions les préceptes auxquels tout juif doit croire – tout en ne croyant vraiment lui-même, d'après le reste de son livre, qu'aux dix premières : 1. Il existe un Créateur ; 2. Il est unique ; 3. Il est immatériel ; 4. Il est éternel ;

5. Lui, et lui seul, a droit à un culte ; 6. La parole des prophètes est rare ; 7. Moïse est le plus grand des prophètes ; 8. La loi a été révélée à Moïse sur le Sinaï ; 9. La Loi révélée est immuable ; 10. Dieu est omniscient ; 11. Dieu peut récompenser les hommes en ce monde ou dans l'autre ; 12. Un Messie viendra ; 13. Les morts ressusciteront.

Le christianisme pourrait reprendre exactement les mêmes articles de foi en remplaçant : « Un Messie viendra » par : « Le Messie reviendra ».

Après sa mort en 1024 au Caire, ses enfants inaugurent une dynastie de rabbins et de dirigeants communautaires qui domine le judaïsme d'Orient pendant trois siècles jusqu'à l'invasion de l'Égypte par les Ottomans en 1517.

En Europe, il est tout de suite traduit en hébreu, admiré, mais aussi contesté par ceux qui s'intéressent à la Kabbale et qui s'indignent de son refus d'une interprétation mystique des textes. Certains rabbins de France et d'Allemagne le déclarent même hérétique. En 1232, certaines communautés juives du sud de la France, dont celle de Montpellier, vont jusqu'à demander l'aide de moines dominicains pour brûler ses livres en place publique.

Malgré ces réticences, les idées exprimées en arabe de ce rabbin espagnol réfugié en Égypte contribue à l'émergence, dans l'Occident chrétien, des premiers rudiments d'une éthique de l'individualisme rationnel, inspirés des philosophes grecs, qu'il a lui-même découverts en lisant des penseurs musulmans, et d'abord Ibn Rushd.

Extraordinaire chaîne de transmission de la pensée. Ainsi, par exemple, sa conception de l'abstraction de Dieu est reprise un siècle plus tard par le mystique chrétien Maître Eckart, puis par Albert le

Grand, Thomas d'Aquin, Nicolas de Cues, Leibniz et Descartes. Au XVII<sup>e</sup> siècle, Baruch Spinoza, tout en prétendant s'en éloigner, partira de sa conception de la liberté et de la responsabilité pour en nourrir ce qui deviendra la philosophie des droits de l'homme.

## Marrane

Évidemment, il me fascine, celui qui doit vivre ainsi en contrebande, cacher ce qu'il est et ce à quoi il croit, sous peine de mort. On le retrouve sous bien des régimes politiques quand y disparaît la liberté de croyance, d'expression ou de pensée. À l'origine, ce mot de mépris (un *marrano* est un porc en espagnol) désigne celui qui, dans l'Espagne catholique du XV<sup>e</sup> siècle, vit clandestinement en juif, bien qu'officiellement *converso*, c'est-à-dire converti au catholicisme. Sans doute la pratique exista-t-elle avant et ailleurs ; pour ne parler que du peuple hébreu, elle exista sûrement déjà dans toutes les communautés contraintes parfois à la conversion, en Islam ou en Chrétienté.

Plus généralement, le marrane est celui pour qui la seule résistance possible à l'idéologie totalitaire dans laquelle il vit passe par la dissimulation de ses croyances, parce qu'il ne peut espérer renverser l'ordre environnant. Élevé dans un climat de crainte et comme en contrebande, écartelé entre deux vérités, l'officielle et la cachée, toujours aux aguets, cherchant le neuf dans les interstices laissés par les certitudes des siens et des autres, le marrane finit par refuser les définitions univoques du vrai, du juste, du beau, du normal. Il relativise sa propre identité ; il se met à croire en des choses contradictoires, à douter, et il invente ainsi, entre autres, l'esprit scientifique.

Tout créateur (en art comme en science, en littérature comme en philosophie, en peinture comme en musique) est, aujourd'hui encore, nécessairement un marrane en ce qu'il refuse de se soumettre à la dictature des vérités et des modes du moment. Et je crois me reconnaître dans cette situation particulière, refusant toute orthodoxie, politique, culturelle, religieuse ou philosophique, indulgent aux arguments de mes pires adversaires, amoureux des paradoxes et des pensées latérales, cherchant dans le dépassement la réponse à toute contradiction.

Le mot « marrane » apparaît dans l'Espagne catholique à la fin du XIVe siècle, après la première vague massive de conversions forcées. C'est alors qu'apparaît la volonté d'extirper le judaïsme du cœur de ceux qui avaient dû se convertir sous la terreur : un converti pris en train de pratiquer le judaïsme en secret, ou un juif soupçonné de tenter de reconvertir un converti, risquent la mort après tortures et procès.

En 1391, dans les royaumes catholiques de la péninsule Ibérique, une vague d'émeutes antisémites fait 50 000 morts, soit le sixième des communautés de la péninsule ; 50 000 survivants fuient, pour l'essentiel vers les terres d'islam, à Grenade et dans l'Empire ottoman ; 100 000 se convertissent au catholicisme, tout en demeurant, pour l'essentiel, juifs en secret ; 100 000 autres restent aussi en Espagne, toujours ouvertement juifs, malgré les risques.

À compter de ce moment, empêcher les juifs de « contaminer » les *conversos* et empêcher les *conversos* de judaïser en secret (d'être « marranes ») devient l'obsession des dirigeants des royaumes catholiques, plus encore que celle de l'Église. Ils guettent les contacts des *conversos* avec les juifs, espionnent leurs habitudes, à l'affût du moindre indice : une manière insolite de tuer la volaille, d'allumer des bougies, d'éteindre les cheminées le vendredi, de se conduire à table, d'habiller les morts, de célébrer les enterrements. Pour éviter d'être ainsi surveillés, nombre de *conversos* vivent et se marient entre eux, ce qui redouble les soupçons de l'Église à leur endroit.

Aussi, en 1446, le roi de Castille entend interdire aux *conversos* l'accès à toute charge publique, mais, élu un an plus tard, le pape Nicolas lui fait savoir qu'un « nouveau chrétien » est un chrétien comme les autres, sauf si l'on prouve qu'il judaïse en secret. En 1478, les souverains de Castille et d'Aragon nomment des inquisiteurs afin de vérifier la sincérité des *conversos* et de surveiller les juifs qui pourraient les inciter à se reconvertir. En mars 1492, après bien des péripéties, le dominicain Tomas de Torquemada, confesseur de la reine, inquisiteur général, appuie les Rois-Catholiques quand ils décident l'expulsion de leur pays de tous les juifs refusant de se convertir. La quasi-totalité des 300 000 juifs présents dans les royaumes catholiques les quittent en août 1492. Beaucoup vont au Portugal ; mais, dans ce pays, en janvier 1496, on ne leur laisse plus le choix qu'entre la conversion et la mort. Ils sont piégés. Beaucoup de ceux qui doivent alors se convertir, que ce soit en Espagne ou au Portugal, restent juifs en secret, marranes, espérant que la liberté de culte leur sera bientôt rendue comme il est parfois arrivé par le passé. Ou qu'ils pourront fuir.

Nombre de ces *conversos* sont alors torturés pour leur faire avouer qu'ils judaïsent en secret. Les

« relaps » sont parfois expulsés, mais le plus souvent condamnés à être brûlés vifs en public. Ceux des marranes qui se repentent (tout en inventant ruses et codes pour signaler qu'ils persistent dans leur foi) bénéficient du privilège d'être tués avant d'être livrés aux flammes.

Un peu plus tard, l'ordre des chevaliers d'Alcantara, dont le grand maître est le roi Ferdinand d'Aragon lui-même, affirme que tout juif, même converti, est néces-sairement resté juif en secret, et doit quitter la Castille et l'Aragon. C'est là que commence la recherche d'une définition génétique du judaïsme : l'ordre demande d'instaurer ce qu'il appelle la « pureté de sang ». Tout individu ayant un ancêtre juif est consi-dérée comme tel. Décision évidemment inapplicable et qui aurait notamment exclu de la Chrétienté, entre autres, Miguel de Cervantès et Thérèse d'Avila.

Peu à peu, parfois après plusieurs générations de vie juive en contrebande, les marranes réussissent à fuir l'Espagne et le Portugal. Beaucoup se rendent dans l'Empire ottoman où ils sont bienvenus. Certains ten-tent leur chance dans les Amériques espagnole et por-tugaise, espérant y être plus libres de judaïser en secret ; mais, à partir de 1580, après l'union du Portu-gal et de l'Espagne, l'Inquisition y soupçonne tout le monde (en particulier les armateurs portugais navi-guant sur le Rio de la Plata) de judaïser en secret. Ils sont torturés et brûlés. D'autres, partis dans les Indes portugaises, à Goa, subissent le même sort.

Beaucoup de marranes quittent alors le monde ibé-rique pour l'Europe du Nord où le judaïsme est encore interdit, mais sans surveillance particulière. Parmi eux, le marchand Antonio de Lupes passe par Toulouse avant de s'installer à Bordeaux ; son petit-fils, Michel de Montaigne, en devient maire en 1581 et incarne, par ses *Essais*[115], la philosophie de tous les marranes. Pessimiste : « *Tout recule autour de nous, en tous les grands États que nous connaissons, soit de la Chrétienté, soit d'ailleurs. Regardez-y : vous y trouverez une évidente menace de changement et de ruine*[115]. » Universel : « *J'estime tous les hommes compatriotes*[115]... » L'écriture est sa seule richesse : « *J'ai pris une route par laquelle j'irai sans cesse et sans trêve, autant qu'il y aura plume et papier au monde*[115]. » Nomade par le voyage et en tout cas par l'esprit : « *Le voyage me semble un exercice profitable* [...]. *Je me promène pour me promener*[115]. » Conscient de la précarité de sa condition : « *Mon destin est divisible partout : il n'est pas fondé en grandes espérances, chaque journée en fait le bout*[115]. »

Un autre de ces marranes, Abraham Cohen de Herrera, donne une idée de la complexité de leurs pérégrinations : né vers 1570 à Lisbonne dans une famille judaïsant en secret depuis soixante-quinze ans, il commerce avec le sultan du Maroc, Moulay Ahmed el-Mansur. Kabbaliste en même temps que commerçant, il est dénoncé comme juif en 1599, à Cadix, lors d'une transaction commerciale avec des Marocains. Il risque le bûcher ; sa famille obtient de la communauté juive marocaine, qui commerce avec l'Angleterre, qu'elle intervienne auprès d'Elizabeth Ire, laquelle l'arrache en 1600 aux griffes de l'Inquisition espagnole, sans l'autoriser pour autant à s'établir outre-Manche où les juifs sont encore interdits. Abraham s'installe alors à Amsterdam, puis à Vienne dans la minuscule communauté de la ville, où il meurt vers 1639.

Si bien des marranes réussissent leur retour au judaïsme, d'autres s'y fracassent : ainsi, vers 1660, à

Amsterdam, où le judaïsme vient d'être autorisé, Uriel da Costa, fils d'un marrane venu d'Espagne dans les Provinces-Unies au début du XVIIe siècle, renâcle à se plier à l'orthodoxie de la nouvelle communauté : « *Quel est le diable qui m'a poussé vers les juifs*[78] *?* », écrit-il à la fin de sa pathétique autobiographie. Exclu par les rabbins, il finit par se suicider. Son intuition, proprement marrane, d'une métaphysique sans attache à une religion spécifique, ouvre la voie à Baruch Spinoza, autre descendant de marranes, et lui permet de concevoir un Dieu abstrait, face à un homme devenu libre.

Il ouvre ainsi la voie à tous ceux qui, parmi les juifs, cherchent ensuite – même s'ils ne sont pas eux-mêmes l'objet des mêmes persécutions et ne sont pas obligés à vivre cachés – à sortir par le haut des contradictions entre leur monde et celui des autres, entre la foi et la raison, ouvrant à la pensée des Lumières, et, au-delà, à toutes les formes de l'universel. Parmi eux, au plus haut, Marx, Freud et Einstein, eux aussi marranes à leur façon, penseurs entre les lignes, découvreurs de nouveaux paradigmes, concepteurs de nouveaux mondes, échappant aux pensées dominantes en se servant, fût-ce sans le savoir, de modes de réflexion hérités de millénaires talmudiques...

# Messie

Tous les hommes, conscients de leur finitude, incapables de s'y résoudre, comme des naufragés sur une île déserte attendent le navire qui viendra les secourir, scrutent l'horizon de leur condition. J'aime que, pour le judaïsme, cet ami (qu'il nomme *Mashia'h*) ne soit pas nécessairement un être humain, mais plutôt un événement ou, mieux encore, le résultat de l'action de tous les hommes.

Le mot *Mashia'h* dérive d'une racine très intéressante : *a priori* il signifie « onction d'un homme par de l'huile d'olive », ce qui renvoie à l'intronisation des prêtres (« *Tu prendras l'huile d'onction, tu en répandras sur sa tête, et tu l'oindras* », Ex 29), coutume fort répandue au Proche-Orient.

En fait, il y a beaucoup plus dans ce lien avec l'olive. D'une part, le mot Messie renvoie aussi, métaphoriquement, à celui qui surnage au-dessus de la Torah, comme l'huile surnage au-dessus de l'eau ; d'autre part, l'huile est aussi ce qui permet de rendre un parchemin transparent, ce qui est aussi le rôle du Messie. Enfin, l'huile est la composante la plus précieuse de l'olive. Étrangement, les chrétiens reprendront le même type de métaphore en disant que les Évangiles sont à la Torah ce que la farine est au blé.

Du Messie, le Pentateuque ne parle jamais ; les Prophètes en parlent un peu, de manière énigmatique. Aussi, comme toujours quand il s'agit de questions importantes à peine traitées dans la Torah, les rabbins, au long des siècles, donnent aux questions qui le concernent des réponses contradictoires.

*Qui sera-t-il* ? Pour certains rabbis, ce sera un juif, homme ou femme ; pour d'autres, un inconnu entrant à Jérusalem assis sur un âne (Za 9, 7) ou un général à la tête de ses armées, un martyr souffrant au nom de tous. Il pourrait être un enfant qui grandira pour faire régner la paix (Is 9, 5), un juge descendant de David (Is 11, 1-4), le directeur de l'Académie céleste où étudient les Justes (*Zohar Béréchit* 1, 4b). Pour d'autres, ce ne sera pas une personne, mais un événement, ou une guerre, ou encore une catastrophe, un mouvement vers le progrès et la justice universelle, le sionisme, l'antisionisme, la réunion de tous les hommes... Voire l'apparition d'une étoile nouvelle, car, selon Balaam (envoyé par le roi de Moab pour maudire les juifs, mais qui se ravisa), « *un astre issu de Jacob deviendra chef, un sceptre se lèvera, issu d'Israël* » (Nb 24, 1-25), seule métaphore pouvant être interprétée comme évoquant le Messie dans le Pentateuque.

*Quand viendra-t-il* ? Selon une tradition, un Messie potentiel se lève à chaque génération, mais il ne peut se dévoiler que si Dieu estime que la génération en question en est digne. Il viendra quand le monde sera bon, disent certains rabbis. « *Le Messie ne viendra que lorsque l'orgueil disparaîtra du monde* », précise Nahman de Bratslav. En particulier, pour certains rabbis d'aujourd'hui, il viendra quand la paix sera instaurée au Moyen-Orient. Pour d'autres, au contraire, il viendra quand le monde sera désespérément mauvais, ou quand une guerre terrible s'y déroulera et qu'Israël sera détruit.

*Comment agira-t-il* ? Pour certains, par la violence ; pour d'autres, en faisant prendre conscience de la nécessité de l'Amour. « *Il sera un arbitre entre les nations et le précepteur de peuples nombreux...* » (Is 2, 4). Pour certains, il sera précédé d'une sorte de période de transition ou de désintoxication, de mille ans environ, pendant laquelle le temps s'écoulera plus lentement et où l'homme apprendra à oublier la violence et le désir ; la nature de l'Univers subira alors un changement fondamental que les rabbins nomment « *les douleurs de l'enfantement du Messie* ». Pour d'autres, il sera précédé d'une sorte de pré-Messie descendant de Joseph (et non de David, comme le vrai Messie), lequel combattra les forces du Mal, mais échouera. Le Mashia'h ben Youssef, de la tribu d'Éphraïm, rassemblera le peuple ; et le Mashia'h ben David sera, lui, le Messie spirituel. Tous deux descendront de Bethsabée.

*Que voudra-t-il accomplir* ? Pour certains prophètes, il ne s'intéressera qu'à Israël pour assurer sa victoire, rassembler les juifs sur leur terre, leur permettre d'y vivre leur religion et de reconstruire leur Temple. *« Car Ma Maison sera appelée une maison de prières pour toutes les nations »* (Is 56, 3-7). *« Les cités en ruine d'Israël seront restaurées »* (Éz 16, 55). *« Et aux jours de ces rois-là, le Dieu du ciel établira un royaume qui ne sera jamais supprimé. Et le royaume ne passera à aucun autre peuple. Il broiera tous ces royaumes et y mettra fin, et lui-même subsistera pour des temps indéfinis »* (Dn 2, 44). *« Le Temple sera reconstruit »* (Éz 40). Pour la plupart des autres prophètes, il aura une mission universelle : permettre à tous les hommes de comprendre la raison d'être des commandements, qui est d'en finir avec la rareté, sous l'autorité d'une autorité mondiale ; convertir tous les humains au judaïsme : *« En ces jours-là, dix hommes de toute langue, de toute nation, saisiront le pan de l'habit d'un seul individu juif en disant : Nous voulons aller avec vous, car nous avons entendu dire que Dieu est avec vous ! »* (Za 8, 23). On trouve aussi chez Isaïe de nombreuses descriptions de son action : *« Sur lui reposera l'esprit du Seigneur : esprit de sagesse et d'intelligence, esprit de conseil et de force, esprit de science et de crainte de Dieu »* (Is 11, 2). *« Il jugera les faibles avec justice, il rendra des arrêts équitables en faveur des humbles du pays ; du souffle de ses lèvres il fera mourir le méchant »* (Is 11, 4). « *Les juges et les conseillers seront rétablis* » (Is 1, 26). « *Il sera un messager de paix* » (Is 52, 7). « *Les armes de guerre seront détruites* » (Éz 39, 9). Ou encore, il en finira avec la violence sur la Terre (comme le dit Isaïe, 11, dans un passage déjà cité), ou il transportera les hommes dans l'au-delà, en une éternité aux formes multiples.

Maimonide s'oppose à cette vision miraculeuse du Messie : « *N'imagine pas que le Melekh HaMashia'h doive produire des miracles et des signes, et produire de nouvelles choses dans le monde, ou ressusciter les morts, et ainsi de suite... »* Il ne fera, dit-il, qu'inciter les hommes à renoncer à la violence.

*Que peut-on faire pour accélérer sa venue ?* Être moral, disent certains ; ou, au contraire, laisser s'installer le pire. Pour certains, la création de l'État d'Israël accélère sa venue ; pour d'autres, elle la retarde ; pour d'autres encore, il faut surtout ne pas s'occuper de cette venue. Selon rabbi Yohanan ben Zakkaï, qui réussit, au Ier siècle, à obtenir de Vespasien de continuer à enseigner le judaïsme à Jérusalem même après la destruction du Second Temple : « *Si tu as une plante dans les mains et que les gens te disent : "Vois ! Le Messie vient vers toi !", va tranquillement mettre ta plante en terre, et ensuite seulement sors de chez toi pour le recevoir* » (Avot de rabbi Nathan, B 31). Comme toujours : transgresser puis se repentir.

*Quand viendra-t-il ?* Tant attendue, définie de façon si confuse, l'arrivée du Messie a été bien souvent annoncée ; un des jeux le plus fréquemment pratiqués par les rabbis est même, de tout temps, de calculer la date de sa venue à partir de la valeur numérique de certains textes annonciateurs. Isaac Abravanel, ancien ministre des Finances des Rois-Catholiques, chassé en 1492, parle de 1503 de notre ère. D'autres avancent bien d'autres dates (dont 2008, à partir d'un texte d'Isaïe, et 2009 d'après d'autres calculs).

Pour certains, il ne viendra plus, car le peuple juif a laissé passer sa chance d'accueillir le Messie. Rabbi Hillel dit : « *Il n'y a plus de Messie pour Israël. Israël y goûta à l'époque du roi Ézéchias* » (chapitre XI du *Traité sanhédrin*), et ce n'est plus que de Dieu lui-même qu'on peut attendre la rédemption.

Plusieurs juifs se sont présentés comme des Messies ou ont été présentés comme tels de leur vivant ; à la différence de Jésus qui ne le fut qu'après sa mort et sa résurrection, et qui, pour les chrétiens, doit revenir. Vers 135, à Jérusalem, rabbi Akiba présente un certain Simon ben Kozeba, qu'il proclame « roi des Juifs » sous le nom de Simon Bar Kochba (« Fils de l'étoile ») pour rappeler la prophétie annonçant l'arrivée du Messie comme une étoile, laissant entendre par là que ce Simon pourrait être ce Messie.

Beaucoup plus tard, au milieu du XVIIe siècle, le plus célèbre d'entre ces prétendus messies, Sabbataï Tsvi, apparaît à Smyrne, dans l'Empire ottoman. Annoncé par un jeune et talentueux rabbin, Nathan de Gaza, Sabbataï Tsvi soulève d'abord un immense espoir dans le monde entier[267]. Certaines communautés polonaises, lituaniennes, hollandaises vendent même leurs biens pour le rejoindre, avant que Sabbataï Tsvi ne se convertisse à l'islam pour échapper à la mort et finir sa vie en Albanie sans être inquiété et sans être revenu au judaïsme.

Très ébranlé par cette fin ridicule, le judaïsme mondial entre alors en crise. Bien des ennemis des juifs, comme Voltaire, en font un argument de leur antijudaïsme. Quelques juifs abjurent ; d'autres se suicident, comme Uriel Da Costa[78]. Bien d'autres se réfugient dans une foi volontairement ignorante, avec le hassidisme. D'autres enfin commencent à réfléchir à l'avenir de l'humanité sans passer par l'espoir d'un sauveur : Baruch Spinoza parle ainsi de la liberté, reprenant à sa façon une exigence majeure du judaïsme, le *herut*, l'autonomie.

Karl Marx, loyal à ses ancêtres sans le savoir ou du moins sans le reconnaître, reprenant cette réflexion là où ils l'ont laissée, désigne la classe ouvrière comme le Messie et parle, lui aussi, comme beaucoup d'autres après lui, de « période de transition », de monde parfait, de gouvernement mondial, de gratuité générale, de renoncement au désir, de désaliénation, reprenant ce qui était et reste aujourd'hui la plus belle posture humaine, la seule capable de rendre compatible l'utopie avec l'action politique : peut-être viendra-t-Il, mais je ne dois pas y compter, et agir plutôt comme si j'étais Lui…

## Mikhal

J'aime cette femme, première épouse du roi David, qui ne fait que passer brièvement dans la Bible et à laquelle on n'attache, selon moi, pas suffisamment d'importance. C'est l'un des personnages les plus romantiques de la Bible. L'un des plus tragiques, aussi.

Mikhal (« qui est comme Dieu »), fille de Saül, princesse amoureuse d'un berger, renvoie aussi, à mon avis, au mythe fondateur de la mythologie grecque : Mikhal, fille de roi, tout comme Ariane ; David, futur roi et descendant d'un roi (celui de Moab, par Ruth), tout comme Thésée.

M'a tout de suite frappé le parallèle entre ces deux histoires, voisines dans le temps et l'espace, reprenant l'une et l'autre les grands invariants de l'histoire humaine : une jeune fille amoureuse trahit son père pour sauver son amant qui la trahit à son tour. Ariane trahit Minos avant d'être trahie par Thésée. Mikhal trahit Saül avant d'être trahie par David. Mikhal est supplantée par son frère, Jonathan. Ariane est supplantée par sa sœur, Phèdre...

Mikhal, princesse, aime David, berger venu de nulle part, qui sait, par sa musique, soigner les migraines de son père. Saül l'offre en épouse à David après lui avoir proposé sa fille aînée, Merob. Elle l'aime. Il lui préfère son frère. Saül prononce leur mariage, puis se fâche contre David et envoie ses soldats pour le tuer. Mikhal se dresse contre son père, fait évader David, par ruse (comme le fait Ariane avec Thésée : dans les deux cas, d'un palais-labyrinthe). Son père, furieux, la marie avec un allié de sa famille, Palti Ben Laich (comme Ariane épouse Dionysos), sans qu'elle proteste ; comme si quelque chose en elle était cassé. David en aime d'autres, et ne fait rien pour venir la chercher, tout comme Thésée.

Puis, quand son père et ses frères sont tués et quand David devient roi, Mikhal revient chez David, comme morte : David a déjà choisi comme successeur le fils d'une autre alors qu'elle-même n'a pas d'enfant.

Dans sa dignité blessée, dans son amour déçu, Mikhal voit enfin ce qu'elle refusait de voir : la vulgarité de David quand il joue de la cithare et danse en public en accompagnant l'Arche qu'il ramène lui-même à Jérusalem. Étrange parallèle : en quittant la Crète, Thésée s'arrête à Délos où il invente la danse avant d'abandonner Ariane à Naxos.

Le texte qui décrit son attitude est d'une force littéraire qui devrait laisser stupéfait tout romancier moderne :

*« Quand l'Arche de Dieu arriva dans la ville de David, Mikhal, la fille de Saül, observe par la fenêtre. Elle voit le roi David voltiger et pirouetter en face de Dieu. Elle le méprise en son cœur [...]. »* Quand David se retourne pour bénir son palais, Mikhal, la fille de Saül, sort, s'approche de lui, et dit : *« Qu'il est glorieux aujourd'hui, pour le roi d'Israël, de s'être découvert aux yeux des servantes, de ses serviteurs, comme se découvre un de ces vidés ! »* David répond : *« Oui, j'ai joué en face de Dieu qui m'a choisi plutôt que ton père et que toute ta maison, pour m'ordonner de guider Israël, Son peuple. Dans l'avenir, je m'avilirai plus que cela encore, je me rabaisserai à mes propres yeux ; et avec les servantes que tu dis, oui, avec elles, j'atteindrai la gloire »* (2 S 6). À la phrase immédiatement suivante, le verdict est brutal, impitoyable : *« Mikhal, la fille de Saül, n'eut pas d'enfant jusqu'au jour de sa mort. »*

Ce que Mikhal considère comme de la vulgarité peut se lire aussi comme une capacité à exprimer de l'émotion, à se mêler au peuple, à l'incarner, et, dit David lui-même, comme la preuve qu'il a été choisi par Dieu en lieu et place du père et du frère de Mikhal.

Leçon ? La victoire est parfois vulgaire.

# Moïse

On ne peut pas être amoureux de Moïse : sa figure est trop impressionnante. Et son destin est comme la synthèse au plus haut point de celui de tous les autres grands personnages qui l'ont précédé. Comme Caïn, il est marqué du signe de Dieu. Comme Abraham, il reçoit de Dieu une mission et l'ordre d'aller en Canaan. Comme Noé, il est sauvé des eaux. Comme Joseph, il devient prince égyptien. Comme aucun autre, il parle face à face avec Dieu.

Pour moi, Moïse nous dispense surtout une formidable leçon sur la violence : il faut d'abord l'encourager, parce qu'elle est la condition de la conquête de la liberté ; il faut ensuite la combattre, pour éviter que les hommes libres ne s'entre-détruisent. Autrement dit, Moïse incarne le couple de valeurs définissant le judaïsme : transgression/repentir.

Chacun connaît l'histoire[98] : Moïse, enfant hébreu sauvé des eaux par une princesse égyptienne, devenu lui-même prince égyptien, recouvre son identité juive, rejoint son peuple devenu esclave, propose à Pharaon de le racheter, ce que l'autre refuse tout en aggravant leurs conditions de travail. Il est le seul à entendre Dieu derrière un buisson en feu, phénomène banal en plein désert. Il devient alors Son messager. Choix étonnant, car il est bègue. Bègue parce qu'impatient et que les mots se bousculent dans sa bouche. (Heureusement, disent les rabbins en souriant ; sinon, les Hébreux auraient débattu à l'infini avec lui de ce qu'il fallait faire, et ils n'auraient jamais quitté l'Égypte…)

Seul de tous les prophètes, Moïse parle à Dieu en face, Le met au défi, obtient de Lui des miracles. Il se rebelle même contre Lui, refusant de circoncire son deuxième fils et disant au Buisson ardent : « Laisse-moi tranquille ! » Il s'étonne de sa propre puissance, en imposant, contre son gré, dix malheurs à l'Égypte, espérant que chacun sera le dernier et convaincra Pharaon de les laisser partir. Ces dix « plaies » sont à la fois dix symboles de l'esclavage et dix sanctions parfaitement hiérarchisées pour faire de plus en plus mal au geôlier, en s'attaquant successivement à toutes les sources de sa richesse : l'eau, l'agriculture, l'air, les poissons, le blé, les troupeaux, le climat et, pour finir, la plus grande des richesses : les hommes (par les ulcères et la mort des premiers-nés).

Quand Pharaon cède enfin, des myriades de femmes, d'hommes et d'enfants – six cent mille, le cinquième de la communauté hébraïque d'Égypte – partent avec toutes sortes de biens, des esclaves (car certains affranchis possèdent aussi leurs esclaves), des Égyptiens convertis (comme c'est fréquemment le cas à l'époque), et même des Égyptiens non convertis, vers le nord-est, en direction de Canaan, à travers le désert du Sinaï. Ceux qui restent en Égypte disparaissent dans le monde africain. On en retrouvera des traces plus tard, en particulier, dira-t-on, chez les Falashas.

Selon la tradition biblique, c'est entre – 1280 et – 1212, sous Ramsès II, qu'a lieu ce départ. Les inscriptions égyptiennes de l'époque mentionnent d'ailleurs l'expulsion d'un peuple malade, ou d'un « peuple au roi lépreux », et d'un soulèvement d'esclaves étrangers. En – 1207, on trouve aussi, dans une inscription égyptienne, une référence aux « Apirus » sur une stèle consacrée au pharaon Mineptah, fils et successeur de Ramsès II qui les a poursuivis au-delà de la mer Rouge.

Rien n'établit la réalité historique de ce qui se passe ensuite : le franchissement de la mer Rouge, l'engloutissement de l'armée de Pharaon, les miracles du Sinaï, le Veau d'or, les Tables de la Loi.

Pour survivre le temps d'une marche qu'on escompte brève, Moïse devient un chef nomade, imaginant une organisation très rigoureuse, d'une extrême modernité. Il exige d'abord de chacun, riche ou pauvre, de décliner son identité, de verser un demi-shekel d'argent à la communauté et de fabriquer des objets solides et légers. De tout cela le peuple ne veut pas entendre parler : pourquoi se doter de règles aussi strictes pour un voyage aussi bref ? Dans quelques jours, on arrivera en Canaan, on posera les sacs, on fera fête dans la patrie retrouvée ! On n'est pas sorti d'un esclavage, clament les fugitifs, pour retomber dans un autre ! Aussi, dès que Moïse s'éloigne du campement pour aller recevoir, sur le mont Sinaï, la Loi promise par Dieu, certains Hébreux entreprennent-ils de fabriquer une idole avec leurs richesses. Étrange volonté d'adorer les dieux des anciens maîtres en oubliant le Dieu qui vient d'accomplir pour eux tant de miracles, et sans qui ils seraient encore en train de mouler des briques en enfer. Étrange désir d'engloutir l'essentiel du trésor enlevé d'Égypte dans la fabrication d'un somptueux Veau d'or : l'argent devient concurrent de Dieu.

Au bout de quarante jours, Moïse, revenant de sa retraite avec le Décalogue, rendu fou de rage par ce qu'il découvre, brise les Tables de la Loi et « brûle », dit le texte, le Veau d'or – ce qui indiquerait qu'il ne serait qu'en bois plaqué d'or ; ou encore, précisent d'autres commentateurs, qu'il le fait fondre, avant de faire couler le métal fondu dans la bouche de trois mille coupables, faisant ainsi disparaître tout ensemble les richesses d'Égypte et l'élite du peuple hébreu, celle-ci pour avoir convoité celles-là. Moïse, prince égyptien, impitoyable comme ses pairs, impose alors le Décalogue, qu'il reçoit une seconde fois, au peuple maté. Dieu le remercie même d'avoir brisé les premières Tables : les nouvelles sont, on l'a vu, légèrement différentes, plus « douces », plus « participatives ». Transgression et repentir.

Moïse comprend que ses compagnons de voyage, ayant connu l'humiliation de l'esclavage et la tentation du Veau d'or, ne seront pas capables d'obéir à cette Loi : ils ont été trop longtemps soumis à un maître pour accepter le libre arbitre, pivot de la Loi. Il comprend aussi que Dieu voudra changer le peuple, le remplacer par une génération sans mémoire, qui n'aura pas connu l'Égypte.

Alors tombe le verdict : tous ceux qui ont connu la servitude devront mourir dans le désert ; aucun ancien esclave ne verra la terre de la liberté. Il faudra, pour y parvenir, voyager quarante ans, ce qui donne une idée de l'espérance de vie à cette époque.

S'organise alors une hallucinante errance, le temps nécessaire pour forger un peuple de rechange. Les Hébreux, militairement aguerris par le désert, marchent désormais avec à leur tête Moïse et une Arche qu'ils ont construite pour abriter les Tables de leur Loi. Ils vont réclamer une terre attribuée par leur Dieu à l'un de leurs ancêtres, Abraham, cinq siècles auparavant. La vie dans le désert n'est pas difficile : ils ont à manger grâce à la manne ; à boire grâce aux puits de Myriam, sœur de Moïse. Une nuée de fumée les protège du soleil le jour, leur indiquant le chemin à suivre, et, la nuit, elle éclaire leur camp et les protège des bêtes du désert en se transformant en colonne de feu.

Les années passent. Moïse exhorte chacun à se montrer aimable avec les étrangers croisés dans les caravanes ou rencontrés dans les oasis. Il impose le repos hebdomadaire et ordonne au bout de six ans de libérer les esclaves hébreux. Il formule une règle de proportionnalité entre faute et punition. Il impose une amende en or ou en argent pour réparer tout dommage, même corporel, en lieu et place de la loi du talion (qui n'est pas juive, mais égyptienne et babylonienne, contrairement à ce que prétend la caricature antisémite). Enfin, il charge une des tribus, celle des Lévi, de faire appliquer ces règles.

Moïse devient alors encombrant pour les rabbins qui, bien plus tard, raconteront cette histoire : est-il vraiment responsable de tant de choses ? Son rôle est-il même plus important que celui de Dieu dans le retour du peuple en Canaan ? Non, disent les textes, en particulier la *Haggadah*, ce livre qu'on lit à Pessah et qui conte cet épisode sans presque jamais mentionner le nom de Moïse.

Moïse est comme le double de Dieu, l'auteur de la Torah. Son nom, Moshe, se lit d'ailleurs à l'envers : « Hachem », le nom (de Dieu), qui est aussi le cinquième mot de la Bible, signature, dit la Kabbale, de l'auteur du Pentateuque.

Au bout de quarante ans, Moïse est le dernier survivant de ceux qui ont connu l'Égypte. Les nouveaux venus se sont si bien accoutumés à cette vie de nomades sans besoins que leurs avant-gardes, qui atteignent enfin Canaan, alors partiellement sous contrôle égyptien, ne veulent plus entrer dans ce pays où il leur faudra se battre pour conquérir des terres et travailler pour produire leur nourriture.

Aussi, contrairement à ce que l'on dit trop souvent, pour les Hébreux, quarante ans ce n'est pas trop. C'est trop peu ! Moïse, qui va mourir, leur dispense alors une ultime leçon : il faut avancer, sortir du désert. La jouissance de la routine ne vaut pas l'incertitude de la liberté.

# Nahman de Bratslav

Le propre de l'être humain est d'aimer à se raconter des histoires pour échapper à sa finitude. Sur cela
comme sur le reste, le peuple juif n'est pas différent
des autres. Mais, à la différence des autres, depuis
vingt-cinq siècles au moins, il les écrit. Depuis que la
Torah, immense collection d'aventures à la frontière
du vrai, anime leurs discussions, les lettrés juifs n'ont
pas cessé, à partir d'elle, d'inventer des histoires ;
ils ont cherché à faire comprendre leur vision de la
condition humaine par des récits qui complètent,
illustrent ou commentent ceux de la Loi.

À partir du XVIIIe siècle, ces histoires, racontées en
langue vulgaire, deviennent des contes détachés de
l'histoire biblique et dont la particularité est de se
dérouler dans le monde des hommes, même si y inter-
viennent parfois des personnages surnaturels, ogres
ou magiciens.

Parmi ces contes, j'aime particulièrement *Le Maître de prière*[226], écrit en yiddish au début du XIXe siècle, en Ukraine, par un rabbin hassidique, Nahman de Bratslav, que m'a fait découvrir Adin Steinsaltz[284]. Dans un pays imaginaire, l'argent est devenu une obsession telle que quiconque n'est pas capable d'accumuler et de conserver une fortune considérable devient un être inférieur, mi-bête mi-homme : d'abord moitié-lion, puis moitié-rat s'il devient plus pauvre, puis intégralement animal s'il sombre dans la misère. De cet état il ne peut alors plus sortir.

Les derniers hommes veulent tout ; mais lorsqu'ils ont tout, ils veulent plus : posséder des étoiles, devenir des étoiles, être servis et considérés comme des dieux par les hommes-animaux, eux-mêmes honorés du privilège de les servir. Pour jouir de leur puissance, ces derniers hommes se font même construire des villes de rêve bénéficiant d'un air absolument pur, d'un environnement parfait, sur des montagnes gardées par des hommes-animaux.

Nahman esquisse ainsi, quarante ans avant Marx, la théorie de l'aliénation : nul n'est vraiment libre s'il est prisonnier de son travail ; nul n'est misérable

s'il ne se résigne à l'être ; nul n'est vraiment riche
s'il ne bénéficie pas de l'asservissement des autres.
Il fait aussi, deux siècles avant notre temps, la description de la globalisation qui détruit l'environnement et réduit l'homme à l'argent qu'il possède et
qui le possède.

Jusqu'à ce que survienne un mendiant inconnu qui
se dit « Maître de prière ». Le vieil homme supplie
les uns et les autres de remettre en cause leur mode
de vie, usant pour les convaincre de tous les arguments rationnels. En vain : aucun riche, aucun pauvre
ne veut l'écouter. Tous sont contents de leur sort. Le
Maître de prière leur parle alors d'un personnage terrible vivant dans un autre univers, qui va bientôt
venir détruire leurs villes s'ils ne renoncent pas à leur
mode de vie. Les hommes-animaux n'en ont cure :
ils sont heureux de leur sort. Les hommes, eux,
s'esclaffent : en quoi la mort des êtres inférieurs
pourrait les concerner ? Mais non, répond aux riches
le Maître de prière, c'est à votre vie à vous, les
riches, qu'il viendra bientôt s'en prendre. Ils rient
encore : eux ne risquent rien ; tous ont de l'argent à
satiété et pourront corrompre ce personnage comme
ils ont jusqu'ici acheté tout et tout le monde. « *Non,*
leur explique le Maître de prière, *celui-là n'est pas
intéressé par l'argent ; il n'est accessible qu'à la
prière. Et moi, je suis venu vous apprendre à prier.* »

Après mille et une péripéties tantôt comiques, tantôt tragiques, les hommes-dieux renoncent à l'argent,
sans même attendre la venue du redoutable personnage. Ils reconnaissent l'humanité de ceux qu'ils trai-
taient jusque-là comme des animaux, qui redeviennent
des hommes à leurs propres yeux comme aux yeux des
autres. Tous acceptent cette révolution non par peur,

mais parce qu'ils découvrent la joie d'être humains et de considérer les autres comme tels.

Ce conte, description ravageuse et prémonitoire du monde d'aujourd'hui, bref chef-d'œuvre méconnu de la littérature mondiale, où se mêlent sources bibliques et russes, en dépit de son apparence très simple, est en fait structuré autour des théories les plus sophistiquées de la Kabbale : chaque personnage incarne une des dix *sephirot* ; chaque épisode renvoie à l'un des trente-deux chemins de la sagesse[284].

Méconnu ? Pas tout à fait. Son auteur est un des personnages les plus fascinants du judaïsme ashkénaze, un des grands maîtres du mouvement hassidique : Nahman de Bratslav.

Car le mouvement hassidique ne se réduit pas à l'approche audacieuse et touchante de son fondateur, le Ba'al Shem Tov. L'auteur de ce conte, son arrière-petit-fils, né en 1772 près de Kiev, en livre une dimension bien plus intéressante. Abandonnant sa famille vers 1798 pour un voyage chez les kabbalistes de Safed et Tibériade, il y croise les troupes de Bonaparte. Fait prisonnier par les Turcs, il n'est libéré que contre une rançon, payée par la communauté juive de Rhodes. En 1800, il revient en Russie et s'installe à Slatopol, qu'il quitte encore quand les rabbis locaux l'accusent de se prendre pour le Messie. Ce qui n'est pas tout à fait faux : il se vante d'être le maillon le plus récent d'une chaîne de réincarnations d'une âme apparue d'abord dans le corps de Simon Bar Yohai, passant ensuite par Isaac Luria et allant, après lui, jusqu'au Messie. En 1802, il s'installe à Bratslav, en Biélorussie, ou il attire beaucoup d'élèves éperdus et patients, qu'il ne daigne recevoir que trois fois l'an, maudissant toute personne possédant un exemplaire du *Guide des Égarés*.

Comme tous les lettrés juifs, même hassidiques, il rédige d'innombrables livres dont l'un, le *Livre caché*, ne pourra, dit-il, être compris que par le Messie. Comme tous les hassidim, il fait l'apologie de la musique, de la danse, de la foi sans raison : *« Là où s'achève l'approche intellectuelle, commence la foi. »* Et encore : *« Mieux vaut un croyant superstitieux qu'un non-croyant rationaliste. »* Et même : *« Comme Moïse, l'homme trouvera Dieu en entrant dans l'obscurité. »* Et : *« Il est interdit d'être triste. Il est interdit d'être vieux. »* Enfin : *« Celui qui ne mange pas casher n'a rien à me dire. [...] car manger et parler est la même chose. »*

Mais de lui aussi cette phrase que mon père appréciait tant : *« Le monde est comme un pont très étroit, et l'essentiel est de ne pas avoir peur. »* Car la peur conduit à la négation de soi, à la paralysie ; elle interdit d'avancer, de franchir le pont, de traverser le désert, matériel et moral, et de transmettre. Mais mon père ajoutait : *« N'aie pas peur de tes ennemis. »* Ce qui sous-entend qu'il faut être capable de les identifier. Et aussi qu'il faut surtout redouter ceux qui ne sont pas nos ennemis...

À partir de 1806, Nahman est de plus en plus critiqué par d'autres rabbis. Persuadé que les secrets du monde sont cachés dans les histoires populaires, juives ou non, il pense que les hommes peuvent, en les lisant, libérer les « étincelles » qui s'y trouvent et accélérer ainsi la venue du Messie. Plutôt que de polémiquer avec les autres lettrés, il entreprend d'écrire en yiddish dix contes, dont *Le Maître de prière* et *La Princesse perdue*, où il livre une version populaire de la Kabbale. Dieu y est représenté comme un roi, en général caché ou disparu ; l'immanence y est incarnée par une princesse.

Trois ans plus tard, en 1809, meurent sa femme, plusieurs de ses filles et son seul fils, qu'il préparait pour lui succéder. Désespéré, mais ne renonçant pas à sa foi, atteint lui-même de tuberculose, il part l'année suivante à Ouman, en Ukraine, où il rédige son onzième et dernier conte, le plus long et le plus complexe : *Les Sept Mendiants*[226]. Il meurt là, en 1811, demandant à ses élèves de danser sur sa tombe et leur interdisant de lui chercher un successeur, leur promettant de rester leur maître par-delà la mort, par la seule force de son esprit.

Le monde d'aujourd'hui ressemble à s'y méprendre à celui du Maître de prière : des hommes acceptent d'être, dans le regard d'autrui, des dieux ou des animaux selon leur niveau de fortune, chacun étant heureux du spectacle qu'il offre ou reçoit, dans un monde devenu irrespirable. Faute de « Maître de prière », l'Histoire, la vraie, pourrait cette fois se terminer tout autrement...

# Noé

Tout jeune, j'avais peur de la pluie. Elle était si rare, dans l'Alger de mon enfance, que lorsqu'elle tombait, je l'imaginais illimitée, noyant tout, moi y compris. Un jour de vacances d'été en Savoie, au milieu d'un terrible orage qui me semblait annoncer la fin du monde, ma mère me conta l'histoire de Noé et du Déluge interrompu me réconciliant avec la pluie.

Cette peur, tant de gens, en d'autres sociétés, ont dû la ressentir : et si la pluie ne s'arrêtait jamais ? et si la

Nature détruisait l'homme ? D'où l'idée de lui adresser des prières pour qu'elle vienne irriguer les récoltes et ne les inonde pas. D'où l'idée aussi d'en faire une divinité, ou à tout le moins une envoyée de Dieu.

D'où, enfin, l'idée d'un déluge suivi d'un recommencement, faisant disparaître le mauvais en l'homme pour lui accorder une nouvelle chance. On trouve ce mythe chez bien d'autres peuples, dans toutes les civilisations, en Afrique, en Inde comme en Amérique, notamment chez les Anasazi (arrivés de Sibérie il y a 6 000 ans) et chez tous les peuples qui en descendent (dont les Hopis et les Mayas, ces deux peuples aux cosmogonies et aux œuvres d'art si proches et fascinantes). En particulier, on retrouve l'idée d'un déluge en Mésopotamie, dans l'*Épopée de Gilgamesh*, cinquième roi d'Uruk ayant régné vers 2650 avant notre ère. Là, un tel déluge se serait déclenché parce que les hommes auraient troublé le repos des dieux. Pour la première fois, le principal survivant y porte un nom : Zi Sûdra (« *dont la vie dure longtemps* »), ou Ut-Napishtim (« *celui qui vit pleinement* ») ; ou encore, chez les Hourrites, « *Na-an-ma-su-le-el* », dont pourrait dériver le nom de Noé.

Dans la Bible, l'histoire est ainsi racontée : dix générations après Adam et dix autres avant Abraham, Dieu dénonce le comportement de tous les êtres vivants qui ont « *perverti leur voie sur la terre* » (Gn 6, 12). Dieu pourrait alors décider d'effacer Son œuvre et de revenir à la situation antérieure à la création de l'Univers. En fait, Il ne semble pas prêt à rééditer cette terrible première semaine ; Il cherche seulement à sauver un homme juste, un seul, avec sa famille, pour tout recommencer avec lui sur la même planète. Car Il croit en la pérennité de Son effort. Il choisit pour cela Noé, alors âgé de cent six ans, « *un homme juste et parfait* », le seul à « *marcher avec Dieu* » (Gn 6, 9). Un homme sans aucune attache au judaïsme, qui n'est pas encore apparu. Un homme à l'esprit pratique : selon un commentaire du Midrash, Noé aurait lui-même inventé la charrue, la faucille, la hache et tous les autres outils permettant aux hommes de s'adonner aux travaux manuels.

Dieu demande alors à Noé de construire un navire (il en a la compétence), une Arche (une *teva* qui veut dire aussi « Alliance » et renvoie aux mots) et d'y transporter avec sa propre famille (ses femmes, ses fils et leurs propres épouses) sept couples de chaque espèce de bêtes « pures » (« pureté » alimentaire dont la définition ne sera d'ailleurs donnée par Dieu qu'à Moïse mille ans plus tard), ainsi qu'un couple de chacune des autres espèces vivantes, végétales et animales. En agissant ainsi, Dieu signifie à l'homme qu'il n'est pas l'égal des animaux, qu'il est à part dans la Création, qu'il en est en somme le gardien. Dieu le prévient qu'un Déluge (un *maboul* en hébreu) détruira bientôt toute autre forme de vie sur la Terre, y compris les poissons, précise le Midrash, car l'eau sera bouillante.

Dieu aurait pu choisir le feu pour détruire le monde, mais il choisit l'eau. L'eau d'où sera plus tard sauvé Moïse. L'eau qui, par le mot qui la désigne en hébreu indique l'espoir. L'espoir de Dieu est donc bien, après le Déluge, de reconstruire un monde avec les mots. Déjà s'annonce le Livre. Déjà s'annonce la dualité transgression/repentir, qui est au cœur du judaïsme.

Noé prend son temps, traînant autant qu'il peut, espérant que la colère de Dieu retombera et qu'Il renoncera à son projet. Noé choisit pendant un siècle les animaux et les plantes à sauver, comme on choisit des trésors. Il plante même les cèdres avec lesquels il construira le

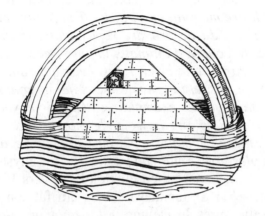

navire (Tanhuma, Noab 5). Mais Dieu ne change pas
d'avis. Une fois le bateau chargé, Noé se résigne à y
embarquer avec ses femmes, ses enfants et leurs femmes, ainsi qu'avec tous les animaux et végétaux.

Cent vingt ans après avoir annoncé son intention,
Dieu déclenche le Déluge. Une eau bouillante. Quand
l'orage cesse, au bout de quarante jours, les eaux gar-
dent le même niveau pendant cent cinquante jours afin
de refroidir. Tous les êtres vivants ont péri noyés,
sauf ceux qui étaient à bord du bateau de Noé. Certains poissons, selon quelques commentaires, survivent à la température élevée de l'eau. Puis, les eaux
redescendent.

Quarante jours après que les eaux ont commencé à
baisser, soit 230 jours après le début du Déluge, Noé
relâche un corbeau, que Moïse rangera plus tard
parmi les animaux « impurs ». Mais l'oiseau refuse
de s'éloigner. Ce volatile, qu'on néglige en général,
est beaucoup plus important que la colombe qui le
suivra. Son refus de s'envoler est même fondamental. Le Talmud, qui le sait, explique ainsi dans le

*Traité Sanhédrin : « Le corbeau répondit à Noé : "Ton Maître me hait, et toi aussi. Ton Maître me hait puisqu'Il t'a dit de prendre sept couples d'animaux purs, et un couple d'animaux impurs ; et toi aussi tu me hais, car tu laisses en repos ceux qui sont représentés sept fois, et tu renvoies ceux qui ne sont représentés qu'en deux exemplaires. Or, si je venais à périr de chaleur ou de froid, le monde serait privé d'une espèce, à moins peut-être que tu ne désires t'accoupler avec ma compagne ? »* Le mystérieux maître Chouchani, qui enseigna à Paris vers 1950, en conclut, selon Emmanuel Levinas qui fut son élève, que même après le Déluge, *« les animaux s'accouplaient hors de leurs espèces respectives, ainsi qu'avec l'homme ».* Autrement dit, le corbeau annonce que le Déluge est un échec parce qu'il n'a pas permis de faire disparaître toute trace du désir de zoophilie ni, plus généralement, de modifier la nature des comportements des espèces embarquées. Autrement dit encore : Noé a embarqué le Mal sur l'Arche.

J'ajouterai : parce que Dieu n'a pas eu le courage de recommencer la Création. Noé, ou la paresse de Dieu.

Après cette furtive anecdote du corbeau, rapportée d'un mot, comme en passant, tout est dit. Et c'est là un exemple du génie littéraire propre à la Bible : l'essentiel est exprimé dans une incidente en apparence dénuée d'importance ; tout le reste, pendant des pages et des pages, en découle implacablement.

Car Noé ne se contente pas de la réponse du corbeau. Il relâche ensuite un autre oiseau (*Yona*, un « pigeon », traduit par « colombe » dans la Bible des Septante). Elle s'envole et rebrousse chemin parce qu'elle n'a trouvé nulle terre ou nul arbre où se poser. Puis elle repart et revient sur l'Arche, cette fois avec une branche d'olivier dans le bec : preuve de vie. Puis elle repart une troisième fois, mais, cette fois, ne revient pas.

Pourquoi une branche d'olivier ? L'olivier n'est pas choisi là par hasard : il est (avec le cédrat) un des symboles du peuple juif, comme le rappellent maints usages, dont l'huile qui alimente la lampe du Temple, si essentielle à Hanoukka. L'olivier annonce donc non pas la paix universelle (comme le diront plus tard les commentateurs chrétiens), mais l'échec à venir de l'homme, et la nécessité, pour Dieu, de désigner un peuple spécifique pour tenter une nouvelle fois de sauver l'humanité par une autre voie.

Car Dieu a compris, par ce que lui a dit le corbeau, que le Mal est encore en l'homme et que celui-là fautera de nouveau. Le corbeau énonce le problème. La colombe énonce une solution.

L'olivier, c'est donc Abraham annoncé à Noé. La colombe est aussi une sorte de condensation du temps, une manière de premier prophète.

Une fois le Déluge achevé, les eaux retirées, humains et animaux débarquent de l'Arche. Dieu édicte

alors sept lois pour tenter d'encadrer Sa construction qu'Il sait imparfaite. Elles visent à interdire
toutes les fautes que, selon le corbeau, l'homme va
être encore tenté de commettre : le blasphème, le
faux témoignage, l'idolâtrie, le vol, l'inceste, le
meurtre, le dépeçage d'un animal vivant. Toutes
ces fautes renvoient au désir et à sa conséquence :
la violence.

Pour que ces interdictions ne restent pas de pure
forme, Dieu exige de Noé et de ses descendants
l'obéissance à une justice humaine chargée de les
faire respecter. Autrement dit, Il exige que l'homme
crée des institutions politiques et laïques chargées
d'organiser la vie en société. Sans aucune obligation
théologique : aucune des sept lois ne porte sur
l'obéissance à Dieu.

Mais, disent certains rabbins du Talmud, comme
s'ils voulaient montrer que ces tribunaux humains
ne suffiront pas, Il invente une récompense que
Lui seul peut accorder : tous les hommes qui obéi-
ront à Ses lois auront droit à une vie dans l'au-
delà. *« Les pieux des nations du monde auront
leur part du monde à venir »* (Tos Sanh 13, 2). Pas
par un jugement rendu par une Église ; mais par
un jugement direct de Dieu qui les accueillera à
Ses côtés.

Et, en signe de pacte, Il lance dans le ciel le premier arc-en-ciel. En fait, un cercle, signe de
l'Alliance, qui se subdivise en sept couleurs : encore,
comme avec l'olivier, l'annonce du peuple juif.

De ces lois, punitions et récompenses, l'homme
n'a cure : comme l'avait prévu le corbeau, tout de
suite après la fin du Déluge il commet un péché. Un
péché d'ordre sexuel, puisque tout y ramène.

Noé débarque de l'Arche, plante une vigne, fabrique du vin et s'enivre, ce que la Bible n'interdit pas. Mais un de ses trois fils, Ham, « *découvrit sa nudité* » – ce qui est interprété par certains commentateurs comme la perpétration d'un inceste (interdit par une des sept lois) avec son père, suivi d'un autre avec sa mère, dont naîtra Canaan.

Dessoûlé, Noé maudit Ham et le fils de celui-ci avant de mourir à 950 ans.

Après lui, l'âge ultime de l'homme est fixé à 120 ans, même si les trois patriarches du peuple juif (Abraham, Isaac et Jacob) dépasseront cet âge.

Juste après cet épisode, vient la tour de Babel, qui renvoie au Déluge, c'est-à-dire à « Maboul », comme un défi.

Dieu comprend alors qu'un seul homme ne pourra enfanter une humanité juste. Il en chargera donc un peuple, le peuple de l'olivier. Sans plus de succès. Aujourd'hui, alors que la nature et les civilisations sont plus que jamais menacées par les comportements des gens, alors que nous sommes de nouveau soumis à un déluge insensé de mots et d'images, alors que l'humanité menace de se suicider en détruisant toute vie, il faudrait encore une fois songer à embarquer l'essentiel à bord d'une nouvelle Arche, pour le préserver ; et peut-être même pour le transporter, ailleurs, sur une autre planète.

Mais qu'est-ce que l'essentiel ? Aux animaux, aux plantes et aux mots, sans doute faudrait-il ajouter les œuvres d'art de toutes natures que, malgré sa barbarie, l'homme a su produire ; pas seulement les mots auxquels renvoient l'Arche de l'Alliance, mais aussi les autres formes d'art, en partiulier la musique... Et à espérer que, grâce à elles, ce qui subsistera de l'humanité pourra enfin échapper à sa barbarie naturelle.

Peut-être même lui faudra-t-il pour cela voyager au-delà de l'arc-en-ciel...

## Orta (Garcia de)

Tant de médecins juifs mériteraient d'être évoqués ici ! Parce que j'en ai tant connu d'extraordinaires en tant de lieux du monde ; parce que c'est un des rares métiers autorisés depuis toujours aux juifs (sauf par les nazis et leurs alliés) ; parce qu'ils ont fait avancer toutes les dimensions de cette science indissociable d'une pratique.

Pour la Torah, un juif ne peut pas vivre là où il n'y a pas de médecin, mais il ne doit pas mettre toute sa confiance dans le médecin ; toute maladie est une manifestation de Dieu qui, même s'Il ne s'intéresse pas à chaque individu, conduit, par sa seule existence, le corps de l'homme à réagir à la prise de conscience de ses fautes. « *Si tu n'obéis point à la voix de l'Éternel, ton Dieu, l'Éternel attachera à toi la peste jusqu'à ce qu'elle te consume. L'Éternel te frappera de l'ulcère d'Égypte, d'hémorroïdes, de gale et de*

*teigne, dont tu ne pourras guérir* » (Dt 28, 21, 27).
Quand le Livre de Job (5-18) explique que le « *Tout-
puissant fait la plaie et la bande ; il blesse et sa main
guérit* », cela signifie qu'il n'est pas de maladie sans
guérison possible. Le Lévitique contient d'ailleurs
d'innombrables règles d'hygiène sexuelle et alimentaire, en particulier pour les soldats en campagne
(Dt 23, 13 et 14). Elle décrit les hémorroïdes, la
diphtérie, les affections dermatologiques. N'ayant pas
à subir l'interdit ultérieur de la dissection, la Torah
contient des informations précises sur les os, les
muscles, les organes. Elle explique l'usage de la
mandragore (le *samthar*) ou de certains fruits sous
forme d'infusions, de pommades, de collyres. Isaïe
dit : « *Prenez une masse de figues. On la prit, et on
l'appliqua sur l'ulcère. Et Ézéchias guérit* » (2 R 20, 7).
Elle décrit des traitements de maladies réputées
héréditaires, telles la lèpre, les maladies vénériennes,
l'aliénation mentale. Des chirurgiens contemporains
des prophètes pratiquent déjà des saignées, des césa-
riennes, des amputations, des trépanations, des soins
dentaires.

Tous ces praticiens (souvent aussi rabbins) accu-
mulent des connaissances et les transmettent par
écrit, avant les Grecs et après eux. Certains jouent un
rôle majeur dans l'histoire juive. J'aurais pu parler
ici d'Asaph de Tibériade ; de Yoshua bin Nun, médecin du calife Omar à Damas au VIIe siècle ; de Yehudah
Halévy Hélinius, un des fondateurs de l'école de
Salerne au VIIIe siècle ; d'Isaac l'Hébreu au Xe siècle,
devenu centenaire, médecin du calife fatimide Ubaid
Allah al-Mahd de Kairouan ; de Hasdaï ibn Chaprout
au Xe siècle, ministre et médecin ; de Sarah la Mir-
gesse au XIIIe siècle à Paris ; de Sarah de Saint-Gilles

au XIVe siècle à Marseille ; d'Elijah Delmedigo au
même siècle à Montpellier ; de Guglielmo Porta-
leone, médecin de Ferdinand Ier, roi de Naples, au
XVe siècle. Et de tant d'autres jusqu'au professeur
Ady Steg, à Paris, longtemps président du CRIF,
grand talmudiste et chirurgien ayant opéré seul François Mitterrand.

J'ai choisi de ne parler que de Garcia de Orta
parce que sa vie et son œuvre rassemblent bien des
dimensions méconnues et fascinantes de l'histoire
juive.

Il naît vers 1500 dans une famille espagnole réfugiée au Portugal en 1492, forcée de se convertir en
1496 sous peine de mort. Après des études de médecine à Salamanque et Alcala de Hénarès, il s'installe
en 1523 dans sa ville natale, puis à Lisbonne où il est
nommé professeur à l'Université en 1530. Quatre ans
plus tard, pour fuir l'Inquisition qui le soupçonne à
juste titre de judaïser en secret, il part pour l'Inde en
tant que médecin-chef de la flotte d'un nouveau vice-
roi, Martin Alfonso de Sousa. En 1538, il s'installe à
Goa, devient le médecin du roi Burhan Shah Ier
d'Ahmadnagar et du vice-roi portugais. Il gagne
aussi sa vie par le commerce d'épices, de médicaments, de pierres précieuses. Il étudie la pharmaco-
pée et la pratique des médecins d'Asie. En 1543, il
épouse une *conversa*, réfugiée elle aussi à Goa, dont
il a deux filles. En 1549, sa mère et deux de ses
sœurs, sur le point d'être dénoncées comme juives à
Lisbonne, réussissent à le rejoindre à Goa.

Toujours médecin du vice-roi, il fonde un jardin
botanique sur l'île alors déserte de Bombay, et y
expérimente la culture de plantes venues d'Europe,
de Chine et d'Iran. Il est le premier Européen à

décrire les maladies tropicales asiatiques, notamment le choléra. Il effectue la première autopsie enregistrée en Inde sur une victime du choléra. En 1563, il publie le premier livre de médecine tropicale jamais rédigé par un Européen, *Colloque des simples et des drogues de l'Inde*, sous forme de 58 conversations entre un D$^r$ Ruano (qui serait venu à Goa pour connaître la médecine indienne) et lui-même, avec des digressions passionnantes sur les mœurs des éléphants, les hôpitaux pour oiseaux, et même les mouvements des flottes chinoises, alors très présentes dans la région.

C'est alors que ses ennuis commencent : quand, en 1565, l'Inquisition ouvre un tribunal à Goa, il est arrêté et interrogé parce que, dans son livre, il conseille l'usage de parfums pour se détendre, ce qui est considéré par l'Église comme sacrilège. Torturé, il meurt en 1568. Un an plus tard, une de ses deux sœurs, Catarina, accusée de judaïsme, est brûlée vive à Goa. Lui-même, douze ans après sa mort, est condamné au bûcher : ses restes sont exhumés, brûlés et ses cendres dispersées. On ne sait rien du destin de sa mère, de son autre sœur, de sa femme et de ses deux filles.

## Palestine

Un de mes plus grands souvenirs dans la région aura été de déjeuner à Jérusalem, un jour de 1995, avec Shimon Peres, alors Premier ministre d'Israël, un peu après la mort d'Yitzhak Rabin ; puis, dans l'après-midi, d'avoir pris la route pour Gaza, d'y arriver sans encombre, d'y passer en revue les troupes palestiniennes, un jour de Ramadan, et d'y prendre le repas de rupture de jeûne, le *Yftar*, avec le président de l'OLP de l'époque, Yasser Arafat. Une telle journée fut possible, pendant une très courte période, juste après la mise en œuvre des accords d'Oslo.

Elle redeviendra possible quand les deux peuples auront admis qu'aucun d'eux ne peut survivre sans laisser à l'autre les moyens d'en faire autant, c'est-à-dire de vivre chacun sur des territoires viables, et en coopérant l'un avec l'autre. Tant de gens ont laissé leur vie pour ce rêve : dont Yitzhak Rabin,

Premier ministre au moment des accords d'Oslo qu'il a couvert de son autorité ; et mon ami Issam Sartaoui, chirurgien palestinien, spécialiste du cœur ayant abandonné une grande carrière aux États-Unis pour consacrer sa vie à la Palestine. Je les ai entendus l'un et l'autre, quelques jours avant leur assassinat, chacun par l'un des leurs, parler de la paix nécessaire en des termes identiques.

La Palestine est une étrange entité dont le sort est intimement mêlé à celui du peuple hébreu : 2000 ans environ avant notre ère, à peu près au moment où apparaît Abraham, un peu plus à l'est, les Cananéens (que la Bible fait descendre de Canaan, fils de Cham, fils de Loth) s'installent le long de la côte méditerranéenne, d'Ugarit à Gaza. Ils se mêlent aux « Philistins » (de l'hébreu *Peleshet*, « Peuple de la Mer ») et aux autres tribus sémites (Amorites et Jébuséens). Beaucoup, par conversion, se mêlent aux Hébreux. La terre de Canaan est alors un pays riche : par là passent toutes les caravanes en route vers l'Asie. La région est morcelée en une mosaïque de petites cités-États, sous la tutelle de l'Égypte, où règne alors la XIIᵉ dynastie, dans les archives de laquelle on trouve aussi des textes d'exécration dirigés contre des « rebelles » cananéens.

Pour la plupart des historiens, c'est à partir de ce mot hébreu *Peleshet* qu'un millénaire plus tard, les Grecs forgent le nom de *Palestinaï*, utilisé par les Romains. Pour d'autres, le mot Palestine viendrait du grec *palaistès*, qui désigne le « lutteur » (mot qui renvoie peut-être au « combattant de Dieu », c'est-à-dire à Jacob, autrement dit à… Israël !)

Ainsi, selon que le mot « Palestine » est un mot d'origine hébraïque ou grecque, il désigne la

Palestine ou l'Israël d'aujourd'hui. La généalogie des mots est, encore une fois, d'une redoutable importance géopolitique.

Dix siècles avant notre ère, les Philistins et les Hébreux (revenus d'Égypte les armes à la main et désignés alors par les Grecs comme « Phéniciens »), se partagent tant bien que mal une étroite bande sur la rive de la Méditerranée, la plus proche de la toute-puissante Mésopotamie. Ils sont alors incroyablement complémentaires : les Philistins – ou les Phéniciens – inventent l'alphabet, les Hébreux écrivent le Livre. Les uns sont nomades sur la mer et inventent le commerce ; les autres sont nomades sur la terre et inventent la finance.

Une partie de Canaan devient ensuite un royaume hébreu. Puis ce royaume se scinde en deux. Puis la région est occupée par plusieurs envahisseurs simultanés ou consécutifs : Iduméens, Hittites, Assyriens, Babyloniens, Perses, Grecs Séleucides puis Grecs ptolémaïques. Une partie de la région redevient ensuite un royaume judéen sous la dynastie hasmonéenne, puis une colonie romaine (qui prend le nom de Palestine au II$^e$ siècle de notre ère) dont sont chassées deux millions de juifs. Il devient ensuite une colonie perse, parthe puis égyptienne, puis arabe quand naît l'islam. Depuis lors, il n'y a plus jamais eu aucune entité politique indépendante dans la région, hormis le royaume franc des croisés, créé en 1096 à l'issue de combats contre des juifs alliés à des Arabes. En 1244, la région devient partie d'une province d'un empire musulman aux dynasties changeantes, des Fatimides aux Ottomans. Quelques rares juifs y vivent encore, qu'on dénomme désormais « palestiniens » pour les distinguer de ceux qui résident en Babylonie ou en Europe. Et si c'est encore à Sion

(Jérusalem) que rêvent de revenir tous les juifs du monde, la situation y est si dangereuse que rares sont ceux qui font le voyage, surtout pour y mourir, comme Yehudah Halévy au XIIe siècle, ou bien s'y faire enterrer comme Gracia Hanassi au XVIe siècle, mais très rarement pour y vivre, comme Ramban ou Isaac Luria.

En ce temps, la région reste misérable, quasiment oubliée par l'Empire ottoman. Quelques kabbalistes vivent à Safed, venus parfois de Pologne ou de Russie. Quelques Européens la visitent, des Églises y protègent leurs Lieux saints. Quelques peintres, comme l'Anglais Roberts, en débusquent les ruines. Quelques écrivains, comme Flaubert, la visitent.

En 1850, on dénombre 300 000 musulmans sur tout le territoire de la province ottomane (qui regroupe la Cisjordanie, Gaza et la Jordanie) pour 30 000 juifs. Personne, parmi les Arabes de la région, ne revendique encore son indépendance.

Là revient au jour, chez certains juifs européens, le rêve d'un retour à « Sion » (qui désigne Jérusalem) ou en Palestine (qui désigne la région), voire en Grande Syrie (qui regroupe Liban, Syrie, Israël, Jordanie et Palestine d'aujourd'hui). Ils veulent en faire un refuge pour les juifs russes maltraités. En 1853, après la conquête de la Syrie par Muhammad Ali, le 7e comte de Shaftesbury, fervent partisan d'un retour des juifs en Palestine, écrit au Premier ministre anglais Aberdeen une phrase qui sera ensuite prêtée à d'autres et détournée de son sens : « *La Grande Syrie est une terre dépourvue de nation, qui a grand besoin d'une nation sans terre.* »

En 1880, Leo Pinsker, médecin à Odessa, y installe 30 000 juifs russes, polonais et roumains, ce qui

double la population juive de cette province ottomane. En 1883, Emma Lazarus (descendante d'une
des familles chassées du Brésil et débarquées du
*Saint-Charles*, à New York, en 1654, poétesse dont
quelques vers sont gravés sur le socle de la statue de
la Liberté), écrit que « *la Palestine devrait être le
pays des sans-patrie, un but pour les errants, et un
asile pour les persécutés d'une nation qui aura cessé
de l'être*[80] ».

À ce moment émerge aussi la revendication d'une
nation arabe pour ceux qu'on appelle alors « les Arabes de Terre sainte », le terme « Palestiniens » étant
encore réservé aux juifs. Parmi ces nationalistes
palestiniens arabes, beaucoup sont exilés, dont
Daoud Barakat, rédacteur en chef d'*Al-Ahram*, le
grand quotidien égyptien. En 1914, on ne compte
encore que 80 000 juifs pour 500 000 Arabes dans la
province.

La Première Guerre mondiale n'épargne pas la
région, devenue le centre des nouvelles convoitises
pétrolières. En 1917, les troupes anglaises du général
Allenby s'engagent dans une campagne contre l'Empire
ottoman, allié des Allemands. Londres comprend que la
Palestine, tout comme l'Irak et l'Arabie, où se trouve le
pétrole, ne va bientôt plus dépendre des Turcs.

L'idée d'un partage de la Palestine entre un État
arabe et un État juif devient pour la première fois
imaginable. Le 2 novembre 1917, à Londres, au lendemain de l'entrée des troupes du général Allenby à
Jérusalem, Lord Balfour, alors ministre des Affaires
étrangères, reconnaît, dans une lettre à Lord Rothschild, le droit des juifs à un « foyer national » en
Palestine. Le 7 novembre, une déclaration franco-
britannique précise que « *l'objectif recherché par la*

*France et la Grande-Bretagne est* [...] *l'établissement de gouvernements et d'administrations nationaux qui détiendront leur autorité de l'initiative et du
choix libre des populations indigènes* ». Les Arabes
veulent un État multiconfessionnel qui n'est pas
encore identifié comme la « Palestine ».

En 1920, les Britanniques reçoivent de la conférence de San Remo, puis de la Société des Nations,
le mandat de gérer la Palestine et d'y organiser une
« *présence juive* ». Les conflits entre juifs et Arabes
se durcissent. Les massacres se multiplient.

Avec la crise économique de 1929 et l'arrivée au
pouvoir de Hitler en 1933, les mouvements arabes commencent à s'organiser autour de la revendication d'un
État palestinien sans État juif. Quelques juifs allemands,
dont Martin Buber, réussissent à fuir le Reich pour la
Palestine où vivent à présent 200 000 juifs.

En juin 1937, une commission britannique présidée
par Robert Peel propose le partage de la Palestine : un
État arabe (on ne dit toujours pas « palestinien »)
incluant la Judée, la Samarie, le Néguev et la Transjordanie ; un État juif allant du mont Carmel à Béer Tuvia,
avec la vallée de Jezréel et la Galilée ; une zone
médiane, entre Jaffa et Jérusalem, restant sous mandat
britannique et permettant à tous d'accéder aux Lieux
saints, « dépôts sacrés de civilisation ». Ben Gourion,
qui dirige les mouvements sionistes, accepte le plan.
Les dirigeants arabes le rejettent : ils ne veulent pas
d'un État juif, même minuscule, même non viable,
même en échange de la création d'un État palestinien.

Lorsque éclate la Seconde Guerre mondiale, les Arabes représentent encore les deux tiers des habitants du
territoire sous mandat britannique. Animés par le grand
mufti de Jérusalem (qui demande en 1941 à Hitler de

« *régler la question juive dans l'intérêt national et populaire, sur le modèle allemand* »), les Arabes se retrouvent dans le même camp que les Allemands alors que les juifs rallient l'armée britannique.

Après la guerre, le plan de 1937 recouvre toute son actualité. En 1947, l'Organisation des Nations unies, à peine créée, veut imposer, au moment où l'Inde et le Pakistan se préparent à l'indépendance, la création en Palestine de deux États, l'un arabe, l'autre juif. Les dirigeants arabes refusent, sans même demander leur avis aux Palestiniens. Après bien des drames dans les deux camps et une guerre qui aurait dû conduire à la destruction de l'État hébreu, 500 000 Arabes palestiniens quittent leur habitat, situé sur le territoire du nouvel État israélien, dont la moitié, disent les historiens, sous la pression des Israéliens. L'équilibre démographique est alors inversé : on compte désormais 700 000 habitants juifs contre 156 000 arabes sur le territoire d'Israël. Il n'y a presque plus aucun juif dans les États arabes voisins. Les Nations unies demandent alors à Israël de permettre le retour de ces exilés « *dans leurs foyers, le plus tôt possible* », et une indemnisation pour tous « *ceux qui décident de ne pas rentrer* ». En 1949, Mahomet Salah el-Din, ministre égyptien des Affaires étrangères, précise ce que cela veut dire : « *Quand nous demandons le retour des réfugiés arabes en Palestine, nous entendons par là un retour en tant que maîtres et non en tant qu'esclaves. Le but de ce retour est de détruire Israël.* »

Les Arabes palestiniens, – chez qui tant de désespoir se mêle à tant de raffinement, de douceur et d'intelligence, et si proches des juifs par leur destin – sont alors cantonnés, par les pays qui les reçoivent, dans des baraquements de réfugiés avec interdiction d'en sortir. Ils sont convaincus qu'Israël n'a été créé qu'en raison de la

Shoah et qu'on leur fait payer les crimes allemands, refusant de voir que, au contraire, la Seconde Guerre mondiale n'a fait que retarder la création, prévue dès 1937, de deux États, l'un arabe, l'autre hébreu.

Ironie du sort : les lieux fondateurs de celui qu'on appelle aujourd'hui le peuple palestinien (Jaffa, Haïfa, Césarée) sont situés sur la côte, là où précisément se sont installés les immigrants juifs à partir du début du XX$^e$ siècle ; alors que les Lieux saints des juifs (Hébron, Bethléem, Jéricho) sont situés dans les territoires où se trouvent, depuis 1948, la plupart des Arabes.

S'ensuivirent d'innombrables guerres, l'occupation en 1967 par Israël de territoires ayant vocation à devenir la Palestine, les accords de Camp David en 1974 et d'Oslo en 1990 organisant une reconnaissance réciproque entre Israël, l'Égypte, la Jordanie et la Palestine, les implantations juives sur des terres relevant de ce qui devrait devenir la future Palestine, l'Intifada, le terrorisme palestinien, la construction d'un mur de sécurité par Israël...

La région et, en particulier, Israël ne trouveront pas la paix aussi longtemps que la Palestine ne sera pas constituée en État indépendant pacifique et démocratique sur un périmètre proche de celui des Territoires occupés en 1967, moyennant les échanges d'espaces nécessaires pour rendre les deux pays viables et sûrs, avec Jérusalem comme capitale conjointe, ouverte aux uns et aux autres, ou à tout le moins, dans un premier temps, comme capitale partagée.

Une fois créé cet État palestinien, avec l'accord d'Israël, il faudra tenter d'organiser le droit simultané au retour des juifs dans les pays arabes dont ils ont été chassés, et celui des Palestiniens en Israël. Ou, si ces retours, comme c'est probable, se révèlent impossibles, le droit égal, juste et simultané, des uns et des autres, à indemnisation.

Beaucoup plus tard, une Union du Moyen-Orient rassemblera peut-être ces peuples en une confédération, tout comme se sont rassemblés les Européens après tant de conflits qui les ont opposés. Alors seulement Israël et la Palestine pourront espérer en un avenir de paix.

Rien de cela n'aura peut-être jamais lieu. Tant de haines se sont cristallisées, tant de malheurs se sont succédé que la rupture est peut être devenue irréversible. Une nouvelle fois, comme si souvent depuis 3 000 ans, cette région risque de basculer dans le chaos. Nul n'y a pourtant intérêt. À chacun de comprendre que le bonheur de l'autre est de son propre intérêt.


# Peres (Shimon)

Même s'il m'est arrivé de rencontrer Golda Meir, Menahem Begin, Yitzhak Shamir, Benjamin

Nathanyaou, Ehud Barak, ou Yitzhak Rabin ; même si d'autres, comme Jabotinsky et Ben Gourion, mériteraient qu'on s'intéresse ici à leur destin, c'est de Shimon Peres que je souhaite parler. Parce que c'est un très grand homme d'État. Parce qu'il est devenu un ami au fil des années.

Venu en Palestine de Pologne en 1934 à l'âge de onze ans, Szymon Perski, issu d'une famille de lointaine origine espagnole, étudie dans une école agricole, puis s'engage dans la Haganah, qui devient, lors de l'Indépendance, l'armée israélienne dont il est nommé, en 1951, à moins de trente ans, responsable des ressources humaines et de la logistique. Élu député travailliste en 1952, puis nommé directeur général du ministère de la Défense en 1954, il organise la coopération militaire avec la France à un moment où les Américains refusent de vendre la moindre arme à Israël. Ministre presque sans interruption à partir de 1969, Premier ministre en 1984 et en 1995, à la mort de Rabin, il ne gagne jamais une élection en tant que chef de parti. Militant inlassable de la paix avec les voisins arabes, principal artisan des accords d'Oslo avec les Palestiniens, il partage le prix Nobel de la paix, en 1993, avec Rabin et Arafat. Après sa défaite électorale de 1996, il fonde le Centre Peres pour la paix. Puis il revient au gouvernement avant d'être élu en 2007 neuvième président de l'État d'Israël.

Que de moments partagés avec lui ! La préparation, en secret, du plan d'austérité qui sauva Israël de la faillite, en 1985 ; la tentative avortée pour négocier, à Paris ou au Maroc, avec Arafat, dès 1985. Son récit, un soir de confidence, de son dîner, à Paris, avec de Gaulle et Ben Gourion. Le dîner de famille qu'il organisa, pour la bar-mitsva de mon fils, dans sa résidence de Premier ministre d'Israël. Nos innombrables conversations, partout dans le monde, sur tous les sujets, à des heures impossibles, Shimon ne dormant pratiquement jamais.

Tout est juif en lui, au plus haut niveau : son goût de l'Histoire, sa curiosité pour la science, sa passion de la jeunesse, le progrès technique, la prospective, son talent de conteur et d'écrivain[237], son art de ciseler des formules, son sentiment qu'Israël ne sera jamais heureux tant que les autres nations autour de lui ne le seront pas. Shimon est un grand homme d'État, un sage, incarnant le meilleur du judaïsme au sommet d'Israël.

Après lui, les trois élites qui ont fait Israël (agricole, administrative, militaire) auront fait leur temps. Elles seront remplacées par une élite scientifique, qui fait dès à présent de ce pays la deuxième nation technologique au monde ; un élite nomade dont le sort ne sera plus lié au pays.

Après lui, tout sera possible. Surtout le pire.

# Perutz (Leo)

« *Ils s'étaient tenus cachés tout le jour et, à présent qu'il faisait nuit, ils traversaient une forêt de pins clairsemés. Les deux hommes, qui avaient de bonnes raisons d'éviter les rencontres, devaient veiller à ne pas être vus. L'un était un vagabond, un maraudeur de foire réchappé du gibet, l'autre était un déserteur[238] ... »*

Ainsi commence l'histoire du *Cavalier suédois*, l'un des rares romans à m'avoir bouleversé aux larmes. Roman doublement juif : par la vie de son auteur, par sa philosophie romanesque : quoi qu'il tente pour lui échapper, tout homme est toujours rejoint par son identité.

Leo Perutz, fils de Benedikt Perutz, industriel pragois aux lointaines origines espagnoles, naît le 2 novembre 1882 à Prague où il passe son enfance : « *Alors que j'avais quinze ans et que je fréquentais le lycée, je vis la cité juive de Prague pour la dernière fois. Bien sûr, elle ne portait plus ce nom depuis longtemps : on l'appelait Josephstadt. Et elle reste dans mon souvenir telle que je la vis alors : de vieilles maisons blotties les une contre les autres, des maisons au dernier stade du délabrement, avec des saillies et des ajouts qui encombraient les ruelles étroites, venelles tortueuses dans le dédale desquelles il m'arrivait de me perdre sans espoir lorsque je n'y prenais garde. Des passages obscurs, des cours sombres, des brèches dans les murs, des voûtes, telles des cavernes où des brocanteurs vendaient leur marchandise, des puits et des citernes dont l'eau était contaminée par la maladie pragoise, le typhus – et, dans les moindres recoins, à tous les carrefours, un tripot où se retrouvait la pègre de Prague. Oui, je connaissais bien la vieille cité juive... »*

En 1899, l'usine textile de son père est détruite par un incendie. Les Perutz quittent Prague pour Vienne où Leo entre au lycée, puis à l'Université. Il étudie, en langue allemande, les mathématiques et la littérature. Et surtout le calcul des probabilités. Il publie un traité de bridge puis revient en octobre 1907 à Prague comme actuaire chez Assicurazioni Generali où Franz Kafka travaille aussi au même moment. Perutz, qui commence à écrire en allemand les brouillons de ses premiers romans n'a aucun rapport avec les autres écrivains juif pragois. L'un d'eux, Max Brod, précise : *« Perutz est né à Prague, mais sa vie s'est presque toujours déroulée à Vienne, il n'avait avec nous pratiquement pas de relations. »*

Grièvement blessé lors de la Première Guerre mondiale, opéré, à sa demande, sans anesthésie, il aurait, selon la légende, jeté à un chien les deux côtes qu'on lui enlève ! Il est ensuite affecté au centre de presse militaire où il côtoie deux autres écrivains d'origine juive, Werfel et Musil. Marié en 1918, père de deux enfants, il publie alors en allemand son premier roman, *La Troisième Balle*, qui raconte une poursuite en Amérique du Sud pendant la colonisation espagnole. Grand succès. Puis, en 1923, c'est *Le Maître du Jugement dernier*[240] puis *Le Marquis de Bolibar*[241]. Énorme succès. En 1928, devenu extrêmement célèbre, il publie *Où roules-tu, petite Pomme ?*[244] en feuilleton dans la *Berliner Illustrierte Zeitung*. La vente du journal explose. Le livre est lu par trois millions de lecteurs. Il est alors, et de loin, avec Thomas Mann, l'auteur germanophone le plus célèbre de son temps.

En 1930, un an après la mort de sa femme à la naissance de leur troisième enfant, il se remarie. En 1933, son nouveau roman, *La Neige de Saint-Pierre*[242], est interdit en Allemagne par les nazis : plus question d'être lu en Allemagne. En 1938, il quitte Vienne pour la Palestine où il redevient actuaire, métier qu'il n'a jamais vraiment abandonné, tous ses livres étant fondés sur le calcul des probabilités ; il continue d'écrire, mais ne publie plus. Pendant la guerre, Jorge Luis Borges, qui le considère comme une sorte de « Kafka aventureux », préface la traduction espagnole de trois de ses livres.

Entre 1938 et 1952, à Tel-Aviv il écrit ses trois principaux chefs-d'œuvre, qu'il publie en 1953 : *Le Cavalier suédois*[238], *La Nuit sous le pont de pierre*[243] et *Le Judas de Léonard*[239].

Comme dans ses romans précédents, l'homme y est à la fois le jouet d'un destin qu'il ne maîtrise pas, quoi qu'il fasse pour y échapper, et l'instrument d'un mal qui ronge le monde.

Dans *Le Cavalier suédois,* un gentilhomme, Ghislain de Trufeld, déserte l'armée du roi de Suède au début du

XVIII$^e$ siècle en Silésie, puis croise un voleur qui, lui, à
l'inverse, souhaite revenir dans le droit chemin. Pour-
chassés par les dragons du roi, tous deux trouvent
refuge dans un moulin où le fantôme d'un meunier
vient les perturber. Ils troquent alors leur identité pour le
meilleur et pour le pire. Le brigand fait la connaissance
de la jeune fille promise au gentilhomme suédois. Il est
si heureux qu'il manigance pour se débarrasser du gentilhomme et garder son identité. Mais on ne trompe pas
impunément le Ciel qui, tôt ou tard, vient réclamer son
dû. La scène où la fille du gentilhomme croise son père
sans le savoir est une des plus bouleversantes que j'aie
jamais lues. Un ange vient alors juger le Cavalier, « brigand de Dieu », qui finit tragiquement...

Dans *Le Judas de Léonard*, le peintre italien cherche à Milan le pire brigand pour en faire son modèle
de Judas dans la Cène. Et, là encore, surprise : chacun est rattrapé par son destin...

Dans *La Nuit sous le pont de pierre*, dix nouvelles
s'imbriquent l'une l'autre en une magnifique pièce
d'horlogerie pour raconter une seule et même histoire, celle d'Ester, la femme d'un bourgeois juif
de Prague, Mordechai Meisel, amoureuse en rêve de
l'empereur Rodolphe II, au début du XVII$^e$ siècle.
Autour d'elle, en un éblouissant et implacable ballet,
gravitent l'archiduc Albrecht de Wallenstein, le valet
de chambre de l'empereur, Philip Lang, l'alchimiste
Jacobus van Delle et son ami Brouza, le rabbin de la
cité juive, l'astronome Keppler, des archanges descendant sur la ville et pleurant. Et l'on comprend
mieux, à travers ce roman génial, où chaque mot
compte, où chaque thème renvoie à un autre, comment
la communauté juive d'une ville est à la fois omni-
présente et cantonnée, enviée, jalousée, repoussée ; et

comment le judaïsme apparaît, en ce temps, comme l'étroite porte d'accès à tous les savoirs.

À partir de 1954, Perutz revient chaque année en Autriche, à Bad Ischl, près de Salzbourg, où il fait du ski malgré ses soixante-dix ans passés. Il y meurt le 25 août 1957 et restera longtemps oublié jusqu'à redevenir aujourd'hui un des plus importants romanciers du XXᵉ siècle.

## Pessah

J'ai toujours aimé ces deux soirées de printemps où la famille se retrouve pour écouter, éternellement répétée, l'histoire de la libération des esclaves d'Égypte. Son nom (*Pessah* : « passage par-dessus ») renvoie au passage de Dieu « par-dessus » la maison des Hébreux, juste avant le meurtre des premiers-nés égyptiens. C'est cette fête que le christianisme transformera en « Pâques » en raison d'une coïncidence de calendrier. Il n'y a donc pas de « Pâque juive », mais plutôt un « Pessah chrétien ».

Pessah, c'est aussi trois lettres, PSH, qu'on peut traduire par : « La parole qui libère du péché ». D'où l'importance de parler.

Bien plus, ces soirées constituent l'occasion d'une réflexion sur la valeur absolue de la liberté, bien supérieure, pour les juifs, à celle du confort. C'est aussi la fête du départ et de l'identité : en hébreu, les mots qui veulent dire « le pays des Égyptiens » veulent dire aussi : « Je veux transgresser » et « Je suis un hébreu ».

L'occasion aussi d'une réflexion sur l'exil : savoir partir, même quand on est à peu près heureux. En

1956, quand mon père décida de quitter l'Algérie, seul contre l'avis de tous, pour s'installer à Paris, autre Terre promise, il y avait en lui du Moïse, comme en chaque homme cherchant à fuir le martyre avec les siens ou simplement à trouver où vivre mieux ailleurs, dans l'intérêt des générations à venir.

L'obligation de célébrer Pessah trouve son origine dans la Bible même : « *En ce jour, tu expliqueras à ton fils, en disant : C'est à cause de ce que m'a fait l'Éternel quand je sortais d'Égypte...* » (Ex 13, 8 ; Ex 12, 26-27, 13, 14 ; Dt 6, 20). Dès le début, Pessah est donc avant tout, une fête familiale.

Elle commence par un rituel que ma mère, comme toutes les mères juives du monde depuis plus de vingt siècles, appelle le « ménage de Pâque » : longs préparatifs, commencés des semaines à l'avance, où tout, dans la maison, est nettoyé, trié, rangé, et où est sortie une vaisselle spécifique qui ne sert qu'à cette occasion.

Puis viennent les deux soirées du *seder* (ordre), ensemble de quatorze rites organisés autour d'un dîner. Tout est ordonné autour de trois symboles que chacun doit nommer à voix haute au début de ces dîners : *Pessah* (un os d'agneau), symbole de Jacob, à cause du sacrifice de son père ; *Matzah* (une galette sans levain), symbole d'Abraham, séparé des autres comme la *Matzah* résulte d'une séparation d'avec le levain ; elle est à la fois le pain de pauvreté mangé en Égypte et le pain de liberté qui n'a pas eu le temps de lever au moment où les enfants d'Israël ont quitté l'Égypte ; et enfin *Maror* (herbes amères), symbole d'Isaac dont la vie fut semée d'épreuves.

Chacune des deux soirées commence par la lecture de la *Haggadah*, l'ouvrage juif le plus édité de tous les temps, qui raconte l'histoire de la sortie d'Égypte. En particulier par les questions que posent les enfants. Et d'abord celle-ci : « *Pourquoi ce soir est-il différent des autres ?* » Ces questions portent ensuite sur l'exil et sur la liberté. Les enfants posent les questions : le sage, le méchant, l'innocent et « celui qui ne sait pas poser de questions ». Métaphores des quatre exils. Et ces questions sont elles-mêmes preuves de liberté : un homme asservi ne pouvant pas poser de questions et devant se soumettre sans discuter, le soir de Pessah, plus on parle, plus on interroge, et plus on prouve sa liberté...

Ces soirées se poursuivent par des prières récitées sur des fruits et des légumes, symboles posés sur un plateau et distribués aux convives. Puis, après chaque bénédiction, par l'ablution des mains pendant l'énoncé des dix plaies : j'entends encore mon père les énumérer et je vois encore ma mère verser l'eau sur ses mains. Puis c'est le partage du *karpass* (céleri) et la mise de côté, pour l'aîné des enfants, d'un morceau de *Matzah* ; puis on coupe en deux la *Matzah* médiane des trois *matsoth* du plat du *seder*, la première moitié représentant la misère et la seconde, réservée pour plus tard, représentant la liberté. Puis le plateau, couvert d'un napperon, tourne autour des têtes, porté par le plus jeune des convives ; enfin – selon un rituel en vigueur en Algérie, en tout cas –, une salade est jetée par la fenêtre pour alerter et convier tous les pauvres du monde, à qui une place est faite à table. La soirée se termine par l'ouverture de la porte de la maison afin d'accueillir le prophète Élie, symbole d'espérance en la liberté.

Au terme des huit jours que dure la fête et pendant lesquels on n'utilise pas de levain en cuisine, a lieu (ou plutôt avait lieu, au Maghreb tout au moins) une soirée magnifique, la *mimouna* (bonne fortune), pendant laquelle les portes de toutes les maisons de la ville (juives et non juives) restent ouvertes afin que chacun puisse entrer sans frapper chez ses voisins et échanger des cadeaux.

Que restera-t-il bientôt de cela, tout comme des dîners de Chabbat, de Rosh ha-Shana et des autres fêtes, juives ou non, voire, plus généralement encore des repas dits de famille ?

Avant que ces repas pris en commun ne structurent la vie familiale, les enfants étaient élevés par des anciens qui passaient beaucoup de temps à leur transmettre leur savoir et leurs secrets grâce à des récits, des contes, l'échanges de questions et de réponses. Puis ce rôle fut rempli par les parents, pour l'essentiel pendant les repas pris en famille, devenus au XX$^e$ siècle le temps principal de l'apprentissage des règles de vie commune. Aujourd'hui, les « seniors » ne consacrent presque plus de temps qu'à eux-mêmes ; les repas de famille disparaissent ; les plus jeunes pensent n'avoir rien à apprendre des générations qui les ont précédés. La disparition des repas familiaux (due à l'incohérence des horaires, à la multiplication des en-cas grignotés, à la présence lancinante de la télévision, à la dislocation des familles, etc.), fait s'effondrer cette ultime architecture et risque d'interrompre le dernier processus de transmission qu'ils organisaient. Demain, beaucoup d'enfants livrés à eux-mêmes n'apprendront plus que par l'école et la rue, si ce n'est exclusivement par l'école de la rue.

Pourtant, chaque enfant a droit à une enfance ; à un savoir et une expérience transmis durant les repas qu'il prend en famille, à tout le moins avec un parent, au moins dans son premier âge. Il a surtout le droit – que symbolise si bien le rituel de Pessah –, à table ou ailleurs, de questionner les adultes. Car même si rien n'est parfois plus lassant pour un adulte que les sempiternels « Pourquoi ? » d'un enfant, rien n'est plus important que de lui communiquer ces minuscules étincelles de savoir que nos civilisations ont commencé à accumuler, de lui inculquer le goût du doute et de la liberté.

## Pourim

Double raison de m'intéresser à Pourim dès mon enfance : d'une part, c'est la fête des enfants, donc une occasion de recevoir des cadeaux ; d'autre part, mon troisième prénom (traditionnellement, dans ma famille, celui d'un personnage biblique) est Mordechai ou Mardochée, qui est aussi celui du héros de cette histoire.

Dans l'Algérie d'autrefois où tous les juifs échangeaient des cadeaux pour Noël, Pourim était une seconde occasion d'en recevoir. Pour une fois, l'enfant juif était ainsi privilégié par rapport à ses camarades de classe. On nous offrait en particulier (cadeau suprême) des gâteaux très particuliers, préparés naturellement par ma mère : les uns aux amandes pilées, nappés de sucre blanc, les autres fourrés d'amandes, de dattes et épicés de pavot.

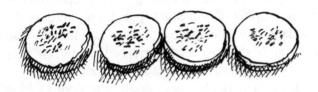

Rappelons l'histoire de Mordechai et de Pourim. Après la mort du roi Salomon, vers 930 avant notre ère, l'État hébreu se scinde en deux États. L'un, le royaume d'Israël, est détruit en 722 par les Assyriens. Sa population, déportée à Ninive, disparaît sans laisser de traces, tandis que le royaume de Juda conserve son indépendance autour de Jérusalem. Jusqu'à ce que, en 586, Jérusalem soit, elle aussi, occupée par les Babyloniens, et que le Temple de Salomon soit détruit. En 576, les Judéens sont déportés en Babylonie. Puis, incroyable retournement, en 539, la victoire du roi Cyrus de Perse leur permet de retourner en Judée et de rebâtir le Temple, soixante-dix ans après sa destruction. Seul un cinquième des exilés y retourne : même proportion que celle de ceux qui, selon la tradition, suivirent Moïse à la sortie d'Égypte. Les autres restent à Babylone, heureux et libres.

Là s'arrête l'Histoire. Là commence Pourim : soixante ans plus tard, vers 480, à Babylone, la communauté juive est encore solide et structurée, sous le règne d'un roi que la Bible nomme Assuérus (sans doute Xerxès Ier, dit le Grand Roi, fils de Darius Ier). Pour se maintenir, la communauté s'efforce de disposer d'excellents réseaux d'information, et, pour cela, d'introduire ses espions partout. Une des épouses du roi est, dit le livre de Pourim, juive en secret. (Elle vient d'être choisie comme première épouse, contre son gré, après l'assassinat par le monarque de sa précédente favorite.) Elle a changé son nom de Hadassah (« la Myrrhe ») en Esther (« Étoile » en persan, qui donnera « star » en anglais ; en hébreu : « se cacher »). Son oncle (sans doute son époux) Mardochée (le premier Hébreu désigné dans la Bible comme « juif », sans pour autant faire partie de la tribu de Juda), l'a placée là (comme Abraham aurait placé sa femme Sarah dans le lit du roi Abimelec) pour obtenir et transmettre des informations utiles à la communauté juive de Babylone. Quand Mardochée apprend qu'un complot s'ourdit contre le souverain, il en informe Esther qui en fait part à ce dernier. Le roi demande à rencontrer Mordechai pour le remercier.

Un peu plus tard, le Premier ministre, Aman, lui-même descendant d'une autre famille royale – celle, justement, d'Abimelec –, cherche à s'imposer comme le maître du pays et demande à Mordechai de se prosterner devant lui au nom de toute la communauté juive. Celui-ci refuse. Furieux, Aman décide d'exterminer tous les juifs de Babylonie. Pour fixer la date propice au massacre, il se fie au hasard : ce sera le 13 du mois d'Adar. Pourim vient justement du mot akkadien qui signifie « tirer au sort ».

Mardochée apprend cette décision par Esther et la supplie d'intervenir ; elle hésite : se dévoiler comme juive revient à déclencher contre elle la colère du Premier ministre et peut-être celle du roi. Mordechai insiste et menace : « *Si tu te tais en un tel moment, le salut et la délivrance viendront pour les Juifs d'ailleurs ; mais toi et la maison de ton père, vous disparaîtrez* » (Est 4, 14). Elle accepte et demande à Mardochée d'appeler la communauté juive à un jeûne de trois jours pour le succès de sa mission. Elle révèle au roi qu'elle est juive et lui rapporte ce qui menace son peuple. Assuérus se souvient que Mardochée lui a sauvé la vie et s'indigne du projet d'Aman. Il fait pendre le Premier ministre à la potence destinée à Mardochée et remet à ce dernier l'anneau par lequel il signe ses décrets, lui laissant tout pouvoir d'améliorer le sort des juifs babyloniens : « *Vous-mêmes, écrivez au sujet des juifs, au nom du roi, comme vous le jugerez bon.* » Ce décret autorise même « *les juifs à massacrer leurs ennemis* ».

Comme chaque fois qu'un nouveau pouvoir s'installe, « *les gouverneurs et fonctionnaires du roi* » se rallient à Mardochée, « *devenu de plus en plus puissant* », au point même que nombre de « *gens du pays se firent juifs* » (Est 8, 1-10).

Même si rien ne confirme la véracité de toute cette histoire, une conversion massive de Babyloniens au judaïsme est avérée et, en – 465, le roi Xerxès est assassiné par son Premier ministre nommé Artaban qui s'oppose à ses guerres et rêve d'occuper sa place (d'où l'expression « fier comme Artaban »).

Depuis lors, ce jour, le 13 du mois d'Adar, dit de « Pourim », est proclamé jour de fête. Une fête où chacun doit beaucoup boire. Le Talmud dit même avec d'humour : « *Il est du devoir de chacun de s'enivrer à Pourim au point de ne plus pouvoir distinguer entre "Maudit soit Aman" et "Béni soit Mardochée"* » (Megillah 7b).

Naturellement, cette histoire donné lieu à mille commentaires. Son écriture manuscrite sur un rouleau obéit à des lois particulières puisque chaque page peut, et doit, commencer par le même mot (*Ha Melekh* : le Roi ou Dieu), quitte, pour cela, à laisser des espaces savamment calculés entre certains mots ou d'étirer certaines lettres. Les kabbalistes expliquent que les quatre héros de ce récit (Esther, Mardochée, Aman et Assuérus) incarnent quatre forces mystiques essentielles.

Pour moi, ce texte, admis dans le canon par les rabbins de la Mishna, constitue d'abord une leçon sur l'importance des réseaux d'information et d'influence : alors qu'ils ont permis de sauver les juifs de Babylonie du massacre, aucun n'est parvenu à sauver au XX<sup>e</sup> siècle les juifs d'Europe. Pour cela, il aurait fallu connaître suffisamment à l'avance le projet nazi d'extermination, en faire part à ceux qui pouvaient l'empêcher, et les contraindre à agir. Pour cela, il aurait fallu, comme dans l'histoire d'Esther, infiltrer des agents dans tous les lieux de pouvoir, à Berlin comme à Washington, au Vatican et à Londres. Tout cela fut fait. Et tout était alors encore évitable : dès janvier 1939, la volonté d'anéantissement des juifs par Hitler était publique et, à l'été 1939, les juifs d'Europe auraient pu encore être accueillis en Amérique ou en Palestine. En décembre 1942, on savait tout, aussi bien à Washington qu'au Vatican, sur les massacres en cours dans les camps d'extermination de Pologne, et on aurait pu bombarder les abords de ces camps ou à tout le moins les lignes de chemin de fer conduisant à Auschwitz. Mais ceux qui savaient à ce moment-là n'ont pas voulu ou pu agir : Mardochée existait mais pas Esther, ni évidemment Assuérus qui, dans ce cas, aurait dû être Churchill ou Roosevelt ou un général allemand.

Leçon pour l'avenir : face à de telles menaces, il faut à la fois des réseaux d'information et des réseaux d'influence : les premiers permettent de savoir, les seconds d'agir. Telle est sans doute la principale leçon de Pourim : la survie d'un groupe humain, quel qu'il soit, passe par l'anticipation des menaces et donc par une certaine forme de paranoïa ; elle exige des réseaux d'information et d'influence, des agents doubles, et même, parfois, des amours intéressées...

# Qohelet

Ce fut longtemps le seul texte de la Bible dans lequel je me reconnaissais. Celui auquel mon père, si lucide, attachait le plus d'importance, et auquel tant de grands écrivains, de Chateaubriand à T.S. Eliot et Samuel Beckett, se référèrent : parce qu'il dénonce encore et encore l'absurdité de la condition humaine, faite de souffrances et de frustrations, et qu'il fait *a contrario* l'apologie de la vie, de la jouissance et du bonheur.

Aujourd'hui encore, j'y puise une leçon d'humilité et j'y trouve une corde de rappel, quand l'*hubris*, la démesure, l'orgueil tendent à m'envahir. J'en retire une force, une énergie, une rage de faire. Une impatience morale, aussi. Et je n'imagine pas une année sans le relire en entier.

*Propos de* Qohelet, *fils de David* est son titre. Qohelet : en hébreu, « celui qui s'adresse à la foule assemblée », ou le « Rassembleur ». Comme

« assemblée » se dit en grec *Ecclésia*, les Septante, à Alexandrie, traduisent Qohelet par un mot grec devenu en français l'« Ecclésiaste ». Son premier verset attribue le texte à Salomon (« *Les propos de l'Ecclésiaste, fils de David et roi de Jérusalem* ») et c'est longtemps resté la version officielle. En 1673, Louis Isaac Lemaistre de Sacy, responsable à Port-Royal d'une des toutes premières traductions de la Bible en français, le croit encore : « *Jamais ce grand roi que l'on est venu admirer des extrémités du monde n'a parlé en notre langue avec plus de majesté, et d'une manière plus éclatante et plus solide, soit qu'il fasse fonction de prédicateur général du genre humain, pour découvrir la vanité et le néant des créatures dans toutes les conditions, soit qu'il explique les mystères les plus relevés de la sagesse de Dieu en elle-même, ses opérations dans les âmes, et le malheur de ceux qui n'agissent point par ses mouvements.* »

En fait, les sources de ce texte (égyptiennes, babyloniennes et grecques) et les langues qu'il mêle (l'hébreu, l'araméen, le persan) conduisent, à partir du XIXᵉ siècle, à penser qu'il a été écrit au milieu du IIIᵉ siècle avant notre ère ; à un moment où le peuple hébreu semble n'avoir plus rien à attendre de l'avenir : son territoire est occupé par les Grecs ; ses élites s'hellénisent ; l'essentiel du peuple vit en exil ; l'hébreu n'est presque plus parlé ; le polythéisme triomphe en Israël et en Judée ; tous les efforts déployés depuis près de mille ans pour installer le judaïsme en Canaan semblent avoir été vains ; toute l'histoire juive paraît n'être plus qu'une bulle de savon, un nuage, une fumée.

Celui qui écrit (peut-être un lettré proche du Second Temple, ultime refuge des lettres et de la foi) éprouve alors le besoin de faire le point sur cette somme d'échecs, et ce, avec une incroyable franchise : « *Je résolus en moi-même de rechercher et d'examiner avec sagesse ce qui se passe sous le soleil* » (I, 13).

« *Sous le soleil* » ? J'y reviendrai.

À une seule et unique question : « *Que retire l'homme de tout ce qui l'occupe sous le soleil ?* » (I, 3), une seule et unique réponse : « *Evel* », répété trente-huit fois dans le texte.

*Evel* ? Le mot (d'où dérive le prénom Abel) signifie justement *vapeur, buée, haleine, souffle léger*, mais aussi *esprit*. Toutes les traductions (depuis celle des Septante) le rendent à tort par « vanité », transformant une belle métaphore en un qualificatif moral. Ainsi le célébrissime « *Vanité des vanités, dit l'Ecclésiaste, vanité des vanités, tout n'est que vanité* » (I, 2) devrait plutôt être traduit, comme le fait André Chouraqui (dans son étrange et belle traduction de l'ensemble des textes fondateurs des trois monothéismes) par : « *Fumée des fumées, dit Qohelet, tout est fumée*[65]. » Je préfère même, pour ma part, en restant au plus près du texte : « *Comme la plus légère des vapeurs, dit le Rassembleur, comme le plus léger des souffles, tout n'est que vent.* »

Ce qui est bien différent.

De fait, continue implacablement Qohelet, dans un réquisitoire qui n'épargne rien, tout n'est que buée et que vent.

D'abord, travailler dur pour accumuler des richesses est *Evel* (futile). Car le plaisir qu'on peut tirer de la fortune est *Evel*, dépourvu d'intérêt : « *J'ai dit en* moi-même : *Prenons toutes sortes de délices et jouis-sons des biens, et j'ai reconnu que cela même n'était que souffle* » (II, 1). De même, le désir de changement est *Evel* (dérisoire) : « *Rien n'est nouveau sous le soleil, et nul ne peut dire : Voilà une chose nouvelle ; car elle a déjà été dans les siècles qui se sont passés avant nous* » (I, 10). Comme le sont aussi l'étude et l'écriture : « *Faire des livres est un travail sans fin, et beaucoup d'étude fatigue le corps* » (XII, 12). Au total, aucun effort ne sert à rien : « *J'ai vu toutes les œuvres qui se font sous le soleil et voici : tout est vanité et poursuite du vent. Ce qui est courbé ne peut être redressé, et ce qui fait défaut ne peut être compté* » (1, 1415). « *Tous les fleuves vont à la mer, et la mer n'en est point remplie* » (L 7). Tout, même le bonheur, finit par passer : « *Toutes choses ont leur temps, et tout passe sous le ciel après le terme qui lui a été prescrit.* »

Plus encore : la survie des générations et même des nations, y compris celle du peuple hébreu, est une ambition absurde, car toutes sont aussi mortelles que les hommes. Le Rassembleur le dit dans une phrase ravageuse, y compris pour son propre peuple : « *Une génération passe, une autre lui succède ; la terre demeure ferme pour toujours* » (I, 4).

La sagesse elle-même n'est que fumée : « *Parce qu'une grande sagesse s'accompagne de beaucoup d'indignation, et parce que plus on a de savoir, plus on a de peine* » (I, 18).

Il va jusqu'à mettre en cause la Justice divine dans une phrase terrible : « *J'ai vu encore ceci pendant les jours de vent : le juste périt dans sa justice, et le méchant vit longtemps dans sa malice* » (VII, 16). Et encore : « *Il y a des justes à qui les malheurs arrivent*

*comme s'ils avaient fait les actions des méchants, et il y a des méchants qui vivent dans l'assurance comme s'ils avaient fait les œuvres des justes »* (VIII, 14). Avoir une attitude morale ne garantit donc aucun confort.

Aussi le célébrissime « *Il y a un temps pour naître et un temps pour mourir, un temps pour planter et un temps pour récolter* » (III, 1-2) n'est pas, comme on l'interprète en général, une exhortation à se résigner au passage du temps, à faire toujours les mêmes choses dans un ordre immuable, mais, au contraire, une dénonciation de la précarité de la vie, de l'horreur de sa finitude. Cioran ne dit rien que Qohelet n'ait dit bien avant lui.

Mais Qohelet en tire une conclusion différente de Cioran : pour lui, la réponse à la fragilité de la vie, c'est la jouissance de l'instant : « *Jouissez de la vie avec la femme que vous aimez, pendant tous les jours de votre vie passagère qui vous ont été donnés sous le soleil pendant tout le temps de votre vanité* » (IX, 7-9). D'où, aussi, une apologie du plaisir à vivre et à jouir de richesses ou de l'exercice de son métier : « *Et quand Dieu a donné à un homme des richesses, du bien, et le pouvoir d'en jouir, et de trouver sa joie dans son travail, cela même est un don de Dieu* » (V, 17-18). Car consommer est aussi un plaisir qu'il ne faut pas réprimer : « *Allez donc, et mangez votre pain avec joie, buvez votre vin avec allégresse, parce que vos œuvres sont agréables à Dieu* » (V, 20).

Il va même jusqu'à recommander de ne pas se montrer ni trop juste, ni trop sage : « *Ne soyez pas trop juste, et ne soyez pas plus sage que nécessaire, de peur que vous n'en deveniez stupide* » (VII, 17). Et, s'il recommande l'altruisme, c'est de façon intéressée, cynique même : « *Il vaut donc mieux être deux ensemble que seul ; car on tire avantage de la présence de l'autre. [...] Si l'un tombe, l'autre le soutient. Malheur à l'homme seul, car lorsqu'il sera tombé, il n'y aura personne pour le relever ! Si deux dorment ensemble, ils se réchauffent l'un l'autre ; mais comment un seul se réchaufferait-il ?* » En cela il est proche de Salomon, son auteur présumé, qui fait de l'altruisme intéressé sa propre devise.

Dieu Lui-même n'est qu'une présence dont il faut se souvenir tout au long de sa vie sans en faire un juge de fin de vie : « *Souvenez-vous de votre Créateur pendant les jours de votre jeunesse, avant que le temps de l'affliction soit arrivé et que vous approchiez des années dont vous direz : ce temps me déplaît* » (XII, 1). « *Souvenez-vous* » et non « *Priez* » ou « *Redoutez* » ou « *Aimez* », car il n'y a rien à attendre de Dieu, ni en ce monde ni dans un autre. Et il n'y a aucune raison d'aimer Celui qui nous a créés si imparfaits, si malheureux, parce que conscients de notre finitude.

Les rabbins hésitèrent longtemps à accepter que ce texte fasse partie de la Bible. Rabbi Akiba l'admit après beaucoup d'hésitations. Comment peut-on accepter qu'il soit ainsi dit, dans un texte biblique, que le travail, l'étude, la création, la morale, la justice, l'amour de Dieu sont vains ? Parce que la Bible explique que l'homme ne peut rien faire, ni étudier, ni travailler, ni créer s'il n'est pas heureux.

Un homme ? Un homme et une femme, en fait. L'homme n'est prêt à sortir de sa paresse que grâce à Ève ; il ne se met au travail que grâce à Sarah ; il ne réussit que s'il est partout accompagné, comme par Ruth.

Dans ce texte, il faut aussi entendre un appel à ce qui deviendra, quatre siècles plus tard – avec le Talmud et la Kabbale –, la mission juive de *Tiqqoun Olam*, de réparation du monde. Et la phrase si terrible : « *Rien de nouveau sous le soleil* », si souvent répétée dans le texte, qui semble sonner chaque fois comme une apologie de la résignation, trouve alors un tout autre sens : c'est une exhortation à échapper à la routine, à aller chercher le nouveau « *au-dessus du soleil* », c'est-à-dire à changer le monde, à changer la vie elle-même.

Aussi, chaque fois que le Qohelet parle de « *sous le soleil* », c'est en fait pour appeler à la transgression, au dépassement, à l'audace. De fait, comme on l'a dit ailleurs, le mot *Evel*, qui désigne la transgression, est le même que celui qui désigne le peuple hébreu. Par exemple, quand le Qohelet dit : « *Que retrouve l'homme de tout ce qui l'occupe sous le soleil ?* », il faut comprendre : « *Ce que vous faites dans la routine ne sert à rien. Cessez avec ça, changez le monde pour être heureux !* »

Pour y parvenir, un seul secret : ne se résigner ni à la finitude, ni à la répétition.

*Car s'il y a quelque chose qui soit vraiment au-dessus du soleil, c'est le temps.* Donc ne pas accepter le malheur, ne rien abandonner du bonheur possible, tout faire pour être heureux. Vivre d'impatience. Même s'il faut, pour cela, sortir de l'ordre établi, passer au-dessus des princes, au-dessus du Soleil. Peut-être même jusqu'à s'évader pour de bon de la prison Terre, voyager dans l'espace, pour y chercher un autre avenir, en s'installant, au sens propre, sur une autre planète, au-dessus du Soleil.

# Rachi

Descendant de juifs espagnols devenus successivement ottomans, puis français, puis « indigènes », puis à nouveau français, je suis particulièrement concerné par les relations des juifs et du judaïsme avec la France : présents en Gaule bien avant l'ère chrétienne ; heureux en France et en Champagne jusqu'à la fin du XI$^e$ siècle ; bannis au XII$^e$ ; rappelés, puis encore bannis au XIII$^e$ ; martyrs au XIV$^e$ ; interdits jusqu'à la fin du XVIII$^e$ ; à peu près bienvenus depuis lors, sauf durant l'ignoble parenthèse de Vichy qui envoya à la mort 75 000 juifs ayant eu le tort de croire en la France.

Jusqu'au X$^e$ siècle, ils ne sont, en Gaule puis en France, ni libres ni serfs. Ils n'ont ni le droit de porter des armes, ni celui de posséder des terres. Ce sont des esclaves qu'un prince peut céder à un vassal ou à une abbaye en échange d'autres avantages.

En général, ils sont moins impliqués dans les travaux agricoles qu'en terre d'islam ou en Mésopotamie ; d'abord parce que l'Église préfère confier ses terres à des chrétiens à qui elle peut faire payer une dîme ; ensuite parce que les juifs n'ont pas le droit d'employer des serfs sans lesquels il n'est pas encore, à l'époque, d'agriculture possible. Enfin et surtout, parce que les menaces d'expulsion les incitent à rester mobiles.

Au XIᵉ siècle, quelques-uns d'entre eux deviennent propriétaires terriens et exploitent eux-mêmes des domaines ; il leur arrive même d'être viticulteurs, bien qu'ils s'interdisent de boire le vin des chrétiens ; car le Talmud dit : « *Le vin des Gentils est interdit en raison de leurs filles. Il ne faut pas le boire ensemble.* »

Certaines villes marchandes d'Europe leur offrent alors des privilèges, voire une « charte de droits » en échange de leur installation comme marchands et surtout comme prêteurs, métier qu'exigent de plus en plus les foires naissantes. En 1004, un certain Hutzmann Rudiger, évêque de Spire, en Rhénanie, accorde une telle charte aux juifs de sa ville : « *Je pense,* écrit-il, *que j'augmenterai mille fois l'honneur de notre localité en amenant des juifs à y vivre.* »

Le long du Rhin, de la Loire, de la Seine, du Rhin, en Champagne, en Italie du Nord et en Pologne s'installent et se développent plusieurs centaines de communautés venues de Mésopotamie, qui renforcent celles qui sont déjà là, pour certaines, depuis quinze siècles. Parmi elles, à Troyes, devenu un des tout premiers centres commerciaux d'Europe, les juifs sont protégés par le comte de Champagne.

En 1040 y naît Salomon ben Isaac, dit Rachi, fils d'un rabbi vigneron nommé « Isaac le Français ».

Après dix ans d'études en pays ashkénaze, d'abord comme disciple d'Isaac ben Yehudah à Metz, puis comme élève de Gershom (dit Maor Ha-Golah, « Lumière de l'Exil ») à Mayence, Rachi revient à Troyes chez son père ; il y vit en langue d'oïl et y écrit en hébreu, tout en prenant la suite de son père comme responsable religieux de la communauté de la ville. Devant gagner sa vie, comme tout lettré, il devient, à l'instar de son père, viticulteur et marchand de vin cacher, tout en autorisant les juifs à commercer avec les chrétiens : *« Nous ne pouvons gagner notre subsistance à moins de faire des affaires avec les Gentils, car nous vivons parmi eux, nous dépendons d'eux. »*

Son savoir en impose par sa précision, son érudition, sa mémoire et sa capacité à répondre simplement à des questions complexes. Au moment même où disparaît le judaïsme de Babylone, c'est vers lui que se tournent les communautés pour avoir une interprétation moderne des textes. Il répond aux questions des visiteurs, marchands et lettrés, venus du monde entier.

Pendant quarante-cinq ans, de 1060 à sa mort à soixante-cinq ans, en 1105, il rédige plus de trois cent cinquante réponses à des questions que lui soumettent ses visiteurs, et un commentaire complet de la Bible[247] et de la quasi-totalité du Talmud. Ses commentaires sont illustrés d'exemples pris dans son travail de vigneron, utilisant 4 500 mots du plus vieux français connu, langue d'oïl ou vieux champenois, qu'il transcrit en lettres hébraïques et dont on ne connaîtrait rien sans lui.

Son honnêteté ravit quand il n'hésite pas à dire : « *Je ne sais pas* » (sur Gn 10, 21 ; 28, 5, 9; 32, 15). Il cite d'innombrables ouvrages de maîtres peu connus – notamment espagnols – sans qu'on sache comment il a pu se les procurer.

Je le lis souvent avec plaisir quand il m'arrive (par exemple pour ce livre) de chercher des analyses d'un verset particulier. J'aime ses commentaires clairs, audacieux, subtils, très concis, pleins de bon sens ; il y propose une lecture simple de la Loi, mêlant la bimillénaire dialectique juive à ce qui deviendra, six siècles plus tard, le génie français : il y aura du Rachi chez Blaise Pascal.

Comme beaucoup de rabbins, il traite rarement de l'au-delà, comme si la question de l'après-vie ne l'intéressait pas, si ce n'est quand il commente rapidement un verset des Psaumes (49, 11) qui dit : « *Les sages meurent* [yamoutou], *tout comme périssent* [yovedou] *le fou et le sot, en laissant leurs biens à d'autres* », et qu'il explique, par un jeu sur les mots que seul le corps du sage meurt, tandis que l'âme du fou disparaît du même coup.

Il écrit prophétiquement, à propos de Béréchit, en parlant du peuple juif : « *On vous accusera d'être des voleurs, d'avoir conquis la Terre par la force. Il faudra répondre que c'est Dieu qui décide à qui il faut donner la Terre.* » Étrange prémonition : les Juifs en seront accusés avant la fin du XX$^e$ siècle...

Au moment où s'éveille l'économie européenne, ce théologien chef d'entreprise est bienvenu. Il est en fait le premier théoricien d'une éthique du capitalisme, dénonçant ceux qui spéculent sur les prix, achètent les récoltes à bas prix, les stockent pour les revendre ultérieurement beaucoup plus cher. Il exhorte les marchands à passer entre eux des contrats écrits, établissant la claire volonté des parties d'y souscrire. Il exige que le contrat de travail des employés ne dépasse pas trois ans, et demande qu'on autorise un ouvrier à quitter son emploi à tout instant, avec paiement intégral de la fraction de salaire correspondant au temps de travail effectué.

En 1090, quand la première croisade entraîne la destruction des synagogues d'Allemagne et le massacre des communautés de Mayence et de Metz où il a étudié, Rachi s'inquiète, dans ses commentaires des Psaumes, pour l'avenir du peuple juif : la communauté de Babylonie ayant disparu, si l'Europe chrétienne devient une terre hostile, où aller ?

Au même moment, Abraham ibn Ezra naît dans l'Espagne musulmane où pour six décennies il fait encore bon vivre.

Rachi meurt le 13 juillet 1105 à Troyes. Un manuscrit de ses commentaires de la Torah, recopié en France au siècle suivant et conservé encore aujourd'hui à la Bibliothèque nationale de France, se termine par : « *L'illustre Rabbi Salomon, fils du Saint Isaac le Français, est mort en l'an 4865, le 29 Tammouz, cinquième jour* [jeudi], *à l'âge de 65 ans.* »

Peu d'œuvres connaîtront une telle postérité. Pas un rabbi au monde, face à un verset, qui ne se pose la question : « Qu'en pense Rachi ? » Cent trente-cinq commentaires complets de ses commentaires ont été écrits. Son petit-fils Samuel ben Meir (appelé Rachbam dans la tradition juive) parachève son commentaire du Livre de Job. Un autre de ses petits-fils, Jacob Tam, prêteur sur gages, fermier des impôts pour le compte du comte de Champagne, autorise la vente de vin aux non-juifs si c'est la seule façon de gagner sa vie. Il écrit : « *Chaque fois qu'il s'est agi d'une grosse perte financière, la Torah s'est toujours préoccupée de l'argent d'Israël. Pourquoi témoignerais-je moins de sollicitude et refuserais-je de décider que c'est là chose permise ?* » En 1171, après le massacre de juifs à Blois, assassinés après avoir été accusés d'avoir commis un meurtre rituel (première accusation de ce genre sur le continent européen), Rabbi Tam ordonne un jeûne général de la communauté de Troyes.

L'influence de Rachi dépasse vite la sphère du judaïsme : au XIVe siècle, le moine franciscain Nicolas de Lyre, et, au XVIe siècle, Martin Luther, par exemple, le lisent et le citent. Aujourd'hui encore, ce tout premier écrivain de France jette un éclairage sur ce qui est depuis lors resté commun aux deux cultures : penser l'universel à partir du particulier ; attacher une extrême importance aux mots et donc à la littérature ; croire que ce qui est bon pour soi est bon pour le monde ; affirmer que la raison est la seule forme acceptable de la vérité ; vivre et penser à la fois en marchand et en paysan, en nomade et en sédentaire, en minorité et en peuple d'élite, avec une très haute idée de ses devoirs.

# Ramban

Magnifique batailleur, Moïse ben Nahmanide, dit Ramban, est né en Catalogne en 1194. Talmudiste, médecin à Barcelone, grand admirateur de Rachi (« *Notre maître Salomon, à qui revient le droit d'aînesse* »), il considère la Kabbale, dont il lit les premières esquisses, comme reçue par Moïse « de la bouche » de Dieu. Il s'oppose à toute approche rationaliste de l'Écriture. Pour lui, la « sagesse intérieure » est la « voie de la vérité » : « *J'annonce ici que mes propos ne peuvent être compris que par les gens de la transmission. La raison – ou la logique – n'a rien à y voir.* »

Grand polémiste, il se montre en particulier d'une rare violence contre le premier des rationalistes, Abraham ibn Ezra : « *Voici un homme qui confond tout. Il ne fait pas la part des choses. Je m'étonne que son esprit se soit aveuglé à ce point...* » – ou encore : « *Ses propos sont grotesques. Ne te laisse pas abuser par les bêtises de rabbi Abraham* » (Ibn Ezra). Il n'est pas plus tendre envers Maimonide : « *Ah, si celui-là, qui se vante par ailleurs de connaître les secrets de la Torah, "savait" vraiment, je puis vous dire qu'il deviendrait muet. Et il cesserait de se moquer, comme il le fait, des propos de nos maîtres.* » Il incite même à le critiquer : « *Si vous étiez d'avis qu'il y allait de votre devoir de dénoncer le Guide comme hérétique, pourquoi certains d'entre vous montrent-ils si peu de diligence à appliquer cette décision, comme s'ils la regrettaient ? Est-il séant, en des matières aussi sérieuses, d'agir capricieusement, d'applaudir l'un aujourd'hui et l'autre demain*[227] *?* » Il dénonce les positions de Maimonide comme des « futilités » et des « cupidités » quand celui-ci critique les sacrifices animaux comme étant une concession à l'esprit de l'époque du Second Temple. Il va même jusqu'à dire : « *Ces mots* [de Maimonide] *contredisent le texte de l'écriture ; il est interdit de les entendre, sans même parler de les croire* » ; il va jusqu'à exiger de ses élèves qu'ils se bouchent les oreilles pour s'épargner de les entendre.

Son talent de polémiste est tel que, nommé rabbin de Gérone, puis chef des communautés juives de Catalogne, il se voit demander en 1263 par le roi Jaíme Ier d'Aragon de disputer à Barcelone, en présence de la Cour, sur la divinité de Jésus avec Pablo Christiani, juif converti devenu frère dominicain, qui a déjà tenté de convertir les communautés du Roussillon dépendant alors de la Catalogne.

Ramban n'est pas le premier à être placé dans une telle situation : vingt ans plus tôt, en 1240, à Paris, un certain rabbi Yehiel avait lui aussi été forcé de débattre du Talmud devant le roi et la Cour, face à un converti du nom de Nicolas Donin, évidemment proclamé vainqueur. En guise de représailles, vingt-quatre charrettes chargées de Talmud avaient été brûlées ; rabbi Yehiel avait dû fuir avec la petite communauté parisienne en Palestine dans le village de Haïfa.

Confronté à la même situation, Ramban ne peut lui non plus refuser, même s'il sait que le combat, comme à Paris, est perdu d'avance. La dispute commence en grande pompe le 20 juillet 1263[227] à Barcelone. Christiani se fonde sur des citations du Talmud pour montrer que des rabbis contemporains de Jésus ont admis implicitement que le Messie vivait à leur époque ; il cite aussi une phrase mystérieuse du chapitre 49 de la Genèse où

Jacob prophétise sur l'avenir de la tribu de Juda (« *Le sceptre ne s'éloignera pas de Juda, jusqu'à ce que vienne le Chilo* ») ; *Chilo*, (mot que Christiani traduit par « le Pacificateur » ou « le Dominateur »), annonce, dit-il, la venue d'un fils de Dieu ; alors que, pour Ramban, l'étymologie de ce mot renvoie simplement à « propriétaire du sceptre ». Ramban explique aussi que le Messie sera en fait un être humain, et non un fils de Dieu. Et quand Christiani cite un certain rabbi Josué ben Lévi, censé avoir rencontré le prophète Élie qui lui aurait annoncé la venue d'un « Messie aux portes de Rome », Ramban répond que ce rabbi annonce cette venue pour « un moment de paix et de justice », ce qui n'est pas précisément le cas ni à l'époque de Jésus, ni en 1263[227].

Après cinq jours de joute verbale, la dispute est interrompue sans qu'on en sache vraiment la raison. Deux interprétations : pour les uns, Ramban aurait gagné et le roi Jaíme Ier aurait stoppé la controverse (de sa propre initiative, pour ne pas humilier les chrétiens, ou à la demande des juifs de Barcelone qui craignent d'exciter le ressentiment des dominicains vaincus) ; selon eux, le roi aurait pris acte de la victoire de Ramban et lui aurait fait don de 300 maravédis en signe de respect. Pour les autres, Ramban aurait perdu.

Quelle que soit l'hypothèse retenue, Ramban reçoit du souverain l'ordre de relater la dispute par écrit. Il s'exécute[227], mais Pablo Christiani découpe des passages de son texte qu'il réagence pour en faire une charge contre les Évangiles, ce qui lui permet d'obtenir le droit de faire brûler les livres de Ramban, de faire décider de son exil, d'abord pour deux ans, puis pour toujours, et de faire même interdire l'étude du

Talmud dans le royaume. Étrange situation, puisque la pratique du judaïsme est autorisée et que deux enfants de Ramban restent hauts fonctionnaires à la cour du roi catalan.

En 1264, Ramban quitte Barcelone, d'abord pour la Castille, puis pour la France, où il est mal reçu comme tous les juifs. Il part pour Jérusalem en 1266. Là, il fait bâtir une petite synagogue et décrit, dans une lettre à son fils aîné, Nahman, resté à la cour de Barcelone, l'état de désolation dans lequel il trouve la Ville sainte où, dit-il, ne vivent que deux Juifs exerçant le métier de teinturiers. Il se lamente et se réjouit à la fois : « *Je suis banni de ma table, éloigné de mes amis et de mes parents, et il y a trop de distance pour se revoir* [...]. *Mais la perte de tout ce dont mes yeux se réjouissaient est compensée par ma joie présente d'avoir passé une journée dans tes ruelles, ô Jérusalem* [...], *où il m'est accordé de caresser tes pierres, de frôler ta poussière et de pleurer sur tes ruines. Je pleure amèrement, mais je trouve la joie dans mon cœur. Je déchire mes vêtements, mais j'y trouve du réconfort.* » À son second fils, lui aussi toujours dignitaire à la cour de Castille, il écrit de ne pas oublier de réciter ses prières quotidiennes, et le met en garde contre l'immoralité de la Cour.

Il ne reverra jamais ces deux fils. En 1267, il s'installe à Saint-Jean-d'Acre, capitale de l'ordre des Hospitaliers de Saint-Jean, où il rejoint le rabbin Yehiel de Paris, exilé pour la même raison que lui. Là, il rédige un commentaire sur la Torah, « *car tous les miracles, tous les mystères sont cachés dans la Torah, et dans ses trésors est contenue toute la beauté de la sagesse* ». Commentaire plein de sous-entendus : « *C'est un grand secret qu'il ne convient pas de révéler* »... « *l'intelligent comprendra* »... « *à celui qui mérite de comprendre* »...

Ramban meurt en 1269, trois ans après son arrivée en Palestine. Il est enterré à Haïfa, non loin de Saint-Jean-d'Acre. Seize ans plus tard, le rabbin français Yehiel de Paris est enterré à ses côtés. La petite synagogue créée par Ramban à Jérusalem, à quelques centaines de mètres du mur occidental du Second Temple, est aujourd'hui restaurée.

# Rosh ha-Shana

Encore un repas de famille, et des plus importants. Étrange fête : un début d'année plein de joie en même temps que l'amorce d'un procès empreint de gravité. *Rosh ha-Shana* (« tête de l'année ») est la célébration du Nouvel An, ou plutôt d'une des quatre « années nouvelles » (les trois autres sont le premier du mois de Nissan pour les festivals ; le premier du mois d'Eloul pour la dîme prélevée sur le bétail ; le premier du mois de Chevat pour les arbres). La fête de Rosh ha-Shana s'étend sur les deux premiers jours du mois de Tishri (mot d'origine akkadienne, de *tasritu*, « commencement ») qui marque le début de l'automne, fête agricole commune à l'ensemble des peuples du Moyen-Orient.

Comme Pessah, Rosh ha-Shanah est l'occasion d'un repas de fête et de prières. Sur un plateau, on place encore des symboles : cette fois des pommes (symbolisant le cycle annuel) trempées dans du miel (symbole de la douceur de l'année à venir) ; une tête de poisson (afin d'être à la tête, et non à la queue), une betterave afin que les ennemis déguerpissent (« betterave », *seleq* en hébreu, se dit presque comme « déguerpir », *lehistaleq*) et des grenades (fruit recélant, selon la tradition, 613 graines, comme le nombre des mitzvot), et des confitures à foison.

Selon une interprétation du verset (11, 12) du Deutéronome, la Création du monde commence le premier de ce mois. Selon d'autres interprétations, elle aurait débuté une semaine avant, le 25 Eloul (mais alors, il y aurait du temps avant le temps ? Et que se passait-il le 24 ?) ; Rosh ha-Shana serait alors le jour de la création de l'homme, celui où les créatures reconnaissent Dieu pour leur Créateur : « *Et puisses-Tu rapidement régner, Toi Hashem, notre Dieu, sans partage sur Tes créations* », « *Notre Dieu et Dieu de nos pères, règne sur le monde entier dans Ta gloire, préside au monde* »

*dans Ta chèreté, et révèle dans la gloire Ta puissance sur toutes les créatures terrestres.* »

C'est en tous cas, le premier des dix « jours redoutables » qui s'achève par le Kippour. L'astrologie y renvoie : le Soleil se trouve à Tishri dans le signe de la Balance.

Juste avant, pendant le mois d'Eloul, chaque juif doit entamer un processus d'introspection et de repentance. Selon le Talmud, à ce moment, trois Livres sont ouverts dans le ciel : un pour les justes, un pour les méchants, un pour les autres. Dès le jour de Rosh ha-Shana, les justes sont inscrits pour vivre un an de plus ; les méchants pour partir dans le néant ; les autres sont en suspens de Rosh ha-Shana à Kippour.

Le jugement a donc lieu tous les ans, et pas seulement à la fin de la vie.

Étrange mélange d'un regard jeté sur le passé (un jugement) et porté sur l'avenir (un commencement). Le Talmud de Jérusalem s'interroge d'ailleurs : « *Quelle nation est comme cette nation-là ? Alors qu'ordinairement, lorsqu'on sait qu'on va passer en jugement, on s'habille de noir et on se laisse pousser la barbe, car on ne connaît pas l'issue de son jugement, Israël n'est pas ainsi : ils s'habillent de blanc, s'enveloppent de blanc, rasent leur barbe, mangent, boivent et se réjouissent, car ils savent que le Saint, béni soit-Il, leur fait des miracles* » (Traité de Rosh ha-Shana).

Toujours la même idée : ne pas avoir peur de traverser le temps. Ne pas craindre le jugement de Dieu. Ne pas redouter ses propres erreurs, ni les monstruosités de l'injustice, ni les caprices du hasard. Vivre et transmettre, quoi qu'il arrive, jusqu'à l'ultime seconde.

# Ruth

Princesse convertie, ma préférée, parce qu'elle choisit librement de devenir juive et qu'elle témoigne d'un peuple accueillant. Parce que d'elle et de ses semblables dépend la survie du judaïsme. Et parce qu'elle est la meilleure image de Dieu.

Au temps plus ou moins historique des Juges, il y a trente et un siècles, au Canaan Élimélekh, son épouse Noémie et leurs deux fils, Mahlon et Khilion, écrasés de misère, vendent leurs champs, quittent Bethléem, traversent le Jourdain et partent pour le pays de Moab, plus fertile, dans l'actuelle Jordanie. Les deux fils se marient : l'un épouse Orpah, l'autre Guilite, une fille d'Églon, roi de Moab, lui-même descendant de Balak. Les deux femmes se convertissent au judaïsme. Guilite prend le nom de Ruth, « *la Comblée* ».

Rapidement, les trois hommes meurent. Noémie décide alors de rentrer en Canaan et d'y rejoindre sa famille. Elle conseille à ses deux belles-filles de retourner dans les leurs. Orpah hésite, puis, non sans réticences, suit le conseil de sa belle-mère et s'en retourne dans son clan ; selon le Midrash, un de ses descendants sera Goliath. Ruth, la fille du roi de Moab, refuse d'abandonner sa belle-mère : « *Partout où tu iras, j'irai ; où tu demeureras, je veux demeurer ; ton peuple sera mon peuple et ton Dieu sera mon Dieu ; là où tu mourras, je veux mourir et être enterrée. Que l'Éternel m'en fasse autant et plus, si jamais je me sépare de toi autrement que par la mort !* » (Rt 1, 16-17). Elles partent donc toutes deux en Canaan et y retrouvent la misère que Noémie avait fuie. Pour se nourrir, Ruth – qui aurait pu redevenir princesse en revenant auprès de son père –

glane le champ de Boaz, un cousin d'Élimélekh, le
défunt mari de Noémie. Ce n'est pas tout à fait par
hasard : Boaz est juge de la tribu de Juda, l'un des
hommes les plus importants de Bethléem. Conformé-
ment à la loi juive, après qu'un autre parent plus proche s'est désisté, Boaz propose à Ruth de l'épouser :
« *Elle méritait d'être récompensée parce qu'elle était
venue s'abriter sous les ailes de Dieu* » (Rt 2, 12).
Elle accepte et Boaz rachète pour elle le champ
vendu par son beau-père, Élimélekh, avant son départ
de Canaan. Ruth et Boaz ont un fils, Obed, qui sera
« *père de Jesse, père de David* » (Rt 4,17). Ce David,
l'arrière-petit-fils de Ruth, affrontera Goliath, descendant d'Orpah, l'autre belle-fille de Noémie.

Ruth est une figure essentielle du judaïsme, métaphore de ce que l'être humain peut espérer de
meilleur. Elle n'est pas la première convertie. Avant
elle, Jéthro, le beau-père de Moïse (dont le nom a la
même racine que Ruth comme si l'une descendait de
l'autre). Elle incarne d'abord la fidélité en amour,
suivant sa belle-mère par fidélité à son mari au prix
des plus grands sacrifices. Selon le *Zohar* (Rt 95a),
qui lui consacre un chapitre entier, Ruth est bien
davantage : l'incarnation de la Loi, parce que les lettres de son nom (*reiche, vav, tav*) forment aussi, dans
un ordre différent, le mot Torah. Elle est aussi l'âme
humaine, qui accompagne le corps où qu'il aille sur
Terre. Elle est encore, et peut être surtout, la dimension féminine du divin, l'expression de la *Chekhinah*
(la Transcendance, expression d'un Dieu qui n'abandonne jamais son peuple, quoi qu'il arrive et où qu'il
aille).

« Ruth » n'est pas non plus par hasard le titre d'un
livre de la Bible et d'un livre du *Zohar* : les convertis,

dont elle est le symbole, sont en effet essentiels à la perpétuation du judaïsme. Avant l'avènement des autres monothéismes, le judaïsme est en effet ouvert et accueillant, et Ruth symbolise cette ouverture. Si le judaïsme se transmet à la fois par les femmes (l'inné, la loi écrite) et par les hommes (l'acquis, la loi morale), il peut être aussi acquis par conversion. Au VI⁰ siècle avant notre ère, des conversions de masse au judaïsme ont même lieu en Babylonie ; elles continuent jusqu'à la fin du II⁰ siècle avant notre ère, quand Jean Hyrcan, neveu de Judas Maccabée, devenu roi, force les Édomites, actuels Jordaniens, qu'il vient de vaincre, à se convertir : cas unique de conversion forcée au judaïsme. Certains grands maîtres de cette époque, tels les rabbis Chemayah, Avtalyon, Akiba, auteurs du Talmud du Jérusalem, et Onqelos (traducteur de la Bible en araméen) descendent de ces convertis. Au I⁰ʳ siècle de notre ère (malgré les persécutions assyrienne, babylonienne, égyptienne, perse, grecque et romaine), les juifs restent accueillants aux convertis, ce qui fait alors du peuple juif une réelle puissance en termes démographiques : ils représentent en effet à ce moment, selon certaines estimations, le dixième de la population de l'Empire romain, et, au total, en comptant ceux qui vivent ailleurs, plus du vingtième de l'humanité.

Le Talmud (qui fait, dans les cinq premiers siècles de notre ère, la synthèse de la doctrine) recommande ensuite avec insistance de « *ne pas fermer la porte à des prosélytes potentiels* ». Il explique que les idolâtres (qui sont pour lui comme des bêtes, des animaux à poil) sont mal vus, mais que le mot qui veut dire poil (*sha'ar*) désigne aussi la *porte,* qui permet d'entrer (Qohelet *Rabba* 3, 21). Il faut donc ouvrir la porte aux idolâtres, leur enseigner les bases du judaïsme et leur faire prendre conscience des contraintes de sa pratique. Un midrash décrit même le converti comme un cerf qui décide de rejoindre un troupeau de moutons et dont un berger doit s'occuper particulièrement, parce que « *mes moutons n'ont que ce parc, alors que ce cerf peut choisir le monde entier. Il a pourtant choisi mon parc ; il est donc juste que je lui porte une attention particulière* ». Un rabbin palestinien du IVᵉ siècle, Éléazar ben Pedat, déclare même, selon le Talmud : « *Dieu a exilé les Israélites parmi les nations uniquement pour qu'ils accroissent leur nombre par des prosélytes* » (Les 87a), et que le converti doit être mentionné avec les Justes dans les prières quotidiennes. Enfin, pour d'autres rabbins du Talmud, un converti est « *deux fois plus juif* » que celui qui est né juif.

Tout change au IVᵉ siècle quand le christianisme devient religion officielle de l'Empire romain, alors même que se rédige le Talmud de Babylone : les juifs ne cessent pas d'être accueillants, mais, dans l'Empire, les conversions au judaïsme sont punies de mort. Aussi se ralentissent-elles considérablement à Rome. Mais pas ailleurs : au Maghreb, par exemple, une reine guerrière berbère, Kahina, se convertit au judaïsme, résiste à l'arrivée des Arabes après avoir tenu tête en Cyrénaïque aux troupes byzantines et organise la conversion vers le judaïsme de nombreuses tribus berbères.

Trois siècles plus tard, l'islam, après l'Église, interdit à son tour toute conversion à l'un ou l'autre des deux monothéismes concurrents. Les conversions au judaïsme cessent alors, mis à part le cas étonnant des Khazars, peuple d'Ukraine qui s'y seraient convertis en masse au Xᵉ siècle. Désormais, est même puni de mort un juif tentant de convertir un non-juif ou de reconvertir un juif passé au christianisme ou à l'islam.

Depuis, de moins en moins de gens ont été tentés de rejoindre cette religion devenue martyre, si ce n'est pour partager la foi d'un conjoint.

L'attitude du judaïsme à l'égard des conversions diffère aujourd'hui d'un rabbin à l'autre. Pour tous, quiconque se convertit volontairement à une autre religion cesse d'être juif et peut le redevenir. Dans de nombreux pays, l'orthodoxie rabbinique fait tout pour freiner les conversions vers le judaïsme, au nom d'une interprétation inexacte des textes, alors que le judaïsme dit « libéral », aux États-Unis, en Europe et en Israël, plus conforme en la matière au Talmud, renoue avec la tradition accueillante du judaïsme et facilite l'intégration de ceux qui veulent se convertir, quelles qu'en soient les raisons.

Dans un monde où les communautés de toute origine sont de plus en plus ouvertes et intégrées, il y va de la survie du judaïsme : le judaïsme mondial, en particulier israélien, s'il veut continuer à peser démographiquement, devra franchir le pas et reconnaître ces conversions libérales, y compris au sens de la loi du Retour. Le peuple juif pourrait sans difficulté regrouper plus de cent millions de membres.

Le judaïsme est, par nature, une façon d'aimer. Il ne pourra survivre que par l'amour.

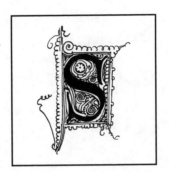

# Saadia

« *Si je Le connaissais, je serais Lui*[254]. » Qui a rien dit de plus beau ?

L'auteur en est un personnage essentiel, connu en son temps – le Xe siècle – sous le nom de Saadia Gaon. Premier écrivain juif en langue arabe, il fut aussi le premier écrivain juif à écrire des livres au sens moderne, avec un titre, une introduction, une conclusion. Traducteur de la Bible en arabe, premier à faire le pont, en arabe, entre la pensée juive et la pensée grecque, il permet aussi au judaïsme de survivre dans le monde musulman à un moment où tout aurait dû conduire à sa disparation.

En ce Xe siècle, tout en effet menace le judaïsme, épuisé d'avoir survécu depuis mille ans sans territoire, sans État, sans armée, laminé par les persécutions musulmanes et chrétiennes et par la progression du karaïsme – secte juive revendiquant le droit à une interprétation totalement libre des textes.

Né vers 890 dans le Fayoum, en Égypte, Saadia part vers 910 pour Tibériade, Alep et Jérusalem. Là, devenu rabbin très jeune, il règle en 921 un conflit sur le calendrier entre les derniers rabbins de Jérusalem et ceux, triomphants, de Babylonie qui contrôlent depuis déjà six siècles le calendrier des fêtes religieuses. En 922, il arrive à Bagdad, ville fondée cent cinquante ans plus tôt, où le judaïsme est encore puissant bien qu'en grand déclin ; il y devient le patron (le « gaon ») d'un des plus grands centres du judaïsme mésopotamien, l'académie de Poumbedita. Là se fixe depuis cinq siècles la jurisprudence, valable pour toutes les communautés du monde, qui y envoient leurs meilleurs étudiants. S'appuyant sur les premiers commentaires élaborés sept siècles auparavant à Yavneh, en Palestine, puis tout au long des siècles, les juges de Poumbedita affinent et précisent de siècle en siècle l'équilibre entre les points de vue des paysans, attachés à la tradition, et ceux des commerçants, des métropoles et des ports, porteurs de nouveautés. Une doctrine sociale s'instaure ; les tribunaux juifs du monde entier, qui appliquent la doctrine élaborée à Poumbedita, doivent, selon un commentaire magnifique, vérifier que les membres d'une communauté donnée « *se rendent réciproquement tous les services compatibles avec leur propre intérêt* ».

En 928, à la demande de David ben Zakkaï (l'exilarque, c'est-à-dire le chef laïc des communautés babyloniennes), Saadia déménage et devient « gaon » de l'autre académie de Babylonie, celle de Soura, alors en fort déclin. Il en refait un centre influent ; il y rédige la première traduction de la Bible en langue et caractères arabes ; elle jouera un rôle aussi important dans l'histoire juive que la traduction en grec des Septante, huit siècles plus tôt, et que celle, en allemand, de Mendelssohn, huit siècles plus tard.

Puis il rédige en arabe un livre de prières, un commentaire important du *Sepher Yetsirah*[254], un dictionnaire et un traité de grammaire hébraïque, ainsi que des textes sur le calendrier et la chronologie bibliques. Son livre principal, à caractère autobiographique, *Le Livre des Croyances et des Convictions*, contient une des premières analyses de la philosophie grecque par un penseur juif (après Philon d'Alexandrie). Il combat d'innombrables schismes, en particulier le karaïsme.

Puis, comme c'est le cas dans de très nombreuses communautés juives à toutes les époques, le rabbin entre en conflit avec le président de la communauté qui l'a nommé. Ici, le « gaon » entre en rivalité avec l'exilarque ; ils se livrent une bataille sordide où les calomnies privées se mêlent aux débats théologiques.

En 931, le calife de Bagdad (lui-même en déclin et qui ne veut pas de disputes entre « ses » juifs) exile les deux protagonistes, puis les force à se réconcilier, en 940, juste avant la mort de Saadia en 942.

C'en est fini : Soura disparaît, le judaïsme babylonien s'efface en même temps que recule la prospérité économique et politique de la région, après quinze siècles de domination sur le judaïsme mondial.

Saadia Gaon aura été le pivot de ce bouleversement. Au moment où le centre de gravité de l'économie mondiale et du judaïsme bascule vers l'Europe, il en transmet, intact, l'héritage bimillénaire aux communautés d'Espagne, de Provence et de Pologne.

Extraordinaire destin d'un peuple, privé depuis alors mille ans de territoire et de chef, dispersé en milliers de communautés, mêlé à d'autres peuples qui souvent l'isolent, l'enferment, le méprisent, le haïssent, le massacrent.

Deux siècles plus tard, un autre grand philosophe juif, Abraham ibn Ezra, qualifiera Saadia Gaon de « *Rosh hamedabrim* » (« premier de ceux qui parlent »). Un peu plus tard encore, Maimonide, qui le vénère, n'exagère rien quand il écrit à son propos, dans sa *Lettre aux juifs du Yémen : « Peu s'en fallut que ne fût détruite la Torah divine s'il n'avait été là. »*

## Salomon

Les hommes restent parfois durablement dans la mémoire d'autrui pour une action unique, qui n'est souvent pas la plus importante à leurs propres yeux. C'est le cas, en particulier, des artistes et des hommes d'État. Salomon vaut d'abord, pour moi, par un discours, message essentiel venu jusqu'à nous.

C'est un des premiers personnages de la Torah dont l'existence soit à peu près certaine, même si nombre d'événements qu'elle rapporte à son propos semblent imaginaires, et même s'il est aujourd'hui presque oublié des Israéliens, à la différence de son père, David. Choisi comme successeur par ce dernier dont il est le quatrième fils, « *parce qu'il est un homme sage* » (1 R 2, 9), sa prise de pouvoir vers – 970 est, selon la Bible, sanglante : sur le conseil de son père, il élimine d'abord son demi-frère Adonias, puis il fait assassiner le général en chef Joab, et exile le grand prêtre Éviathar. Ensuite, sous l'influence de sa mère Bethsabée, il entreprend la construction du palais dont rêvait son père, dans la ville natale de sa mère,

Sion ou Jérusalem : une salle du trône, une salle de réception et un Temple, le tout en bois de cèdre du Liban obtenu d'Hiram, roi de Tyr, en échange de blé, d'huile et de vin, produits par du travail forcé et prélevés sur le peuple hébreu.

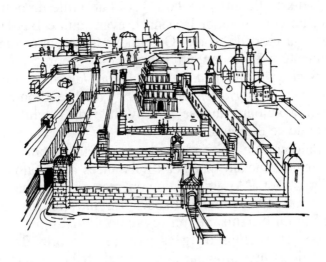

Sept ans après le début des travaux, l'inauguration du Temple est l'occasion de grandes cérémonies devant des ambassadeurs venus de tout le monde connu. Salomon y prononce un discours majeur où, au lieu de disserter sur sa propre gloire sur la splendeur du Temple ou sur la puissance du peuple hébreu, il prie pour le bonheur de chacune des soixante-dix nations peuplant le monde, « *afin que tous les peuples de la Terre reconnaissent Ton Nom...* » (1 R 8, 43). Car le peuple hébreu, dit-il, ne peut être heureux que si ceux qui l'entourent le sont aussi. Là est le rôle de la « désignation » (Ex 19 et Dt 26) : elle vise à dicter aux Hébreux la mission de rendre heureux les autres. Là est aussi celle du judaïsme, sans cesse réitérée par les rabbins au long de l'Histoire : faire le bonheur des autres par la *Tsedaka* et le *Tiqqun Olam*, par la dignité et le progrès.

Deux mille ans plus tard, vers l'an mille de notre ère, un certain rabbi Hananaël, ayant quitté Bagdad après la mort de Saadia Gaon pour fonder une communauté à Kairouan, en Tunisie, dira encore : « *Les juifs ne sont jamais mieux que quand les autres sont eux-mêmes parfaitement bien.* » Nombre d'autres, jusqu'à aujourd'hui, se retrouvent dans la philosophie de ce discours.

Salomon ou l'altruisme intéressé : en quarante ans de règne, encadré par deux puissances alors faibles, l'Égypte et l'Assyrie, Salomon met en pratique ce principe. Il se donne d'abord les moyens de son action en organisant son royaume, de l'Euphrate à Gaza, en régions dirigées par des membres de sa famille et non plus par des chefs de tribus. Chacun des chefs a désormais intérêt à son succès : altruisme intéressé. Échappant au contrôle de sa mère, il confie son gouvernement à un « *intendant du palais* » (2 R 18, 18). Le Temple devient le centre de la vie économique du pays. Il reçoit chaque année le sixième des récoltes et abrite dans ses coffres les richesses de l'État et des grandes fortunes privées. Son parvis devient le lieu de rencontre des peseurs de métaux précieux, puis des prêteurs d'argent que rien n'interdit. On murmure aussi que le roi exorcise, guérit, dialogue avec les animaux.

Plus prosaïquement, Salomon remplace l'armée de mercenaires, créée par ses deux prédécesseurs, par une troupe populaire, comme au temps des Juges. Il fortifie les cités frontalières (Jérusalem, Megiddo, Hazor, Gezer), crée une école de fonctionnaires, un ministère des Impôts et une sorte de ministère des Affaires étrangères. Et sa diplomatie met en œuvre la doctrine de son discours inaugural :

Son « altruisme intéressé » passe d'abord par ses propres mariages, longtemps sous le contrôle de sa mère : flatter les autres pour en faire des alliés. Sa première épouse est une fille de Pharaon, membre de la XXIᵉ dynastie qui donne très rarement ses filles en mariage à des souverains étrangers. Pharaon est même si flatté de cette alliance qu'il apporte en dot à Salomon le port de Gever, sur la mer Rouge (c'est l'Eilat d'aujourd'hui). Salomon en fait le centre du commerce de l'or, de l'ivoire et des épices avec l'Afrique. Puis il ajoute à son harem 700 autres épouses et 300 concubines, presque toutes étrangères : autant d'occasions d'alliances diplomatiques par quoi il gagne des partenaires commerciaux ayant intérêt à son succès. Mais, selon la Bible, cet « altruisme intéressé » peut conduire à perdre de son identité. Car ses femmes « *détournèrent son cœur vers d'autres dieux* ».

Dans le même sens, Salomon aide au succès économique de ses voisins, condition du développement de son propre royaume. Conséquence de ces relations économiques internationales : de plus en plus d'Hébreux partent pour l'étranger comme marins à bord de bateaux de commerce ou sur les navires de guerre de Salomon, comme architectes pour construire des palais en d'autres pays, comme armateurs, marchands, artisans, orfèvres, médecins. Et, un juif ne pouvant séjourner longtemps seul où que ce soit, des communautés commencent à se créer un peu partout, en Égypte, en Éthiopie et ailleurs.

La sagesse supposée du roi hébreu est l'occasion d'exprimer son « altruisme intéressé » : ainsi de l'histoire si fameuse des deux femmes venues lui réclamer le même enfant, que Salomon départage en l'attribuant à celle qui refuse de le partager en deux ; à celle qui l'aime assez pour s'en priver plutôt que de le voir périr ; celle pour qui l'intérêt de l'autre (ici, l'enfant) passe avant le sien propre. Étonnant lien entre le discours d'inauguration du Temple et l'histoire des deux mères...

Principe universel qui sonne aussi comme un avertissement, pour les Hébreux d'alors et de tous les temps, auxquels il rappelle l'importance de s'intéresser au sort des autres.

En vieillissant, Salomon devient néanmoins plus intéressé qu'altruiste : les impôts écrasent le peuple, les voisins se lassent, les révoltes grondent, les complots se multiplient. Jéroboam, maître de corvées des tribus d'Éphraïm et de Manassé, prend la tête d'une émeute, échoue et doit fuir en Égypte. Là, il trouve un allié en Pharaon.

À la mort de Salomon, vers 928 avant notre ère, après quarante ans de règne, Jéroboam revient d'exil. Aidé par Pharaon, il prend la tête de dix tribus, elles aussi insatisfaites ; il s'installe dans la ville de Samarie (au nord de Jérusalem) et se proclame roi d'un royaume d'Israël recouvrant l'actuelle Galilée et la Cisjordanie.

À Jérusalem, le fils aîné de Salomon ne règne plus que sur un minuscule royaume dit de Juda, avec deux tribus. Les Hébreux sont maintenant divisés en Israélites au nord et Judéens au sud. L'enfant a été coupé en deux...

Ce qui a commencé avec Saül et David se termine ainsi avec Salomon. Exemple unique d'un État ayant existé il y a trois mille ans pendant soixante ans pour ne revivre que depuis soixante ans.

Pourtant, l'idéal de Salomon, l'« altruisme intéressé », reste au cœur du judaïsme d'exil, par la *Tsedaka*. Ce qui n'empêche pas le développement de l'antisémitisme.

Au contraire, cela l'entretient même ; car on ne déteste rien tant que celui envers qui on a contracté une dette : l'ingratitude est le même principal moteur de la haine. Et aux juifs le monde doit l'idée de Dieu et l'argent qu'on les force à prêter.

Aujourd'hui encore, cet « altruisme intéressé », inventé il y a trois mille ans, mériterait, malgré les risques d'ingratitude, d'être mis en application par Israël avec ses voisins, en particulier avec les Palestiniens. Même s'il peut être perçu par certains comme signe de faiblesse.

Plus généralement, il est la condition de survie de toute collectivité humaine : dans un univers en réseau, où le bien-être de chacun dépend de celui de l'autre, chacun a intérêt à ce que l'autre ne soit ni pauvre, ni malade, ni chômeur, ni ignorant.

# Samuel

Encore un personnage dont l'Histoire ne garde souvenir que par un seul discours. J'aime ce juge et prophète qui ose expliquer, il y a plus de trente siècles, dans un texte d'une singulière modernité, pourquoi un peuple doit se méfier de ceux qui rêvent d'exercer le pouvoir, et des peuples qui réclament un maître.

Vers − 1020 (raconte la Bible dans un texte écrit quatre siècles plus tard), la situation militaire des tribus hébraïques face aux Ammonites, Amalécites et Philistins est désespérée. Attaqué de toutes parts, sans capitale, sans organisation étatique, ni administration, ni armée, ni fisc, le peuple hébreu, divisé en douze tribus autonomes, est au bord de l'anéantissement. Servir dans l'armée, disent dès lors les Juges (ces chefs qui n'ont de moyens de persuasion que théologiques), permet de devenir « *homme-lige de Dieu* » (Jg 20, 2) ; à l'inverse, refuser de se battre c'est « *refuser de venir au secours de Dieu* ». Cela ne suffit pas et (comme au temps de Déborah, un siècle plus tôt) les volontaires se font rares.

Faute d'un chef efficace et de troupes organisées, le sanctuaire de Silo, où sont déposés l'Arche et le Décalogue, tombe entre les mains des Ammonites (les habitants de la Jordanie d'aujourd'hui). La tentation pour les Hébreux est grande de se tourner alors vers Astarté et Baal, divinités de la fertilité venues de Babylone, qui semblent plus efficaces que le Dieu unique des juifs incapable de protéger sa propre Loi. « *À cette époque, la parole de l'Éternel était rare ; la vision prophétique peu répandue* », écrit Samuel qui fait alors office à la fois de premier « juge » et de prophète.

C'est dans ce moment de troubles que les Anciens somment Samuel, lors d'une assemblée plénière des douze tribus, d'en finir avec cette anarchie et de désigner enfin un roi (comme Moïse aurait dû le faire, disent-ils, dès l'arrivée en Canaan). Ils se disent prêts à lui fournir les moyens de lever une armée permanente. Samuel refuse : comme tous les autres Juges avant lui, il sait que la meilleure organisation du peuple hébreu est celle qui maintient son identité autour de valeurs, sans la pervertir par un État nécessairement réducteur et amoral. Moïse l'avait si bien compris qu'il avait tout mis en œuvre pour retarder la sortie du Sinaï et qu'il avait laissé, avant de mourir, le pouvoir à un juge, Josué, non à un roi.

En réponse aux objurgations du peuple, Samuel, dans un discours magnifique, s'indigne qu'on lui demande un roi « *pour être comme toutes les autres nations* » (1 S VII, 4 ; Sanh 20b). Il met les Hébreux en garde contre les excès prévisibles de tout dirigeant, choisi pour servir un idéal mais qui prive le peuple de l'essentiel : son autonomie.

Écoutez Samuel et vous entendrez ceux qui, de Thucydide à Hobbes, de Tocqueville à Grossman, parleront après lui des dérives du pouvoir :

« *Voici comment procédera le roi que vous voulez avoir : vos fils, il les prendra pour les employer à ses chars, à sa cavalerie ; il les fera courir devant son char ; il en fera des officiers de mille, des officiers de cinquante ; il les forcera à labourer, à moissonner pour lui, à fabriquer ses armes et l'attirail de ses chars. Vos filles, il les exploitera pour la préparation des parfums, pour sa cuisine et pour son pain. Les meilleurs de vos champs, de vos vignobles et de vos ânes, il les prendra pour s'enrichir. Il prélèvera un impôt sur votre bétail, et vous-mêmes finirez par devenir ses esclaves* » (1 S 8, 10-19).

Mais le peuple, ne voyant que l'urgente nécessité de disposer d'une armée efficace face aux envahisseurs qui se pressent à ses portes, refuse d'écouter ces prédictions et répond par une clameur : « *Non, il nous faut un roi !* » Samuel, résigné, désigne alors Saül : un conducteur d'ânes de la tribu de Benjamin, ayant frappé par hasard à sa porte au moment où il attendait un signe de Dieu.

Saül remporte d'abord quelques victoires contre les Philistins et les Amalécites, puis il se fait battre. Samuel jette alors son dévolu sur un jeune page de la Cour, époux de la fille de Saül, devenu un héros dans la guerre contre les Philistins : David. Samuel le nomme roi avant de mourir lui-même dans le conflit qui oppose les deux prétendants.

Samuel n'en a pas pour autant terminé : peu après sa mort, à la veille d'une bataille au mont Guilboa contre les troupes philistines, Saül en appelle à l'âme de ce juge (très rare manifestation d'un mort dans un texte biblique). Mais l'âme de Samuel, au lieu d'encourager Saül au combat, lui annonce qu'il n'a rien à attendre de cette bataille et prédit sa mort. De fait, Saül meurt, décapité, sur le champ de bataille, avec ses fils, dont Jonathan, qu'aime tant David. Ce dernier prend alors définitivement le pouvoir, éloigne les périls et installe sa dynastie.

Le peuple hébreu devient dès lors aussi un peuple comme les autres : alors que, jusque-là, il était le défenseur d'une morale autour d'un Livre, il devient le défenseur de frontières autour d'un roi. Et la prédiction de Samuel se réalise : David impose des corvées et lève des taxes pour renforcer son armée et construire ses palais.

Ce débat demeure d'un extrême actualité, et pas seulement pour le judaïsme : aujourd'hui, tout peuple sans État disparaît, ainsi que le montre la tragique destinée d'un des derniers à y avoir cru, Simon Doubnov. Mais tout peuple doté d'un pouvoir politique risque aussi de tomber dans le militarisme et de renoncer à son éthique pour survivre.

Toutes les tribus nomades, sans territoire ni État, en tous lieux du monde, sont aujourd'hui menacées d'extinction. Réciproquement, aucune nation n'est à l'abri des risques totalitaires. La morale du nomade se dissout dans le voyage, celle du sédentaire dans la défense de sa maison. La vie d'une nation, comme celle d'un individu, n'est donc qu'un difficile compromis, frêle équilibre entre deux formes de la mort : entre le désordre extrême et l'ordre extrême. Entre la Fumée et le Cristal.

# Sarah

Ève ouvre l'histoire du genre humain ; Sarah, celle du peuple hébreu. Connue d'abord sous le nom de Sarai (en hébreu « ma princesse » ; en akkadien, la divinité lunaire Ishtar ; en arabe, « éclat répété »), elle est la « compagne » d'Abram, peut-être même sa sœur, comme il le prétend lui-même. Très belle, convoitée par des rois étrangers, elle accepte de devenir la maîtresse d'Abimelec, roi de Gérar, pour sauver sa tribu. Abram lui obéit en tout sur ordre de Dieu (« *Pour tout ce que Sarah te dit, obéis à sa voix* », entendra-t-il plus tard). Elle devient ensuite une des sept prophétesses d'Israël, plus visionnaire même qu'Abraham.

Installée avec lui à Canaan, sans descendance à quatre-vingt-six ans, elle lui choisit une concubine, sa servante Agar, qui donne naissance à Ismaël.

Abram et Sarai sont tous deux « vieux et avancés dans l'âge » (Gn 18, 11) quand il reçoit en rêve un message de Dieu ; il devient « Abraham », et est circoncis. « Sarai » (seule femme à changer de nom dans la Bible) devient ensuite « Sarah » (en hébreu « princesse »). Elle n'est plus la propriété d'Abraham ; elle est libre de l'aimer.

Dieu annonce alors à Abraham : « *Sarah, ton épouse, te donnera un fils* » (Gn 17, 19). Sarah en rit : « *Élohim m'a donné une occasion de rire : quiconque l'apprendra rira* [yitsaq] *aussi à mon sujet* » (Gn 21, 6). À sa grande surprise, alors âgée de quatre-vingt-dix ans, elle recouvre son cycle menstruel et donne bientôt naissance à un fils qu'elle appelle Isaac en mémoire de son propre rêve. Elle n'est pas la seule à n'y pas croire : elle doit allaiter l'enfant en public pour convaincre les membres de la tribu qu'elle en est bien la mère.

Sarah se fâche alors contre Agar, mère du premier fils d'Abraham, né quatorze ans avant Isaac, parce que, selon le Talmud, elle l'aurait vu commettre un acte relevant de l'idolâtrie, à moins que ce ne soit parce qu'elle se conduit en rivale et qu'Abraham la préfère. Elle demande à Abraham de la chasser avec son fils Ismaël. Une autre version midrashique de la même histoire rapporte que Sarah ne s'est jamais remise de la peur de voir mourir son fils Isaac. L'une et l'autre explications sont liées : Sarah demande à Abraham de chasser Ismaël parce qu'elle a eu peur de voir périr Isaac.

Abraham refuse jusqu'à ce que Dieu lui intime à nouveau l'ordre d'obéir en tout à Sarah. Ismaël part donc. Il devient tireur à l'arc dans le désert, se marie à une Égyptienne et a onze fils et deux filles, dont l'une épouse Ésaü, fils aîné du fils d'Abraham. Selon la Kabbale, Agar revient et Abraham, qui l'adore, la réépouse sous un autre nom.

Dieu, selon certains, punit ensuite Sarah d'avoir voulu faire chasser Ismaël en la faisant mourir « très jeune »... à l'âge de cent vingt-sept ans, à Kiriat Arba, près d'Hébron.

Ses obsèques constituent une page essentielle de l'histoire, car elle est la première femme juive à mourir en Canaan. Pour l'enterrer, Abraham achète une grotte à un Hittite, Efron, à Makhpélah, c'est-à-dire à Hébron.

Pour préserver l'avenir, Abraham fait en sorte que la transaction ne puisse jamais être remise en cause. D'abord, la vente a lieu en public ; ensuite, il ne discute pas le prix exorbitant que lui demande Efron : 400 shekels (le mot désigne alors encore une unité de poids), soit 4,6 kilos d'argent qu'on pèse avec des poids d'une grande exactitude et dont chacun s'emploie à vérifier la sincérité.

Des milliers de lignes ont été écrites pour expliquer pourquoi il est dit dans la Bible qu'Abraham achète cette grotte à un être humain et la loue à Dieu, et pourquoi le prix en est de 400 shekels.

La location du sol à Dieu rappelle que les hommes ne sont ici-bas que de passage, et que toute propriété, même la plus durable, comme un tombeau, ne peut être qu'un prêt de Dieu. Celui-ci dit d'ailleurs : « *La terre est à moi, car vous n'êtes que des étrangers domiciliés chez moi* » (Lv 25, 23).

Par ailleurs, Abraham l'achète à un homme pour montrer que nul autre humain, nul autre peuple n'aura de droits sur cette terre.

Le prix qu'il paie n'est pas, lui non plus, le fait du hasard. Et la façon dont l'expliquent les commentateurs fournit un excellent exemple de la manière dont raisonneront les exégètes pendant des millénaires. En hébreu, comme dans beaucoup d'autres langues de l'Antiquité, les nombres se notent (comme on l'a vu à propos de Beth et de la *guematria*) par des lettres. La vingt-deuxième et dernière lettre de l'alphabet hébreu désigne justement le nombre 400 ; pour compter au-delà, il faut utiliser deux lettres ; 400 est donc une sorte de limite du mesurable.

Par ailleurs, 400, c'est aussi 8 fois 50. Or 8 fait suite au nombre des jours de la semaine, et 50 fait suite à 49, nombre d'années après lesquelles il faut restituer toute terre à son propriétaire initial (le Jubilé) ; 8 et 50 représentent donc les deux nombres qui transgressent les cycles du temps humain. Deux symboles de l'infini.

400 symbolise ainsi à la fois la limite du mesurable et l'au-delà du temps humain, autrement dit l'éternité. La transgression et le cycle.

En payant 400 shekels, disent les commentateurs, Abraham paie la grotte au prix maximum, et il reçoit en échange un droit illimité sur le sol et le sous-sol. Certains sionistes orthodoxes (qui refusent le partage des terres qu'avait accepté Abraham avec Loth) en concluent que le droit des juifs sur Hébron (et, plus largement, sur toute la terre de Canaan) est lui aussi éternel et absolu.

On aura ainsi compris que, jusqu'à aujourd'hui, l'énoncé de ce nombre retentit comme un coup de tonnerre géopolitique...

Mais, plus encore, disent certains, c'est parce que le premier Hébreu enterré en Canaan est une femme que l'éternité lui est accordée.

De fait, d'après la tradition, plus personne ne meurt dans la région avant les obsèques d'Abraham, célébrées trente-huit ans plus tard dans la même grotte, à Hébron, en Cisjordanie.

## Shylock

Je me plais à trouver dans la littérature européenne de la Renaissance au moins deux amoureux inattendus du judaïsme : un Italien et un Anglais.

Entre 1348 et 1353, à Florence, Boccace écrit le premier texte européen parlant de façon positive des juifs. Dans une curieuse nouvelle du *Décaméron*[56] (première journée, troisième nouvelle : *Les Trois Anneaux ou les Trois Religions*), il raconte comment Saladin, qui régna deux siècles plus tôt, négocia un emprunt « *dans la ville d'Alexandrie à un riche juif nommé Melchisédech, qui prêtait à usure. Ce juif était l'homme le plus intéressé et le plus avare de son temps. Saladin le fait venir et le flatte : "Melchisédech, plusieurs personnes m'ont dit que tu as de la sagesse, de la science, et que tu es surtout très versé dans les choses divines : je voudrais savoir de toi laquelle de ces trois religions, la juive, la mahométane*

*ou la chrétienne, te paraît la meilleure et la vérita-
ble."* » Le juif, prudent, répond par une métaphore
selon laquelle un père, pour ne pas avoir à partager
un magnifique joyau entre ses trois enfants, en fabrique trois si exactement semblables qu'à sa mort, les
héritiers se disputent pour savoir lequel est le vrai.
Saladin applaudit à l'habileté de la réponse. « *Le juif,
piqué de générosité, lui prêta tout ce qu'il voulut ; et
le sultan, sensible à ce procédé, se montra très
reconnaissant. Il ne se contenta pas de rembourser le
juif. Il le combla encore de présents, le retint auprès
de sa personne, le traita avec beaucoup de distinction et l'honora toujours de son amitié*[56]. »

Texte radicalement neuf où un juif est présenté
(au-delà de sa caricature d'homme « *le plus intéressé et le plus avare de son temps* »), comme un
ami possible ; et où l'islam est cité en exemple de
tolérance et de respect : la Renaissance est en
marche.

J'aime aussi ce *Marchand de Venise*[271], trop souvent
prétexte à mises en scène explicitement antisémites,
alors que Shakespeare y explique en fait, mieux
qu'aucun autre auteur européen avant lui, le destin tragique des juifs dans l'Europe chrétienne, et annonce
leur intégration à venir dans la société laïque.

Pour mieux le comprendre, il faut remonter à la situation des juifs en Angleterre un siècle avant la représentation de cette pièce. En 1492, l'expulsion des juifs
d'Espagne pousse quelques-uns d'entre eux, médecins
et marchands, vers Londres et Bristol, quoique les juifs
soient interdits de séjour en Angleterre depuis plus de
deux siècles. Ils y vivent en marranes. En 1536, ils ne
sont encore que 37 familles à Londres, organisant en
secret, chaque jour, chez l'une d'elles, un service reli-

gieux. La police, parfaitement informée, laisse faire : d'une part, Henry VIII a besoin de théologiens juifs pour justifier son divorce d'avec Catherine d'Aragon et son remariage avec Anne Boleyn ; d'autre part, il a besoin de ces marchands, ayant des relations en Espagne, comme agents secrets contre Charles Quint. Enfin, avec le développement du commerce et de l'artisanat, des mines et de la métallurgie, il lui faut du crédit, et l'Église anglaise refuse toujours d'en autoriser la pratique aux chrétiens.

En 1558, dès son accession au trône, Elizabeth I$^{re}$ accueille plus ouvertement quelques autres *conversos* venus de Rouen et de Bordeaux, souvent médecins. L'un d'eux, le jeune docteur Rodrigo Lopez, soigne vers 1570 le comte de Leicester, alors amant de la reine. En 1588, un autre médecin *converso*, le docteur Hector Nuñes, apprend par les réseaux de marchands *conversos* l'arrivée imminente d'une flotte espagnole au large de l'Angleterre. (On retrouve là la raison pour laquelle Henry VIII avait souhaité faire venir des juifs.) Il en informe la reine qui prend les dispositions nécessaires à la défense du pays contre l'Invincible Armada de Philippe II, laquelle sombre cette année-là dans la tempête avant même d'arriver devant les côtes anglaises.

C'est dans cette ambiance ambiguë que, l'année suivante, en 1589, est représenté à Londres *Le Juif de Malte*[204], pièce de Christopher Marlowe : la fille d'un juif avare et cruel nommé Barabbas, amoureuse d'un chrétien, finit par se convertir. Pièce plus antireligieuse qu'antisémite. D'ailleurs, à l'époque, les seuls juifs présents à Malte sont quelques marchands enlevés entre Tunis et Livourne par les chevaliers de Malte et attendant misérablement à La Valette qu'une communauté juive veuille bien payer leur rançon.

En 1593, le comte d'Essex, alors amant d'Elizabeth, qui craint l'influence du docteur Rodrigo Lopez, devenu médecin de la reine, l'accuse d'avoir tenté d'empoisonner celle-ci. Malgré une intervention distraite de la souveraine en sa faveur, Lopez est arrêté, torturé et pendu.

C'est exactement à ce moment-là, entre 1594 et 1597, que William Shakespeare écrit *Le Marchand de Venise,* inspiré d'un poème italien du XIV<sup>e</sup> siècle, le *Cursor Mundi.* Avec cette pièce jouée depuis lors sur la planète entière, Shakespeare fixe pour des siècles l'image du juif dans l'imaginaire chrétien. Mais pas comme il l'aurait voulu...

Dans une Venise fantaisiste, port grouillant d'activités, métaphore du Londres de son temps, un jeune homme, Bassanio, courtise une belle et riche héritière, Portia. Pour obtenir sa main, il doit résoudre une énigme cachée dans trois coffrets. Afin de faire sa cour, il emprunte à un financier juif, Shylock, quelques milliers de ducats en donnant la caution de son meilleur ami, le marchand d'esclaves Antonio, qui promet en gage à Shylock une livre de sa propre chair en cas de non-remboursement de l'emprunt de Bassanio. Quand sombrent les bateaux transportant la cargaison grâce à laquelle Antonio compte rembourser l'emprunt de Bassanio, Shylock réclame son gage. L'affaire vient devant un juge – en fait, la belle Portia, masquée – qui exige que le contrat soit respecté à la lettre : Shylock doit prélever sur Antonio une livre de chair, mais sans verser la moindre goutte de sang, sous peine de mort, car le sang n'est pas prévu dans le gage. Shylock ne peut évidemment s'y risquer. Sa fortune est alors confisquée ; il est condamné à se convertir ; sa fille Jessica s'enfuit avec un ami de Bassanio.

En fait, rien n'est moins juif que le comportement de Shylock : d'abord, un des sept commandements transmis par Dieu à Noé interdit explicitement à toute personne, fût-elle non juive, toute découpe de chair sur un animal vivant. *A fortiori* sur un homme !

Davantage même, ce texte, si on le lit bien et si on en élimine ce qui doit s'y trouver pour être reçu en son temps, n'est nullement antisémite. Shylock est même un personnage magnifique, respectable à tous égards : avec beaucoup de courage, il s'oppose à l'arbitraire royal et à un trafiquant d'esclaves, Antonio (d'où la livre de chair qu'il lui réclame par dérision, pour dénoncer ce marchand de chair humaine). Il fait l'apologie de la finance utile et des droits de l'homme. Il revendique le droit d'être traité comme un être humain, dans un texte célébrissime qui doit être lu non pas comme une plainte servile, mais comme une revendication hautaine : « *Je suis juif. Un juif n'a-t-il pas des yeux* […], *des mains, des*

*organes [...], des sens, des émotions, des passions ?*
*N'est-il pas nourri de la même nourriture, blessé des*
*mêmes armes, sujet aux mêmes maladies, guéri par*
*les mêmes moyens, réchauffé et refroidi par le même*
*été et le même hiver qu'un chrétien ? »*

Audace inouïe dans une Europe qui nie encore
l'existence même des juifs : le juif, clame Shakespeare, est un être humain et doit être admis comme
tel dans la société.

Il faudra encore attendre soixante-dix ans et la
visite, en septembre 1655, à Londres, d'un extraordinaire personnage, le rabbin Menasseh ben Israël,
venu d'Amsterdam, pour que des juifs soient enfin
autorisés à vivre à découvert en Grande-Bretagne. Fils
de marrane, Menasseh ben Israël est devenu rabbin en
1622 à Amsterdam à l'âge de dix-huit ans. En 1626, il
se prend de passion pour l'imprimerie et reçoit des
dirigeants de la communauté la responsabilité d'une
imprimerie en caractères hébraïques et latins, créée avec
l'argent commun. Succès : à partir de 1628, employant
des ouvriers chrétiens, il publie cinq à six volumes par
an et devient l'ami de Grotius et de Rembrandt, lequel
peint son portrait. En 1634, il est même le seul juif, au
milieu de cent cinquante-neuf chrétiens, à participer à la
foire des libraires qui se tient déjà à Francfort. En 1650,
il publie son propre livre, *L'Espérance d'Israël*[208], texte
magnifique dans lequel il explique l'éthique juive aux
chrétiens. En 1655, il publie une *Justice pour les Juifs*[209]
dans laquelle il dresse le portrait de juifs ayant servi
leur prince : de Flavius Josèphe, auprès de César, à
Juan Hanassi, auprès de Soliman. Il explique que les
quatre cents familles juives des Pays-Bas rapportent
beaucoup d'argent à l'État et que, partout où ils sont
admis, les juifs sont de bons citoyens qui ne veulent

rien d'autre qu'apporter la prospérité autour d'eux. *« Ce sont de fidèles vassaux »*, explique-t-il[209].

Cette même année 1655 est pourtant particulièrement tragique : le consul d'Espagne à Amsterdam dérobe la liste des marranes espagnols travaillant en liaison avec les juifs des Pays-Bas et l'expédie au roi Philippe IV qui la transmet à l'Inquisition.

Menasseh part alors pour Londres afin d'essayer d'y faire admettre des juifs. Bible en main, il explique à Cromwell, alors au pouvoir depuis 1649, que le Messie ne reviendra pas aussi longtemps que les juifs n'auront pas été autorisés à vivre en Angleterre… De plus, souligne-t-il (en reprenant des arguments déjà employés quinze ans auparavant, à Venise, par le rabbin Luzzato), les juifs n'ont pas de patrie vers où envoyer leur argent, et le dépenseront donc sur place.

Deux ans plus tard, en 1657, un an avant sa mort mystérieuse, Cromwell autorise à Londres la construction de la première synagogue depuis que les juifs en ont été chassés d'Angleterre, quatre siècles auparavant ; et plus d'un siècle et demi après que les ancêtres des nouveaux venus ont dû quitter l'Espagne. Plusieurs centaines de *conversos* se déclarent alors ouvertement juifs dans la capitale britannique. Et, comme Shakespeare l'avait réclamé soixante ans plus tôt, ils sont désormais reconnus à la fois comme juifs et comme êtres humains.

## Soukoth

Il s'agit d'une fête très particulière qu'aucune des deux autres religions monothéistes ne reprend (à la différence de *Pessah*, devenue Pâques, ou de *Chavouot*, devenue la Pentecôte). Elle pourrait s'identifier à une fête de la moisson, mais c'est en fait un ensemble complexe de liturgies et de rites particuliers, commençant avec *Hosannah Rabah*, au lendemain de Kippour, et finissant avec *Simhat Torah*, sept jours plus tard.

Si la Pâque commémore la sortie d'Égypte, Soukoth (« les cabanes ») vise à rappeler les quarante ans passés dans le désert du Sinaï, de la sortie d'Égypte jusqu'à l'entrée en Terre promise : cette période si particulière, durant laquelle tous les juifs partis d'Égypte moururent et tous ceux nés dans le désert survécurent si bien sans travailler qu'ils en oublièrent même, pour certains, le but de leur voyage.

Cette fête est une des rares commémorations imposées dans la Torah elle-même avec solennité : *« Dans les huttes, vous habiterez sept jours durant. Y prendre ses quatorze repas et y dormir. »*

Soukoth est donc placée sous la marque du chiffre sept : en Judée, au temps du Second Temple, on apportait, durant les sept jours que durait la fête, 70 sacrifices au Temple en l'honneur des 70 peuples de la Terre dont le bonheur reste l'obsession juive ; 7, c'est aussi le nombre de *sephirot* inférieurs et les 7 millénaires de ce monde. Chacun des 7 jours de la fête est placé sous le signe d'« invités » incarnant chacune une vertu divine : Abraham, Isaac, Jacob, Moïse, Aaron, Joseph et David. Le septième soir, la cabane est démontée ; son toit de branches de palmier alimente un feu de joie par-dessus lequel le père fait sauter 7 fois ses enfants.

On doit donc, pendant cette semaine-là, vivre dans une petite cabane recouverte de branchages, une *soukah*. Elle doit être assez grande, dit le Talmud, pour contenir une table et une chaise (Souk 2, 7). Elle ne doit pas être trop haute. Les murs doivent en être faits de bois, de pierre ou de toile. C'est une demeure précaire, comme Israël, mais qui peut, admettent certains rabbins (tel Jacob Aben Sur), être « *parée d'étoffes précieuses et recevoir une literie confortable, riche et moelleuse, afin qu'on puisse y séjourner, y prendre les quatorze repas réglementaires des sept jours, s'y reposer et s'y livrer à l'étude* [...], *agiter le bouquet rituel aux quatre espèces végétales, étendard de victoire et symbole de triomphe* ». Quatre espèces aux symboles très précis.

Au Maghreb, dans ces communautés plus que bimillénaires aujourd'hui disparues, sitôt rompu le jeûne de Kippour on marquait au couteau, sur les terrasses des maisons juives, le contour de la *soukah*, que l'on édifiait le lendemain à l'aube, et on y installait un *lulab*, bouquet tressé d'un rameau de palmier, de trois branches de myrte, de deux branches de saule et d'un cédrat. Symboles très complexes.

Message principal : toute demeure est nécessairement précaire. Ne jamais s'installer. Toute maison
n'est qu'une cabane, un objet nomade. Toute séden-
tarité est provisoire. Tout succès est éphémère, toute
joie passagère, toute richesse dénuée d'importance.
Même le voyage est provisoire. Même le désert n'est
qu'un transit. La seule chose que l'on puisse faire
ici-bas, c'est avancer.

## Spinoza (Baruch)

Comment ne pas parler ici de celui à qui je me réfère
si souvent, pour sa posture autant que pour ses idées ?
Pour sa façon de réussir un dépassement du judaïsme
en mêlant des champs de connaissance que personne
avant lui n'avait osé confronter, reconnaissant la
Nature comme une manifestation de Dieu et faisant de
la conquête de la liberté individuelle l'objectif de toute
l'histoire humaine. Celui que j'ai encore mieux compris
en lisant ce qu'en dit Yeremiahou Yovel[304], qui l'inscrit
dans une longue lignée de penseurs marranes commençant à Abravanel et Montaigne et allant notamment
jusqu'à Marx, Freud et Einstein. Celui qu'attend, espère
et annonce Qohelet, quand il appelle à une sortie des
contradictions du monde par le haut, *au-dessus du
Soleil*.

Fils de *conversos* portugais revenus ouvertement au
judaïsme en débarquant aux Provinces-Unies au milieu
du XVIᵉ siècle, Baruch Spinoza naît en 1632 à Amsterdam, alors cœur du capitalisme mondial. Même si les
autorités calvinistes et le prince Guillaume III d'Orange
y exercent alors une très forte censure, la ville est plus

tolérante, en particulier pour le judaïsme, que tous les autres pays d'Europe occidentale. Comme tous les autres enfants de la communauté, Baruch étudie dans une école juive. Il est repéré comme un élève d'exception par son principal dirigeant, le rabbin Abraham Aboab de Fonseca, singulier personnage devenu à vingt ans rabbin au Brésil avant de venir s'établir à Amsterdam pour y diriger la communauté enfin autorisée. Travaillant d'abord avec son père dans un commerce ouvert sur le monde, avec des clients de toutes origines, Baruch y rencontre des chrétiens, apprend le latin avec un jésuite défroqué, et découvre les travaux de Descartes (qui vécut dans cette même ville de 1629 à 1648), puis ceux de Galilée. Grand analyste de la Bible, doué d'un exceptionnel esprit critique et d'une fabuleuse mémoire, fasciné – comme Blaise Pascal au même moment – par la chronologie et l'origine des textes bibliques, osant mêler des disciplines très différentes, il critique violemment tous les clergés, échappe de justesse en 1657 à une mystérieuse tentative d'assassinat, et prend ses distances avec la communauté juive. En 1658, à l'âge de vingt-six ans, il en est même provisoirement exclu (mais non excommunié, comme on le dit d'habitude, car le mot n'a pas de sens dans le judaïsme) pour « *injure aux dirigeants de la communauté* » : il reste juif, mais n'a plus le droit de vivre à l'intérieur de la communauté ni d'en recevoir le moindre secours.

Il se retire dans les faubourgs de Leyde, travaillant à la fabrication de lentilles, et ne semble pas souffrir de cette mise à l'écart. Il donne alors la meilleure définition de l'intellectuel, pour qui la découverte de ses propres moyens de reflexion constitue en soi la plus belle des récompenses : « *Le fruit que j'ai retiré de mon pouvoir de connaître, sans l'avoir jamais trouvé une seule fois en défaut, a fait de moi un homme heureux. J'en éprouve en effet de la joie et je m'efforce de traverser la vie non dans la tristesse et les larmes, mais dans la quiétude de l'âme, la joie et la gaieté. Ainsi je m'élève d'un degré[282]* » (lettre XXI).

Quatre ans plus tard, en 1662, à trente ans, au moment même où Blaise Pascal meurt à Paris, Spinoza travaille à un énorme texte, très obscur, le *Tractatus theologico-politicus*[283]. Il le fait paraître anonymement en 1670. C'est une véritable bombe dans cette Europe dominée par les princes et les Églises. Un texte fort proche, en fait, à mon sens, du judaïsme rationnel de Maimonide, même si Spinoza fait mine de s'en distinguer.

D'abord il reprend, en les citant, les arguments d'Abraham ibn Ezra, le philosophe mendiant judéo-espagnol du XIe siècle pour qui le Pentateuque ne pouvait avoir été écrit tout entier par Moïse. Spinoza regroupe tout ce qui, dans les cinq Livres, traite du même sujet, en notant les conditions dans lesquelles chaque phrase a été écrite. Il en compare les versions hébraïque, grecque et latine, et en déduit que le texte n'a pas pu être dicté à Moïse par Dieu, mais qu'il a dû être écrit en grande partie par un des chefs judéens revenu à Jérusalem avec Zorobabel, en 537 avant notre ère, nommé Esdras le Scribe.

Pour Spinoza, rien n'est donc vrai dans la Bible ; rien même n'y a de contenu moral. Ce qui ne veut pas dire pour autant que, pour lui, Dieu n'existe pas, mais qu'Il ne se réduit pas à la révélation juive, qu'Il est une « substance cause d'elle-même », et qu'en conséquence, sa connaissance ne peut être complète. Pour lui, pour ce qu'on peut en comprendre, Dieu se confond avec la Nature, substance elle aussi unique et infinie dotée, comme Lui, d'une infinité d'attributs dont deux seulement nous sont accessibles : la pensée et l'étendue. D'où une théorie de la connaissance en trois dimensions : empirique, rationnelle et conceptuelle. La vérité ne relevant que du niveau de la raison.

Pour Spinoza, chaque chose, chaque être a un objectif unique qui est de persévérer dans son être. La force de chacun dépend de son aptitude à être affecté par l'environnement et à agir sur lui en vue de perdurer. Toute joie d'un être découle de sa perception d'une amélioration de sa capacité à durer. Inversement, toute souffrance est la prise de conscience d'une réduction de sa capacité à durer. Toute mort vient de l'extérieur ; il n'y a aucun salut à attendre dans l'au-delà. Dieu ou la Nature n'a choisi aucun peuple en particulier. Chaque homme doit s'efforcer de trouver la sagesse en suivant l'essence de son être.

L'éthique vise à chercher la joie dans la raison et dans l'amour de Dieu, c'est-à-dire de la Nature ; elle doit permettre d'utiliser la capacité à raisonner plus qu'à imaginer. Il n'y a pas de Mal ; il n'y a que de la faiblesse. Toute erreur n'est que le résultat d'une connaissance incomplète des faits.

Bien que Spinoza s'en démarque explicitement, rien de tout cela n'aurait été désavoué par Maimonide.

Spinoza en déduit une théorie politique fondée sur la recherche de la liberté de pensée, dont il a tant souffert d'être privé : « *La nature humaine ne peut supporter d'être contrainte absolument* » (chap. v), et la liberté d'opinion ne doit être limitée que pour interdire l'incitation à la haine. « *Nul n'a le pouvoir de commander aux langues ni de contrôler les pensées* » (chap. vi), écrit-il évidemment avec des accents autobiographiques. L'État doit garantir cette liberté d'opinion, car elle est la condition de la paix civile. « *Vouloir tout régenter par des lois, c'est rendre les hommes mauvais* » (chap. xx). C'est pourquoi « *personne ne peut abandonner la liberté de juger et de penser ; chacun doit être maître de ses pensées*[283] » (chap. xx).

Un tel texte, qui attaque toutes les Églises en niant le caractère révélé des Écritures, et qui dénonce les princes en réclamant la liberté d'opinion, est évidemment inacceptable, et pas exclusivement par les rabbins, y compris dans ce pays, le plus tolérant du moment, les Provinces-Unies. En avril 1671, sur requête des synodes provinciaux, le gouvernement de Hollande interdit la diffusion de ce *Traité théologico-politique* en même temps qu'elle censure une traduction du *Léviathan* de Hobbes publié à Londres seize ans plus tôt.

Le 20 août 1672, après l'horrible lynchage à La Haye de deux dirigeants républicains, les frères de Witt, par une foule manipulée par les Orangistes, Spinoza enrage contre la barbarie humaine. Il parle de placarder lui-même dans les rues de la ville des affiches en latin contre les « *derniers des Barbares*[304] »...

L'année suivante, il refuse la chaire de philosophie de Heidelberg que lui propose le Grand Électeur, tout comme la pension que lui propose le roi de France, Louis XIV, à condition qu'il lui dédie l'une de ses œuvres. Il travaille alors à un livre qu'il veut intituler l'*Éthique*[281]. Il y définit Dieu non plus comme la Nature, mais comme la conjonction de l'infinité absolue et de l'absolue nécessité, c'est-à-dire l'*éternité*. Toujours persuadé que l'être humain est rationnel, il étudie les passions humaines comme des manifestations de la raison ; pour lui, la pire de ces passions est le désir de gloire : au contraire de toutes les autres, ce désir ne peut que croître en se satisfaisant, et il ne peut que perdre celui qui n'y a plus accès. Il faut la fuir absolument, et lui-même s'y est employé toute sa vie durant.

Héritier des marranes, obsédé de discrétion, penseur des marges, il fait exploser les cadres intellectuels, religieux et politiques de son temps. Il ouvre une brèche « *au-dessus du Soleil* » en donnant à espérer en l'existence d'une loi universelle de la Nature.

Rien de tout cela, encore une fois, n'aurait été désavoué par Maimonide que Spinoza dénonce à longueur de pages comme trop attaché à la lettre de la Torah.

En 1675, à quarante-trois ans, il tente en vain de publier l'*Éthique*. Puis il se retire à La Haye où il

gagne encore sa vie en polissant des lentilles opti-
ques, tout en correspondant avec Leibniz et en traduisant la Bible en flamand, comme pour un retour
aux sources... Il meurt à quarante-cinq ans, le
21 février 1677.

Un de ses amis, le médecin Ludovic Meyer, prend
en charge le destin de ses manuscrits (comme Engels
le fera de ceux de Marx) et publie l'*Éthique*, le *Tractatus*, le *Traité de la réforme de l'entendement*[282] et
l'*Abrégé de grammaire hébraïque*[280], assurant ainsi
sa pérennité.

Spinoza ouvre la voie à tous ceux qui, après lui,
vont penser la liberté, et d'abord aux encyclopédistes.
On trouvera ensuite des traces de sa façon de réfléchir dans les écrits de bien des marranes ultérieurs :
Marx, Freud et un autre très grand juif, marrane à sa
façon, fasciné par lui : Albert Einstein.

En effet, quand l'auteur de la théorie de la relativité
parle des relations entre les religions et de sa propre
recherche sur les origines de l'Univers, il affirme sa
« *religiosité cosmique* » et sa conviction « *métaphysique* ». Pour lui, il existe une loi physique unique, expli-
cative de tout, qu'on appelle aujourd'hui « *théorie
unitaire de l'Univers* » et que les plus grands physiciens
recherchent encore en vain.

Einstein écrit alors, faisant référence explicitement
à Spinoza : « *Il est certain qu'à la base de tout travail scientifique un peu délicat se trouve la conviction, analogue au sentiment religieux, que le monde
est fondé sur la raison et peut être compris.* [...]
*Cette conviction, liée au sentiment profond de l'exis-
tence d'un esprit supérieur qui se manifeste dans le
monde par l'expérience, constitue pour moi l'idée de
Dieu ; en langage courant on peut l'appeler "pan-*

*théisme" »* (Spinoza). Pour lui, Démocrite et Spinoza sont même les deux seuls philosophes à avoir « *la ferme croyance dans la causalité physique, une causalité qui ne s'arrête pas face à la volonté de l'*homo sapiens ».

Cette « *causalité physique* », cette loi universelle, Einstein la cherchera toute sa vie. Il aurait pu en quérir la source chez Maimonide qui y voit, comme lui, une lumière. C'est chez Spinoza qu'il l'a cherchée.

C'est encore de Spinoza qu'Einstein parle en évoquant les « *génies religieux de tous les temps* » qui « *se sont distingués par cette religiosité face au cosmos. Elle ne connaît ni dogme, ni Dieu conçu à l'image de l'homme, et donc aucune Église n'enseigne la religion cosmique. Nous imaginons aussi que les hérétiques de tous les temps de l'histoire humaine se nourrissaient de cette forme supérieure de la religion. Pourtant, leurs contemporains les suspectaient souvent d'athéisme, mais parfois aussi de sainteté. Considérés ainsi, des hommes comme Démocrite, François d'Assise et Spinoza se ressemblent profondément.* »

Étrange retour du destin : au même moment, Ben Gourion demande au grand rabbin du nouvel État d'Israël de lever l'interdit, le *Herem* qui pèse sur Spinoza. En vain. Aujourd'hui la communauté juive d'Amsterdam l'inclut désormais parmi les personnalités qu'elle présente dans son musée, se réconciliant ainsi implicitement, trois cent cinquante ans après l'avoir exclu, avec Baruch Spinoza.

Pour finir : connaissez-vous les six juifs qui ont changé l'Histoire du monde ? Moïse, parce qu'il a dit « *Tout est Loi* ». Jésus, parce qu'il a dit « *Tout est Amour* ». Spinoza, parce qu'il a dit « *Tout est Nature* ».

Marx, parce qu'il a dit « *Tout est Argent* ». Freud, parce qu'il a dit « *Tout est Sexe* ». Enfin, Einstein, parce qu'il a conclu « *Tout est relatif* ».

## Superman

J'ai un faible pour les bandes dessinées. Mais qu'est-ce que le judaïsme a avoir là-dedans ? *A priori* rien. Et je déteste ceux qui repèrent du judaïsme en toute chose. Il n'y a à mon sens ni musique juive, ni peinture juive, sauf si elles concernent des sujets juifs avec Chagall, quand il peint violons et légendes juives, ou avec Victor Ullmann qui compose à Terezin, ou encore avec Schönberg qui, passé de Vienne à Los Angeles, fait du judaïsme, en particulier de Moïse et Aaron, l'inspiration des dernières œuvres de sa vie.

Par contre, la bande dessinée est parfois nettement juive (même si c'est implicitement) : ainsi avec Spiegel et Superman, Goscinny et Astérix ; quand elle n'est pas, à l'inverse, explicitement raciste avec Hergé et Tintin ; ou suspecte de l'être avec l'étrange chat Azraël du méchant Gargamel, des Schtroumpfs, qui s'exprime dans un hébreu d'opérette et rêve de « schtroumpher » (manger) un schtroumpf.

J'aime aussi les bandes dessinées en ce qu'elles nous révèlent une vérité profonde, difficile à percevoir autrement : le judaïsme est comme l'enfance de l'humanité. On découvre cette vérité d'abord avec Superman. Si contraire, en apparence, à l'image du juif, ce superhéros capable de tout régler est, en fait, un héros d'inspiration biblique. Il sort en 1934 de l'imagination d'un jeune juif de Cleveland, Jerry

Spiegel, qui écrit en une nuit l'histoire d'un personnage né sur une lointaine planète sur le point d'être
détruite. Pour le faire échapper à la catastrophe
imminente, ses parents l'envoient sur Terre. Là, doté
d'une force et de dons surhumains, il se cache aux
États-Unis dans une ville du Middle West nommée
Smallville. Il y devient un journaliste timide et bien
élevé sous le nom de Clark Kent. Animé d'une passion de la justice, comme elle existait sur sa planète
natale, il passe son temps à régler des conflits entre
Terriens. Quand il doit sauver des gens d'un accident
ou d'une agression, il devient Superman, mais cesse
de l'être sitôt après chacun de ses exploits, sans que
personne ne fasse jamais le lien entre le héros masqué et le journaliste timide.

Au lendemain de cette même nuit de 1934, un des
amis de Spiegel, autre jeune juif de Cleveland, Joe
Schuster, dessine le personnage exactement comme
on le connaît aujourd'hui. En une journée, huit planches
sont finies. Il leur faudra quatre ans pour convaincre
le journal *Detective Comics* d'accepter leur personnage. Et dix ans qui traversent la Seconde Guerre
mondiale, propice à cette rêverie, il va devenir un
héros national[273].

Superman (que beaucoup voient comme une incarnation de l'Américain, optimiste, généreux, redres-
seur de torts, si proche de ce qu'il fut au cours de cette
période tragique de l'Histoire) suit en fait de façon
très fidèle – sciemment ou non – l'histoire de Moïse :
comme lui, il est sauvé d'un désastre par ses parents
qui l'expédient au loin pour le sauver ; comme lui, il
change de nom pour ressembler aux autres et être
aimé d'eux ; comme lui, il est timide et discret ;
comme lui, il hésite à utiliser toute la puissance dont

il dispose ; comme lui, il combat le Mal par des actes miraculeux ; comme lui, il rêve d'un retour impossible sur la terre de ses aïeux.

Superman renvoie aussi à David qui combat Goliath ; à Joseph qui vit sous deux identités ; au Golem, cet être doté d'une force exceptionnelle, créé artificiellement pour protéger une communauté ; et, évidemment, au Messie qui viendra sauver l'humanité.

Tel est aussi le rôle de l'Astérix de René Goscinny soucieux de protéger une minuscule communauté assiégée par les Romains, et doté d'une force d'exception. Ce village est comme le peuple juif. Astérix est comme Moïse. Astérix est comme les zélotes. Obélix est comme le Golem.

Superman, si américain ; Astérix, si français ; l'un et l'autre, si juifs. Ce n'est pas la première fois qu'on peut relever la proximité de ces trois cultures qui se veulent les unes et les autres universelles.

Mais Superman et Astérix vont bien au-delà du judaïsme. Et c'est ce qui explique leur succès planétaire : ils sont l'incarnation des rêves de tous les enfants du monde, en tout temps : fragiles, perdus dans l'univers des adultes, se sentant sans cesse menacés par des géants, se rêvant en sauveurs alors que tout les cantonne dans leur faiblesse.

Tel est d'ailleurs l'essentiel de ce qu'on peut déduire de cette réflexion sur la bande dessinée : le judaïsme n'est au fond qu'une représentation particulière de la fragilité universelle de l'enfance, porteuse de toutes les utopies, trop faible pour les mettre en œuvre, à moins d'être dotée d'une force surnaturelle, celle de l'imagination.

La Bible elle-même, tout entière, s'adresse d'ailleurs à des enfants : le cinquième commandement dit d'ailleurs : « Tu respectes ton père et ta mère ». Dieu parle donc d'abord à des enfants.

Comme si le judaïsme était en vérité l'enfance de l'humanité, premier regard émerveillé jeté sur le monde, première forme de confiance dans le Père. Enfance de l'humanité qu'il faut donc protéger parce qu'il porte, comme tout enfant, la mémoire de vies antérieures et la promesse des fragiles futurs.

# Temps

Rien ne m'intéresse davantage que le temps ; j'écris à son propos, je le retrouve comme sous-bassement de toutes mes théories ; il est au fondement de toutes les civilisations, de toutes les idéologies. Je le collectionne même sous sa forme la plus matérielle : le sablier. Ce n'est sans doute pas par hasard : le judaïsme, qui a tant imprégné mon enfance, est d'abord une philosophie du temps.

Comme toutes les premières sociétés humaines, le judaïsme considère le temps comme cyclique. Comme elles, il pense qu'il faut prier pour que le jour succède à la nuit, pour que les saisons se suivent puis reviennent ; comme celles des religions antérieures, les fêtes juives se répètent à dates fixes et rythment les saisons. Un chabbat a lieu tous les sept jours pour le repos de l'homme ; une année sabbatique a lieu tous les sept ans pour le repos de la terre ; un jubilé a lieu tous les sept cycles sabbatiques (soit tous les 49 ans) pour empêcher toute accumulation, organiser le retour au même, libérer les esclaves et rendre toutes les terre vendues depuis le jubilé précédent à leur premier propriétaire : rien de nouveau sous le soleil. Moyennant des coïncidences assurant le lien entre les différents cycles : le premier jour de Pessah tombe toujours le même jour que l'anniversaire de la destruction du Temple, le deuxième jour de Pessah tombe le même jour que celui de Chavouot, le troisième jour, le même que celui de Rosh ha-Shana, etc.

Mais le judaïsme ne se contente pas de cette répétition : avant toute autre civilisation, il invente l'idée que le temps n'est pas que cyclique, qu'il y a quelque chose de nouveau à rechercher « au-dessus du Soleil ». Et ce nouveau, c'est justement le temps, qui s'écoule irréversiblement dans un sens déterminé par l'issue du combat entre la dégradation naturelle du monde et l'action créatrice, réparatrice de la liberté humaine. Même les fêtes rattachées à des événements agricoles cycliques sont associées à des événements du passé (Pessah, Chavouot, Soukoth, Hanoukka, Pourim) ou de l'avenir (Rosh ha-Shana et Kippour) qui leur donne un sens. Et la *Techouvah* (le repentir) relie l'un à l'autre : la réflexion sur le passé structure et rend possible l'avenir. Là encore, le couple du repentir (le cycle) et de la transgression (l'irréversible).

Ainsi, le 7, c'est le temps qui se répète. Et le 8, c'est le temps qui file vers l'infini (comme le dit son symbole, ∞, rencontre de deux cercles, comme le 8). La Torah le dit aussi par sa forme : elle est un rouleau qui se lit du début (*Beth*) à la fin (*Lamed*), puis reprend (*Lamed*, *Beth* : Lev) : Amour.

Dès les premiers débats sur la Genèse, les rabbins se posent une question obsédante : si le temps n'est pas que cyclique, s'il s'écoule, a-t-il un début ? Commence-t-il avec la création de l'Univers ? Si oui, l'« avant le temps » qui n'est pas du temps, c'est quoi ? Et, si non, si le temps est aussi infini dans le passé, s'il est incréé, est-il l'égal de Dieu ?

Pour les rabbins, seul Dieu est infini dans le passé ; Il est le seul à être incréé ; le temps est donc une création de Dieu, et il a donc un début. Seul Maimonide ose se dire prêt à accepter qu'il soit incréé, comme Dieu, si la science venait à le démontrer.

Aujourd'hui encore, cette question du commencement du temps reste une des énigmes scientifiques les mieux gardées : y a-t-il un temps avant le bigbang ? Question sans solution parce que mal posée.

En même temps que les philosophes grecs, le judaïsme pense que le temps est une des multiples dimensions de l'Univers, créé avec lui, consubstantiel à l'espace ; il est le lieu d'affrontement entre la dégradation naturelle et l'amélioration du monde par l'éthique. La physique moderne dit la même chose en parlant de lutte de l'information contre l'entropie.

Aussi, chaque fois que le Qohelet dénonce ce qui se passe « sous le Soleil », c'est en fait pour lancer un appel au refus du retour du même, à la transgression, à la modification du monde ; un appel à devenir des « bâtisseurs du temps », comme dit Abraham Heschel[146].

Par exemple, quand le Qohelet dit : « *Que retrouve l'homme de tout ce qui l'occupe sous le Soleil ?* », il faut comprendre : « *Ce que vous faites dans la routine ne sert à rien. Changez le monde !* » Et, pour y parvenir, une seule recette : ne pas se résigner à la finitude, à la répétition. *Car s'il y a vraiment quelque chose au-dessus du Soleil, c'est le temps*, qu'il faut remplir au mieux en donnant sens à l'Histoire, en faisant tout pour être heureux et rendre heureux.

La mission de l'homme est ainsi d'utiliser le temps pour son propre bonheur et pour celui de l'humanité. Pour faire advenir le temps de l'amour, ici et maintenant, et pour mille générations. La seule chose à faire avec le temps, comme avec le désert, c'est de puiser en soi le courage de le traverser.

Pour organiser ce voyage, faire que l'espèce humaine survive le plus longtemps possible, pour améliorer le monde à travers le temps, les hommes ont dû apprendre à y répartir au mieux les ressources dont ils disposent. Et, pour cela, évaluer ce qui peut se passer dans l'avenir.

Et c'est parce qu'ils se sont ainsi intéressés à mesurer les risques de l'avenir, pour eux et pour le monde, (depuis au moins le rêve de Pharaon interprété par Joseph) que les juifs participent massivement, à toutes les époques, aux métiers élaborant des théories sur l'avenir : du médecin au chercheur, du banquier au stratège, du romancier au philosophe.

Toutes les spéculations intellectuelles (dont les spéculations financières ne sont qu'une des formes) commencent là.

C'est en particulier parce que le temps est, pour eux, un terrain d'action honorable, que savoir y répartir au mieux les richesses n'est nullement une activité immorale ; et que, en particulier, faire commerce du meilleur usage des choses dans le temps est une activité licite.

Les juifs élaborent à cette fin une théorie de la valeur d'usage des ressources rares à travers le temps, dont le prix est le taux d'intérêt. Plus l'avenir est risqué, plus ce taux doit être élevé, car il est alors urgent d'utiliser les ressources disponibles. Ce qu'on appelle à tort le « prix du temps » est en fait le prix de la répartition de l'usage des choses aux diverses étapes de l'avenir.

Pour les deux autres monothéismes, l'avenir n'appartenant qu'à Dieu, l'homme ne peut en faire commerce, et ils refusent de faire payer un taux d'intérêt. Ils en déduisent que le métier de banquier est une profanation de la Loi divine.

Cette opposition fondamentale entre la religion juive (où l'usage rationnel de l'argent dans le temps est une activité demandée par Dieu) et les autres, qui le refusent, n'est pas d'emblée perceptible. Car jusqu'au $x^e$ siècle de notre ère, emprunter de l'argent pour en accélérer l'usage n'est pas une nécessité. Jusque-là, en effet, les puissants peuvent se contenter de l'argent qu'ils peuvent prendre de force. Mais, à partir du $VIII^e$ siècle, avec l'essor de l'empire musulman, la force ne suffit plus. Le premier, cet empire utilise des intermédiaires juifs pour emprunter et non plus les spolier – tout au moins en apparence, car il spolie en fait volontiers ceux à qui il emprunte. Au XIe siècle, dans l'Europe chrétienne, les premiers princes font eux aussi obligation aux juifs d'exercer ce métier. Et comme l'emprunt dégénère en spoliation, le risque demeure grand, pour le prêteur, de n'être pas remboursé.

Faut-il alors accepter de prêter à intérêt ? Les rabbins des IXe et Xe siècles sont divisés à ce sujet. À Bagdad, quand des communautés commencent à être persécutées (parce que certains des leurs ont accepté de faire office de premiers banquiers des princes et des marchands musulmans), rabbi Ismaël recommande de prêter sans intérêt aux non-juifs comme aux juifs, sauf s'il n'est pas d'autre moyen de gagner sa vie que de prêter à intérêt. En France, où l'économie s'éveille au XIIe siècle, l'un des petits-fils de Rachi, Jacob Tam, explique au contraire, en 1160, que le prêt à intérêt est favorable à l'emprunteur, car il l'incite à prendre des décisions rationnelles (raisonnement très moderne qui ne sera pas repris avant Adam Smith). Pour d'autres rabbins, encore aux siècles suivants, il ne faut pas prêter du tout : pourquoi prendre le risque de se faire massacrer par des débiteurs en colère ?

Pourtant, les communautés juives ne sont autorisées à s'installer dans une ville d'Europe que si elles y remplissent cette fonction. Au XVe siècle, les prêteurs juifs sont remplacés par des Lombards (juifs convertis), puis par d'autres enfin autorisés par l'Église. Les banques appartenant à des juifs perdurent encore un peu ; les dernières s'affaiblissent ou leur échappent à la fin du XIXe siècle, au moment précis où leur puissance est fantasmée par les philosophes et les idéologues.

Au premier rang d'entre eux, Karl Marx, obsédé lui aussi par le temps, débusque un autre commerce du temps, beaucoup plus général : celui du temps de travail cristallisé dans les objets qu'il sert à fabriquer et dont il fixe la valeur. Il en déduit une théorie de la plus-value, de l'échange et de l'exploitation, du profit et de l'accumulation du capital.

Aujourd'hui, vendre une répartition rationnelle des ressources dans le temps (moyennant un taux d'intérêt) et vendre du temps cristallisé dans des objets (moyennant un prix) s'est beaucoup développé, avec le capitalisme financier qui organise d'innombrables formes du marché du temps.

Mais cela ne suffit plus. D'autres formes du temps sont devenues des marchandises ; en particulier, forme ultime, le temps de vie dont chacun dispose.

De fait, ce qui est rare, ce n'est pas le temps en général (qui est infini), mais celui de chacun. Rare, il a une valeur, mais nul ne peut évidemment le céder, si ce n'est sous la forme d'un usage partagé – ainsi le spectacle de son temps, celui du spectacle vivant. Au-delà, on peut imaginer un marché du temps de vie, au moins sous sa forme approchée, celle d'un marché des organes : leur cession raccourcit l'espérance de vie de celui qui les cède et augmente celle de qui les obtient. Gratuit, leur don est altruiste ; payant, le commerce d'organes est criminel, incitant même à tuer pour s'approprier des organes et les vendre.

Dans la mesure où le temps devient aujourd'hui la denrée la plus rare, nos sociétés vont consacrer une part grandissante de leurs ressources à leur santé, pour augmenter leur espérance de vie, y compris par des greffes d'organes ou par des « enfants-médicaments » dont les organes, par définition compatibles, serviraient à réparer ou remplacer les organes insuffisants d'un client solvable.

Au-delà, on peut rêver – comme le fait la Kabbale et la science d'aujourd'hui – à un golem, à un clone, voire même, disent certains, à la réincarnation. Le clone est possible : ce sera la prochaine forme de gestion du défi du temps par l'homme.

Reste à apprendre à vivre le plus intensément possible le temps dont chacun dispose. À vivre plusieurs vies simultanément, puisqu'on ne peut être assuré d'en vivre successivement plusieurs. Autrement dit (comme le suggère le Qohelet, auquel tout renvoie) à apprendre à s'accepter comme un maillon dans l'histoire de l'espèce, en charge de transmettre aux générations suivantes un monde un peu meilleur que celui reçu de nos pères.

# Tsedaka

C'est sans doute le concept que je préfère dans le judaïsme, parce qu'il vise à permettre à chacun de disposer à la fois de la « justice » et de la « dignité ». C'est le concept qui englobe tous les autres. Un concept qu'on traduit à tort par « charité » (indigne pour le judaïsme, qui n'aime pas l'idée d'un don ostensible) ou par « solidarité » (tout aussi insuffisante, parce qu'elle ne sert qu'à aider l'autre à vivre à l'égal de soi, mais sans l'aider concrètement à réaliser ses potentialités, ni à faire disparaître sa dépendance). La *tsedaka* (dont les lettres sont équitablement réparties au début et à la fin de l'alphabet), consiste donc à rendre (et non donner) l'argent aux autres.

Pour le judaïsme, le scandale n'est pas la richesse, mais la pauvreté, c'est-à-dire l'incapacité à mettre en œuvre ses talents. Il fait donc de cette libération des talents une obligation morale. Accomplir la *tsedaka*, c'est fournir à chacun les moyens financiers de se réaliser et de ne dépendre ni de la charité, ni même de la solidarité. C'est le moyen de l'autonomie, la condition de la dignité.

La *tsedaka* doit d'abord servir à financer les fondements de la dignité : rançons des voyageurs enlevés, entretien des orphelins, soins médicaux des malades, dot des jeunes filles, accueil des voyageurs, salaires des professeurs, vêtements « *pour celui qui est nu ; les ustensiles de cuisine pour celui qui n'en a pas ; une femme ou un mari pour un ou une célibataire ; et même un serviteur à un riche devenu pauvre* » : comme il s'agit de dignité, il faut aider un ancien riche plus qu'un pauvre de toujours. Les offrandes à la communauté font partie de la *tsedaka* et ne sont jamais utilisées à la splendeur des synagogues, qui doivent rester austères.

La forme la plus élevée de la *tsedaka* consiste à prêter à celui qui n'en a pas les moyens de quoi créer une entreprise, ou, mieux, de devenir l'associé de celui qui l'anime. Maimonide en résume le principe au XIIe siècle dans un texte qui témoigne aujourd'hui encore d'une remarquable audace sociale : « *Le degré le plus élevé de la tsedaka, que rien ne dépasse, est celui où une personne prête assistance à un pauvre en lui donnant un cadeau ou un prêt, ou en l'acceptant dans une association, ou en l'aidant à trouver un emploi, en somme en le mettant dans une situation où il peut se dispenser de l'aide d'autrui* » (Yad Mattenot Aniyyim 10, 7-14).

Pour éviter à ceux qui n'ont besoin que d'une aide temporaire d'être obligés de brader leurs biens, la *tsedaka* peut aussi prendre la forme d'un prêt sans intérêt ou même à perte ; nul ne doit même exiger d'un bénéficiaire de la *tsedaka* qu'il rembourse le principal de ce prêt.

Chaque membre de la communauté – même s'il a lui-même besoin de bénéficier de la *tsedaka* – doit y consacrer au moins le dixième de ses revenus, voire le double s'il est vraiment riche ; mais pas davantage, sauf s'il dispose de revenus exceptionnels gagnés par hasard. En particulier, le paysan doit permettre aux pauvres de venir glaner dans son champ après la moisson, et y laisser au moins le dixième de sa récolte. Pour ne pas attirer l'attention sur lui, le donneur doit effectuer sa *tsedaka* discrètement, mais nul ne doit masquer sa fortune à seule fin de réduire ce qu'il doit y consacrer. Le Talmud explique même qu'un riche doit vivre le plus richement possible pour ne pas être tenté de conseiller aux pauvres d'imiter sa frugalité. Perdre de l'argent, c'est aussi faire la *tsedaka*.

La pratique de la *tsedaka* est l'obsession de toute communauté. Il est même interdit à un juif en voyage de passer une seule nuit dans une communauté qui ne la pratiquerait pas, car la violence est réputée y régner. Une communauté est même considérée comme responsable des vols et des meurtres commis dans son voisinage, parce qu'ils constituent la preuve qu'elle n'a pas été capable d'éviter la pauvreté autour d'elle par la pratique de la *tsedaka*.

L'apprentissage de l'alphabet aux enfants est même l'occasion d'une première leçon de *tsedaka* : comme la lettre *Gimel* précède le *Daleth* dans l'ordre alphabétique, l'homme riche *(gal)* doit rechercher les pauvres *(dal)* pour les secourir. Inversement, par sa forme, le *Daleth* tourne le dos au *Gimel,* ce qui indique que le pauvre ne doit pas avoir à mendier. De même, les lettres *Çamech,* initiale de *çamach* (soutenir) et *Ain,* initiale d'*oni* (pauvreté), sont consécutives dans l'alphabet, comme pour indiquer que chacun doit soutenir les pauvres.

La *tsedaka* est donc un acte d'« altruisme intéressé », et non un acte religieux, et elle ne garantit aucune récompense dans l'au-delà, à la différence des offrandes faites aux Églises dans d'autres religions.

C'est dans ce concept très original, fait d'altruisme et d'intérêt bien compris, tout entier tourné vers la réalisation et l'autonomie de la personne humaine, que le judaïsme trouve la force de mettre en place des institutions sociales propres à ses communautés, imitées ensuite par d'autres institutions publiques. C'est là qu'il puise la motivation profonde de son intervention dans la société laïque dès qu'il est autorisé à y dire son mot. À partir du XIX<sup>e</sup> siècle, bien des juifs se retrouvent ainsi, en Allemagne, en Pologne, en Russie, dans le mouvement socialiste, par ailleurs largement peuplé d'antisémites, associant alors le juif au banquier et même associant l'idée de Dieu, puissance unique, à celle de l'argent, unique puissance.

Aujourd'hui, alors que plus de la moitié de la population de la planète survit en dessous du seuil de pauvreté, et que rien n'est à attendre d'une charité parcimonieuse ou d'une solidarité hypothétique, fournir à chacun les moyens de son autonomie ne peut passer par une fiscalité planétaire qui garantirait à chacun un revenu minimal. La *tsedaka* trouve là une nouvelle raison d'être, universelle : la création de mécanismes permettant à chacun d'associer les plus pauvres à ses affaires, ou de s'associer à leurs propres affaires. Parce que la dignité des hommes est la forme principale de la réparation du monde.

# Vie

J'aime l'apologie permanente du bonheur dont se nourrit le judaïsme : toute la Bible (même ses textes les plus pessimistes, le Qohelet ou Job), considère la vie ici-bas comme une récompense dont on doit jouir sans remords. Tous les textes talmudiques répètent à l'infini qu'il n'y a rien à attendre d'un paradis ni d'une résurrection, ni d'un au-delà dont on ne sait rien, ni d'un Dieu qui ne nous dit rien, mais qu'il faut vivre ici au mieux sans rien espérer d'un après, et faire seulement en sorte que le monde soit un peu meilleur après nous. Le Talmud le martèle même, dans cette phrase magnifique que je ne me lasse pas de citer : « *Chacun aura à rendre compte dans l'au-delà de tous les plaisirs licites dont il se sera abstenu* » (T.J. Kiddushim 4, 12). Autrement dit, tous les plaisirs sont recommandés, hormis ceux qui conduisent à la dérive des désirs, interdisant de participer à la réparation du monde.

Vivre intensément est nécessaire. Et d'abord vivre tout court. En hébreu, le mot vie (*haïm*) est toujours au pluriel : on vit toujours plusieurs vies. De plus, *haïm*, à l'envers, se lit : « Qui est vivant en moi ? » Il renvoie à *maïm*, qui, lui aussi, à l'envers, se lit « ma vie ». Pas étonnant : l'eau c'est la vie. La vie est si sacrée que toute communauté doit payer la rançon d'un juif, même inconnu, par tous les moyens, même si elle doit pour cela utiliser des sommes économisées jusque-là pour construire une synagogue. La vie est plus importante que la Torah. Le judaïsme conseille d'ailleurs l'apostasie, et non le suicide ou le martyre ; même si bien des juifs mourront les armes à la main pour se défendre, ou se suicideront pour ne pas se rendre, ou par refus de se convertir. Par exemple, la mort sous la torture d'enfants juifs refusant l'apostasie sous Hadrien, comme le suicide au même moment des derniers zélotes assiégés à Massada, en 72, par les Romains, constituent des événements sans doute imaginaires, dont on glorifie la mémoire, mais que nul n'est encouragé à imiter. Rien dans le judaïsme n'approuve l'apologie du martyre propre aux autres religions monothéistes.

Si, au Moyen Âge, certaines communautés d'Allemagne préférèrent la mort à l'apostasie, ce furent des exceptions qui ne sont jamais citées en exemple. Quand, en 1165, des rabbins de Provence recommandent aux dirigeants de la communauté de Fès de se suicider plutôt que de se convertir, Maimonide, qui vient de quitter cette ville pour la Palestine, proteste et écrit (dans *Épître sur la persécution)* que la vie est le plus sacré des biens, et qu'il faut tout accepter plutôt que la mort ; y compris faire croire à sa conversion, d'autant plus que l'islam, ose-t-il écrire, est « *le plus pur des monothéismes* ». Une conversion évidemment provisoire et seulement apparente, juste pour sauver sa vie, avant de s'enfuir dès que possible et revivre en juif ouvertement. Cette même règle sera appliquée en Espagne en 1492, au Portugal en 1496. Sabbataï Tsvi, le Messie de Smyrne, s'en sert pour justifier sa propre conversion – pourtant définitive – à l'islam.

De même, la peine de mort est en principe légale : elle n'est appliquée qu'à ceux qui menacent la vie de la communauté, parce qu'il s'agit alors de légitime défense. Il est aussi interdit de tuer un animal pour le plaisir, de découper un morceau d'un animal vivant, et même de lui faire peur.

Comme il n'y a rien à attendre de l'au-delà et comme la vie est sacrée, l'action s'impose : aucune force n'est plus révolutionnaire que l'absence d'espoir.

## Vienne

J'ai toujours été fasciné par cette ville où les juifs ont connu le meilleur et le pire de leur vie en diaspora ; et où ils vécurent en particulier, de 1875 à 1933, « à l'âge d'or de la sécurité », comme dira l'un d'eux, Stefan Zweig, dans une intense libération intellectuelle, une frénésie de savoir et de création, qui engendra une des plus formidables révolutions intellectuelles de toute l'histoire humaine.

Tolérées au XIIIᵉ siècle, chassées en 1421, quelques rares familles juives sont autorisées à y revenir au XVIᵉ siècle. En 1582, la communauté viennoise ne compte encore qu'une trentaine de familles regroupées dans un ghetto, un quartier spécial appelé

*Léopoldestadt ;* parmi eux, d'anciens marranes venus des Pays-Bas au temps où les Habsbourg régnaient à la fois sur l'Espagne, les Pays-Bas et l'Autriche. Expulsés de nouveau en 1669, ils sont autorisés à y revenir en 1770. Ils sont alors très peu nombreux, mais déjà on dénonce leur présence : en 1778, à Vienne, un membre du Conseil d'État se plaint que les jeunes juifs de famille aisées, très peu nombreux, sont trop assimilés, trop à la mode, trop envahissants : « *Les jeunes gens juifs se promènent aujourd'hui en public vêtus d'une manière qui les rend indiscernables des chrétiens... Certains portent même l'épée... On les rencontre dans les endroits publics, frayant avec de jeunes chrétiens. On voit aussi des femmes juives dont la toilette diffère à peine de celle des dames de la société, marchant ostensiblement en compagnie de chrétiens, hommes et femmes. Et des juifs, qu'il est impossible de distinguer des autres par le vêtement, fréquentent désormais les auberges, les bals et les théâtres... »*

L'antisémitisme prend ainsi un nouveau tour : on ne déteste plus les juifs pour leur différence, mais à l'inverse, pour leur volonté de s'assimiler. On ne craint plus ce qu'ils sont, mais ce qu'ils pourraient devenir, les places qu'ils pourraient occuper, les pouvoirs qu'ils pourraient exercer. Pourtant ils ne sont encore que 900 en tout et pour tout au début du XIX<sup>e</sup> siècle.

Puis tout se libéralise, pour les juifs comme pour les autres peuples de l'Empire des Habsbourg. Et ils sont admis par l'empereur François-Joseph à quitter leurs villes de résidence pour s'installer à Vienne même. En 1848, le rabbin Isaac Mannheimer est même invité à prononcer au Parlement un discours sur l'abolition des taxes spécifiques payées par les juifs ; et il est nommé en 1853 citoyen honoraire de

Vienne. Le nombre de juifs de la ville grandit vite. Ils sont bientôt plusieurs dizaines de milliers, exerçant tous les métiers.

En 1887, un antisémite notoire nommé Karl Luger (qui vient de créer le Parti chrétien social) devient maire de la ville et le reste jusqu'en 1910. Stefan Zweig dira pourtant de lui : « *Sa façon d'administrer la ville était parfaitement juste et même typiquement démocratique.* »

Les juifs continuent d'y affluer en masse soucieux de se libérer de toutes les contraintes de leur société ; quelques-uns se convertissent pour échapper à l'antisémitisme et s'intégrer davantage encore à la population viennoise.

C'est une explosion de talents après tant de siècles, de millénaires d'intelligence confinée dans l'étude des textes. Beaucoup, convertis ou non, s'adonnent à la philosophie, à la littérature, à la peinture, toutes activités jusque-là interdites. Parmi eux des peintres (Klimt), des écrivains (Kraus, Schnitzler, Musil, Zweig, Perutz), des philosophes (Wittgenstein), des médecins (Freud), des musiciens (Mahler et Schönberg), des journalistes (Herzl).

Après la défaite de l'Empire en 1918, Vienne n'est plus que la capitale de la petite république d'Autriche, mais reste une très brillante capitale intellectuelle ; et les juifs y sont encore fort bien admis. Freud, Zweig, Perutz continuent d'y travailler. Une des meilleures expressions de l'attitude de ces juifs, soucieux de s'intégrer et éloignés du judaïsme, est donnée par Sigmund Freud. Il écrit en effet dans l'introduction à la traduction hébraïque de *Totem et Tabou* un texte inconcevable un

demi-siècle plus tôt : « *L'auteur* [...] *ne comprend pas la langue sacrée, il est totalement détaché de la religion de ses pères – comme de n'importe quelle autre religion ; il ne peut partager des idéaux nationalistes et n'a pourtant jamais nié l'appartenance à son peuple ; il ressent sa nature comme juive et ne voudrait en changer. Si on lui demandait : "Mais qu'est-ce qui est encore juif chez toi, alors que tu as renoncé à tout ce patrimoine ?", il répondrait : "Encore beaucoup de choses, et probablement l'essentiel." À l'heure qu'il est, il serait toutefois incapable de le formuler en termes clairs. Mais sûrement qu'un jour cela sera accessible à la compréhension scientifique*[110]. »

Très vite, le nazisme leur rappelle leur identité : le 30 juillet 1933, à Paris, en route pour l'Amérique, Schönberg réintègre la religion juive de façon solennelle, avec Marc Chagall comme témoin. Perutz part en Palestine, Musil en Suisse, Zweig au Brésil, Freud à Londres.

En 1938, quand l'Autriche rejoint avec enthousiasme l'Allemagne nazie, 170 000 juifs y vivent encore (avec, de surcroît, 80 000 chrétiens ayant des origines juives), soit 10 pour cent des habitants de la ville. Le 9 novembre, la Nuit de Cristal entraîne leur spoliation générale ; on retrouve même la critique faite en 1778 de ces juifs viennois « trop envahissants » dans la bouche de Hermann Göring, lors d'une réunion secrète de ministres allemands, le 12 novembre, la première de celles d'où est sortie la Shoah.

L'année suivante, 60 000 juifs viennois réussissent encore à quitter le pays. En mai 1939, ils sont encore 120 000 dans le pays (dont 80 000 à Vienne). Les fuyards n'abandonnent pas pour autant quelques futiles querelles : en 1940, quand les Suisses veulent forcer les exilés viennois dont Robert Musil, à quitter la Suisse et lui offre de l'envoyer au Brésil ; celui-ci refuse parce que « Stefan Zweig est là-bas »… Musil meurt à Genève en 1942, quelques semaines après le suicide de Zweig au Brésil.

28 000 juifs autrichiens quittent encore l'Autriche jusqu'à la fin du mois d'octobre 1941. À la fin de l'hiver, les Allemands et les nazis autrichiens déportent 4 500 juifs viennois en Pologne. Au printemps 1942, des dizaines de milliers d'autres sont déportés dans des villes de l'Union soviétique occupée (Riga, Kovno, Vilna et Minsk) où ils sont massacrés. Au total, quand, le 4 avril 1945, les forces soviétiques libèrent Vienne, 47 555 juifs autrichiens ont été assassinés, soit le tiers de ceux qui vivaient dans ce pays au début de la guerre.

Aujourd'hui, 7 000 juifs vivent encore à Vienne, dont quelques grandes familles anciennes, revenues là après un exil argentin ou palestinien, comme les Kahane ; et une communauté très particulière venue d'Ouzbékistan à la fin des années 1990, en particulier de Boukhara, et de Géorgie. Ils communiquent entre eux essentiellement en hébreu ou dans un dialecte mélange d'hébreu et de tadjik.

# Warburg (Sigmund)

Dès notre premier rendez-vous, un jour d'août 1981 où nous avions conversé dans mon bureau en français et en anglais (puis en latin en traversant la cour de l'Élysée), je décidai d'écrire sa biographie. Quand il mourut, quelques mois plus tard, juste avant notre second rendez-vous, je commençai à chercher qui était vraiment cet homme, Sigmund Warburg dernier représentant de la plus longue dynastie de banquiers juifs de l'Histoire, passionnante depuis ses débuts et dont il avait porté au plus haut l'influence.

Tout commence au XVIe siècle, à Cassel, près de Göttingen, en Basse-Saxe, où quelques juifs venus d'Italie prêtent aux riches paysans et aux marchands de blé. En 1556, venant de Pise, les Del Banco – dont le nom dit bien qu'ils étaient banquiers (le métier de changeur se pratiquait en Toscane sur un « banc ») – les rejoignent. Soucieux de s'intégrer, ils changent de nom et deviennent les von Cassel. En 1559, Simon von Cassel, « *changeur d'argent et prêteur sur biens agricoles* », déménage de Cassel à Warburg, en Westphalie, où quelques centaines de juifs viennent de revenir après les massacres du XIVe siècle. Son fils Samuel, puis son petit-fils Jacob Simon dirigent une petite affaire de prêt sur gages. Ils prennent le nom de la localité : Jacob Simon von Cassel devient von Warburg, chef de cette petite communauté juive de l'évêché de Paderborn.

En 1607, Jacob Simon déménage plus au nord, près de Hambourg à Altona, port franc sur l'Elbe sous souveraineté danoise, ville de la Hanse, capitale des communautés de la région, beaucoup plus tolérante que les cités environnantes. Quelques juifs, ashkénazes et portugais, y sont installés depuis plus d'un siècle. Cette fois, la famille ne change pas de nom.

Vers 1615, la famille a si bien réussi que Jacob Warburg (le *von* a disparu) fait aménager dans sa propre demeure d'Altona une belle synagogue, la première du diocèse. Les Warburg deviennent une sorte d'autocratie juive qu'ils ne cesseront plus jamais d'être.

En 1678, Moses prend la suite de son grand-père. En 1725, son fils, Samuel Moses, s'installe comme changeur d'argent à Hambourg, juste à côté d'Altona, laissant sa maison à des cousins du même nom. En 1759, à la mort de Samuel Moses, son fils aîné, Gombrich Marcus, en prend la direction avec son frère Élias. Ils en assureront le développement pendant quarante ans.

Hambourg est alors le principal carrefour des routes reliant l'Europe du Nord et l'Atlantique, une

porte de sortie vers la Manche et le continent américain. On y fait commerce des céréales, de la laine, du
verre, des vins, des lettres de change. Des juifs portugais y jouent un rôle éminent dans le négoce entre
l'Europe centrale et orientale, la Hollande et la
péninsule Ibérique. En 1761, les communautés juives
de Hambourg, d'Altona et de Lübeck se regroupent
pour former, grâce à la protection du Sénat de la
ville, la communauté la plus importante et la mieux
garantie du Saint Empire.

À Hambourg comme ailleurs, le métier de banquier
continue de se diversifier. Certains prêteurs avancent
leur propre argent à des entreprises et, en échange, en
contrôlent le capital. Ils se spécialisent dans le prêt à
long terme, le conseil financier aux entreprises et le
commerce international. Ils appellent cela la « *haute
banque* ». D'autres cherchent de l'argent ailleurs,
acceptent des dépôts et deviennent « banques commerciales ». Les banques juives n'occupent plus une place
notable que dans la « haute banque ».

En 1785, à Francfort les Rothschild deviennent
banquiers en « haute banque » du prince Guillaume,
landgrave de Hesse-Cassel. La banque Warburg est
encore une petite entreprise comptant moins d'une
dizaine d'employés ; elle consent des prêts sur gages
à des armateurs, qui exportent, ou à des marchands,
qui importent. La famille tisse des liens un peu partout avec les grandes familles juives. Ainsi, un des
cousins d'Altona, David Warburg, s'installe à Francfort, puis part pour Londres après avoir vendu sa
maison à Meyer Amschel Rothschild.

À Hambourg, en 1797, quatre ans avant sa mort,
Gombrich Marcus laisse la responsabilité de la maison Warburg à deux de ses fils : Moses et Gerson.

Quand Gerson meurt en 1825 sans héritier, Moses Marcus, lui, n'en a qu'un, et c'est une fille, Sarah, femme très intelligente et volontaire qu'on marie à un Warburg d'une autre branche pour que perdure le nom. La banque devient alors assez puissante pour sauver de la faillite la ville de Hambourg, mais ne passe pas elle-même très loin de la catastrophe.

L'un des deux fils de Sarah, Sigmund, qui lui succède, écrit cette phrase que tout autre juif aurait pu prononcer depuis plus de trois mille ans : « *Les Warburg ont toujours eu cette chance : chaque fois qu'ils étaient sur le point de devenir très riches, quelque chose survenait qui les faisait redevenir pauvres et les forçait à tout recommencer à zéro.* » En février 1862, Sigmund est élu « citoyen de Hambourg », titre recherché, équivalant à un titre de noblesse, le seul que la famille accepte, et encore avec réticence, par souci de discrétion : la lumière est menace. On vit en juif, on prie, on finance les œuvres sociales juives, on fréquente la noblesse et la bourgeoisie chrétiennes.

Deux ans plus tard, Moritz, fils de Sigmund, devient associé de la banque et se marie avec Charlotte Oppenheim, fille d'un grand orfèvre de Francfort dont la devise vaut d'être rapportée : « *Vendre une perle que vous avez à quelqu'un qui en a envie, ce n'est pas faire des affaires ; mais vendre une perle que vous n'avez pas à quelqu'un qui n'en veut pas, voilà ce qui s'appelle faire des affaires.* » Fort différent de son père, Moritz est conservateur et orthodoxe. À sa majorité, en 1857, il choisit pour devise : « *Labor et Constantia* ».

Après la guerre franco-prussienne, en 1870 et 1871, les Warburg, de plus en plus puissants, financent l'explosion de l'industrie allemande sans être toutefois jamais aussi proches du pouvoir prussien que l'est alors Blei-chröder à Berlin, devenue capitale de l'Empire unifié.

Moritz a cinq fils, dont Max, Abbie et Paul. Au début du XX⁰ siècle, sous la direction de l'aîné, Max, la banque Warburg refuse de déménager à Berlin et finance toute l'industrie allemande depuis Ham-bourg. Attachés au sort des juifs d'Allemagne et du reste du monde, les Warburg s'intéressent au sio-nisme et financent le Japon dans sa guerre contre la Russie qui martyrise les juifs. Vers 1900, Max devient l'ami du Kaiser, succédant à Bleichröder dans l'intimité du pouvoir. Un de ses frères, Abbie, devient le premier expert mondial en histoire de l'art. Un autre, Paul, émigre à partir de 1902 aux États-Unis, comme font de très nombreux autres juifs d'Allemagne dont certains deviendront des banquiers célèbres (Goldman, Sachs, Seligman, Lehmann). Les deux autres frères s'occupent des œuvres sociales de la communauté juive d'Allemagne et de Palestine. En 1903, Paul propose au gouvernement des États-Unis la création d'une banque centrale, ce qui conduit à la création en 1909 du Système fédéral de Réserve.

En 1919, à la conférence de paix de Versailles, Max conduit la délégation allemande, qui négocie les indemnisations réclamées à l'Allemagne vaincue, face à son frère Paul qui les négocie au nom des États-Unis, et à John Maynard Keynes qui représente la Grande-Bretagne et tombe amoureux d'un employé de Max Warburg, le docteur Melchior. Conscients du danger qu'il y aurait à humilier la fragile République de Weimar, les quatre hommes font tout pour empêcher que des charges trop lourdes lui soient imposées. En vain : celles-ci précipitent l'arrivée de Hitler au pouvoir en mars 1933.

À la fin de cette année-là, un des jeunes neveux de Max (il a trente ans), Sigmund Georg Warburg, jeune homme cultivé, raffiné, très différent de son père, retiré depuis sa jeunesse dans une propriété à la campagne, est un des rares juifs allemands à discerner l'ampleur de la menace nazie ! En deux heures, après un entretien de quelques minutes avec le ministre des Affaires étrangères, von Neurath, ami de sa famille, Sigmund décide de partir pour Londres, abandonnant tout derrière lui. Il y recrée, avec un autre réfugié juif allemand, Henry Grunfeld, une petite banque sous le nom de SG Warburg. À Hambourg, son oncle Max s'obstine à penser que son amitié avec le docteur Schacht, ministre de l'Économie, le sauvera. En 1938, Max réussit à fuir l'Allemagne à la veille de la guerre, au moment même où, à Hambourg, la banque Warburg est expropriée et doit changer de nom.

En 1942, Sigmund imagine le mode de financement de l'achat d'armes américaines par les Anglais : c'est le *lease-back*, qui suffit à établir son nom sur la place. En 1945, il décide de rester à Londres avec trois objectifs : devenir le premier banquier de la City, reprendre le contrôle de la banque familiale à Hambourg, recouvrer une influence dans chacun des pays où les Warburg ont été puissants. Il n'atteint que le premier de ces buts. En veillant à appliquer des règles morales impitoyables : Sigmund lit tout, contrôle tout, recrute lui-même chacun de ses collaborateurs.

Sa banque, SG Warburg, devient en vingt ans une des premières du monde en matière de fusions-acquisitions et de gestion des actifs, en particulier grâce à deux innovations majeures qui organisent pour un demi-siècle la mondialisation du capitalisme.

En février 1958, Sigmund lance la première OPA hostile de l'histoire, pour organiser le rachat d'une firme métallurgique de taille mondiale, la British Aluminium ; il rend ainsi le pouvoir aux actionnaires contre des dirigeants qui se pensent encore de droit divin.

En 1963, pour utiliser les premiers dollars bloqués en Europe, il invente les « euro-bonds » qu'il attribue en premier lieu aux « Autoroutes italiennes », permettant ensuite d'utiliser tous les dollars disponibles hors d'Amérique et les « euro-dollars » pour financer la construction d'entreprises multinationales, américaines et non américaines.

En Allemagne, les Warburg ne recouvrent qu'en partie leur nom et leurs biens. En Amérique, Sigmund échoue dans le rachat, en association avec Paribas, de la banque américaine Becker. À Londres, il n'a pas de successeur direct : sa fille s'installe en Israël et son fils aux États-Unis, mettant ainsi fin à la plus longue dynastie de banquiers juifs de l'Histoire. Même si un cousin prénommé Max, fils de Max, tente de faire vivre à nouveau le nom à Hambourg.

À la fin de 1981, Sigmund, âgé de 78 ans, laisse la place, juste avant de mourir, à sir David Scholey. Après lui, sa banque organise encore les premières syndications d'augmentation de capital, permettant la privatisation de British Telecoms.

Mais le monde a changé et une banque de ce genre, entièrement pensée et contrôlée par un seul individu, n'y a plus sa place. En 1995, cinq mois après une fusion manquée avec Morgan Stanley, la banque SG Warburg est rachetée par la Société de banque suisse pour 860 millions de livres, puis disparaît.

Trois ans plus tard, la Société de banque suisse disparaîtra à son tour...

## Yetsirah (Sepher)

« *Par trente-deux voies mystérieuses, le Seigneur,
l'Éternel des Armées, le Dieu suprême d'Israël,
grava et établit Son nom, et créa Son monde*[7]*... »*
Ainsi commence le très court (1 800 mots) *Sepher
Yetsirah* (Livre de la Création), écrit au IIIe siècle de
notre ère, premier texte connu décrivant l'information comme une réalité capable d'influer sur la
matière, et l'Univers comme un espace à plusieurs
dimensions. Il explique que les lettres de l'alphabet
hébreu structurent et organisent l'Univers, consti-
tuant un code permettant de décrypter le message
secret de la Bible, la recette de fabrication de la Vie.

La légende qui court au temps du Talmud est que
ce *Livre de la Création* est l'œuvre d'Abraham à qui
son père, Tera, un potier, aurait enseigné les secrets
de la combinaison des lettres pour en faire naître la
Vie. Ce secret serait ensuite passé à Isaac, Jacob,

Joseph, puis Ben Sirah (au II$^e$ siècle avant notre ère), puis rabbi Akiba et Shimon bar Yohai au I$^{er}$ siècle de notre ère, jusqu'aux kabbalistes du Moyen Âge. D'autres prétendent que l'auteur de ce livre en serait le prophète Jérémie.

En réalité, le *Sepher Yetsirah* a sans doute été écrit au III$^e$ siècle de notre ère à Babylone, puis transmis de main en main, de rabbi en rabbi, jusqu'au Moyen Âge. Il en existe aujourd'hui quatre versions, dont l'une écrite au IX$^e$ siècle, à Bagdad, de la main de Saadia Gaon, jusqu'à celle écrite de la main du Gaon de Vilna au XVIII$^e$ siècle. Un de ces manuscrits serait, dit-on, conservé en secret au Vatican.

Ce livre, le premier sans doute de son espèce, et bien avant que la physique n'y pense, énonce une théorie révolutionnaire : l'Univers a plus que trois dimensions ; il en compte dix qu'il nomme *sephirot*, correspondant aux dix chiffres du système décimal.

Ces dix dimensions sont divisées en six spatiales, deux temporelles et deux morales. Il propose de les représenter comme les branches d'un arbre (l'Arbre de vie), ou comme un corps humain, ou comme les manifestations de la Présence divine, voire de tout processus de création et de purification spirituelle.

Ces 10 dimensions sont reliées par 32 chemins – soit le total du nombre des chiffres (10) et des lettres (22) de l'alphabet hébreu. Ces 32 chemins représentent aussi les interactions des *sephirot*, des combinaisons de forces, des zones de transition, flux, chemins, formes d'énergie, et aussi des éléments du code dans lequel est écrite la recette de fabrication de la vie.

Les 22 lettres sont divisées en trois groupes : trois lettres « mères », sept « doubles » et douze « élémentaires ». Les trois lettres « mères » (Aleph, Mem et Chin) renvoient aux trois premières *sephirot* (l'air, l'eau, le feu) et se propagent dans tout l'Arbre de vie pour rejoindre la dernière, la seule accessible à l'homme. Le second groupe (composé des sept consonnes doubles) renvoie aux sept planètes, aux sept jours de la semaine, et permet, dit-il, de fabriquer les sept orifices de la tête de l'homme. Le troisième groupe (celui des douze consonnes simples) permet de créer les douze dimensions psychosomatiques de l'homme, ses douze organes principaux, et renvoie aussi aux douze mois de l'année.

Enfin les 231 combinaisons deux à deux des 22 lettres forment les 231 « portes » d'accès à la Connaissance.

Ce livre si étrange et fascinant se termine par un texte particulièrement énigmatique qui fournit une piste expliquant sa raison d'être : « *Lorsque Abraham, notre père – puisse-t-il reposer en paix ! – regarda, il vit, comprit, sonda, grava et sculpta. Il fut fructueux dans la création, comme il est écrit : "Et les âmes qu'ils avaient fabriquées à Harran." Aussitôt qu'il se révéla à lui, le Maître de tout – puisse Son nom être éternellement béni ! – le plaça sur Sa poitrine, l'embrassa sur la tête et l'appela, "Abraham mon bien-aimé…" Il faisait un pacte avec lui entre les dix doigts de ses mains – c'est le pacte de la langue – et entre les 10 orteils de ses pieds – c'est le pacte de la circoncision. Il attacha les 22 lettres de la Torah sur sa langue et lui révéla Son mystère. Il les plongea dans l'eau, les brûla avec le feu, les agita avec le souffle, les enflamma avec les 7 (planètes) et les dirigea avec les 12 constellations.* »

Le *Sepher Yetsirah* n'est pas le premier à remarquer cet étrange verset de la Genèse (12, 5) qui parle des « *âmes qu'ils* [Abraham et Sarah] *avaient fabriquées à Harran* ». Fabriquées ?…. Abraham aurait *fabriqué* une âme ? un être vivant ?

Dès le VIᵉ siècle avant notre ère, les rabbins s'entre-déchirent pour interpréter ce texte de la Genèse qui vient d'être mis en forme à Jérusalem par les rabbins assemblés autour d'Esdras. Certains d'entre eux pensent que, puisque la Bible le dit, Abraham serait bien parvenu à insuffler la vie à une motte d'argile, créant ainsi un veau ; et qu'il l'aurait offert à dîner aux trois anges venus lui demander de sacrifier Isaac. Ces rabbins rappellent aussi que, dans l'un des deux récits bibliques qui racontent la naissance du premier homme, ha-Adam est façonné d'un mélange d'eau et d'argile. D'autres rabbins rejettent au contraire violemment cette interprétation, comme dans ce commentaire du IIᵉ siècle, inclus lui aussi dans le Talmud : « *Même si toutes les créatures du monde s'étaient liguées pour faire un simple moucheron et lui insuffler une âme, elles n'auraient pas réussi* » (Béréchit Rabba 39, 13).

Pendant deux siècles, le débat s'enflamme : cette créature supposée avoir été créée par Abraham est nommée « golem », mot repris du Livre des Psaumes (« *Je n'étais qu'un golem et tes yeux m'ont vu* » [139, 16]). *Golem* veut alors dire « être inachevé », « ébauche ». Pour le Talmud, il signifie l'état de la matière avant la naissance d'Adam. Certains textes nomment alors « golem » un tel être d'argile, animé de vie par l'inscription sur son front d'un verset biblique. Un être ignorant, imparfait, inachevé, capable de beaucoup avec peu. Le mot « golem » renvoie aussi à Guimel et à Gamal (« chameau », qui n'a pas besoin de beaucoup d'eau pour traverser le désert, métaphore de l'inachevé).

Le Talmud prend la chose au sérieux et rend compte de très nombreux exemples de tentatives de fabriquer un golem : un texte (Sanhédrin 65b) écrit au IVe siècle parle d'un « *rabbi qui créa un homme* » (« Rabba bera gabra », origine probable du célèbre Abracadabra, à moins que ce ne soit « Abrakha Dabera » (« la bénédiction comme tu dois la prononcer »)).

Selon un autre passage du Talmud, deux autres rabbis célèbres du Ier siècle, Hanina ben Dossa et Ochaya, auraient enfoui une argile d'une grande pureté dans une motte de terre qu'aucune charrue n'aurait touchée ; ils auraient tourné autour d'elle à la veille d'un chabbat en récitant des listes de lettres de l'alphabet hébreu dans un certain ordre : un golem de veau en aurait émergé ; ils l'auraient abattu et mangé le même jour.

Quand le *Sepher Yetsirah* (qu'on nomme aussi, par ses initiales, le S.Y.) commence à circuler, les rabbis en discutent à l'infini. Il faut cependant attendre le XIIe siècle pour en retrouver des commentaires écrits, développés par quelques communautés, mettant en correspondance les dimensions de l'Univers avec celles du corps humain. Ces commentaires viennent de partout : en pays séfarade, le *Séfer Ha-Bahir* d'Isaac de Posquières l'Aveugle et les livres des frères Cohen ; ceux de rabbi Nahmanide ; le grand écrivain judéo-espagnol Yehudah Halévy écrit à l'époque : « *Le* Sepher Yetsirah *nous enseigne l'existence d'un Unique Pouvoir Divin en nous démontrant que, dans la variété et la multiplicité, il y a Unité et Harmonie, et qu'une telle concordance universelle ne peut provenir que du règne d'une Unité Suprême.* » En pays ashkénaze s'y réfèrent des livres de Samuel ben Kalonymus Ha-Hassid et de rabbi Eléazar ben Yehouda de Worms.

Au siècle suivant, le rabbin Abraham Aboulafia, à Saragosse, met farouchement en garde contre l'usage du *Sepher Yetsirah* pour fabriquer un golem. Texte d'une grande modernité : « *Ne crois pas la folie de ceux qui étudient le S.Y. afin de créer un veau de trois ans, car ceux qui prétendent agir ainsi sont eux-mêmes des veaux. Et si Rabba a créé un homme et l'a de nouveau réduit en cendres, il y a là-dedans un secret, car ce n'est pas le sens littéral de ce propos. Et celui qui a fait cela le soir du chabbat, l'a fait pour une raison impérieuse et secrète... »*

Au XIVe siècle, des rabbis rhénans (dont Asher Ben Yehiel dans le *Sepher Hassidim* – Guide des croyants) prétendent encore savoir fabriquer un golem à partir du *Sepher Yetsirah* : « *Quiconque s'abîme dans l'étude du* Sepher Yetsirah *doit se purifier et se vêtir de blanc. On ne doit pas étudier le S.Y. tout seul. Qu'il prenne de la terre vierge dans une montagne qui n'a encore jamais été labourée. Qu'il malaxe la poussière à l'aide d'eau vive et qu'il construise un golem. Il combinera les lettres des 231 portiques, syntagme par syntagme, en faisant correspondre*

*chaque membre du corps avec la lettre correspon-
dante dans le S.Y... »* Autrement dit, chaque lettre
du *Sepher Yetsirah* renvoie à un élément précis du
corps, comme dans un programme informatique.

Certains répètent au contraire que le *Sefer Yetsirah*
ne contient rien de sérieux, car tout ce qui importe est
transmis par voie orale, et le golem est une affaire
trop sérieuse pour que son secret soit couché par écrit.

Beaucoup d'autres discussions font alors rage :
le golem peut-il compter dans le *minian*, c'est-à-dire
le nombre de dix minimal pour avoir le droit de prier ?
Le golem ressuscitera-t-il quand le Messie viendra ?

À la fin du XVIᵉ siècle, on trouve encore une mention de la fabrication d'un golem, cette fois par le
Maharal de Prague, rabbi Yehudah Loewe : immense
personnage, auteur du *Puits de l'exil*[195], mort centenaire à Prague en 1609, interlocuteur de l'empereur

Rodolphe II, grand amateur de mysticisme et d'occultisme, dont parle si magnifiquement l'écrivain tchèque Leo Perutz dans *La Nuit sous le pont de pierre*[243], un de mes romans préférés. Pour préserver la communauté contre les menaces des antisémites, le Maharal aurait modelé un colosse d'argile et aurait écrit sur son front le mot *Emet* (« Vérité »), qui est aussi un des noms de Dieu. Le golem se serait alors levé et aurait rempli son office de garde du corps. Mais le Maharal se serait inquiété des violentes dérives du golem contre des membres de la communauté qu'il était chargé de protéger. Il aurait alors décidé de le détruire. Il lui aurait demandé de se baisser pour lacer ses chaussures : il en aurait alors profité pour effacer la première lettre (*aleph*) du mot *Emet*, écrit sur son front, qui, devenant *Met*, signifie « Mort ». Le golem serait alors redevenu de l'argile inerte. Son corps serait aujourd'hui encore entreposé dans les combles de la synagogue de Josefov, dans le vieux quartier juif de Prague.

Les expériences continuent : au début du XVIIIᵉ siècle, Jacob Emden, rabbin d'Altona, non loin de Hambourg, raconte encore que l'un de ses ancêtres, rabbi Elyahou de Chelem, aurait lui aussi réussi à créer un golem d'une façon très proche de celle du Maharal de Prague, en se servant de la recette d'un certain Abba Mari, rabbin provençal du XIIIᵉ siècle. Il l'aurait ensuite tué, toujours en jouant avec les lettres : « *Consultez les* Responsae *d'Abba Mari le gaon – que la mémoire du Juste soit une bénédiction – qui créa un homme et en relata l'histoire : l'œuvre de ses mains n'était pas dotée de la parole et le servait comme un esclave sert son maître. Lorsque celui-ci se rendit compte que sa création se développait au point d'échapper à son contrôle, il prit son courage à deux mains et tenta d'arracher de son front l'inscription du Nom d'où elle tirait sa puissance. Il y parvint, provoquant la chute de l'esclave qui s'écroula comme une masse de glaise. Mais, dans sa chute, il griffa tout le visage de son Maître. »*

À la fin du XVIII<sup>e</sup> siècle, Haïm de Volozhyn, élève du gaon de Vilna – grand adversaire du hassidisme –, raconte encore que son maître eut, à douze ans, une vision lui révélant une méthode permettant de fabriquer un golem. Mais le gaon de Vilna dément : *« Non, je ne veux pas de vision, je ne veux pas de magie, je veux penser logiquement et rationnellement ; c'est par la pensée que l'homme doit produire ce qu'il peut produire. »* Il aurait cependant fini par se résigner à en fabriquer un pour protéger sa communauté contre les pogroms.

Depuis lors, même si l'idée de golem s'est quelque peu dissipé, bien des hommes ont encore rêvé et rêvent encore de créer un golem. Le fantasme n'est d'ailleurs pas uniquement juif : ainsi de Frankenstein à Blade Runner en passant par Brave New World et tant d'autres, de Superman à Astérix…

Aujourd'hui, la science dépasse ces rêves et légendes. Non seulement, comme le dit le *Sepher Yetsirah*, l'Univers compte bien plus que trois dimensions, mais, comme le dit aussi le *Sepher Yetsirah*, l'information est une catégorie physique en soi, tout comme le temps, la masse et l'énergie ; c'est aussi une force capable d'influer sur le réel. En outre, ce qu'on sait aujourd'hui de la fabrication de la vie (c'est-à-dire encore très peu) ressemble à ce que le *Sepher Yetsirah* suggère. D'une part, une propriété fondamentale du vivant est une gestion intelligente d'informations créées sans répit, en utilisant de l'énergie pour faire de la place aux informations utiles, aux dépens de celles qui sont devenues inutiles. D'autre part, l'ADN est bien structuré à partir d'un code alphabétique de 4 lettres (A, T, G, C, premières lettres des substances chimiques qui le composent : adénine, thymine, guanine, cytosine), transformé en l'expression de fonctions grâce à un code universel du vivant dit « code génétique ». Enfin, la similitude des jeux de lettres et de ce qu'en dit la science est impressionnante : par exemple, 4 est à la fois le nombre de bases de l'ADN et le nombre des lettres d'un des noms de Dieu ; 22 est à la fois le nombre de lettres de l'alphabet hébreu et le nombre de chromosomes non sexuels chez l'homme ; enfin, il semble, selon certaines théories, que pour fabriquer de l'ADN il faille utiliser de l'argile comme catalyseur.

Aujourd'hui, on a déjà réussi à fabriquer les premiers clones d'animaux sans pour autant connaître le moindre des secrets de la vie ; demain, on pourra sans doute cloner de même façon des organes humains à partir de cellules spécialisées, puis cloner un être humain entier à partir de cellules souches. On sera alors au plus près de la révélation du secret que prétend recéler le *Sepher Yetsirah*.

Pourtant, le *Sepher Yetsirah* nous avertit : si la création d'un être vivant n'est pas mise au service d'une morale, alors l'homme deviendra lui-même un artefact, un objet fabriquant des objets. Si, en revanche, le golem est conçu comme un moyen de réparer les fragilités de l'homme, sans remettre en cause son humanité, alors pourra commencer une nouvelle étape de l'histoire de l'espèce humaine : améliorant son être physique, libérant les potentialités de son esprit, lui permettant d'espérer apprendre ainsi à passer au-dessus du Soleil.

## Zohar

C'est par un court recueil d'extraits de ce livre, le *Zohar*[11] (« Livre de la splendeur »), présenté par Edmond Fleg, que mon père m'a fait pénétrer dans l'univers de la Kabbale. Difficile, pour un enfant élevé par l'école républicaine et habitué à un judaïsme de raison, de comprendre ces textes, mélanges de contes, de métaphores et de théories de l'Univers utilisant des raisonnements si complexes, si éloignés des miens. Je suis pourtant entré avec délices dans ce livre qui vise à décrypter la signification cachée de chaque histoire rapportée par la Bible. Parfois des morales, comme sources de fables ; parfois des démonstrations, comme tirées de théorèmes. Parfois en utilisant des codes permettant de déchiffrer des messages cachés derrière chaque lettre. Toujours à la recherche de symboles derrière des événements, ou en quête de concepts derrière des héros.

Le *Zohar* paraît en Espagne à la fin du XIIIe siècle comme un ensemble de textes brefs, écrits en araméen, langue sémitique. Il est constitué de deux grandes parties : l'une décrypte la Torah ; l'autre analyse les symboles cachés derrière trois livres de la Bible, les trois plus importants à ses yeux : Qohelet, *Ruth* et *Jérémie*.

L'auteur – anonyme – prétend être un célèbre rabbi du IIe siècle, Shimon bar Yohai. Selon le Midrash, ce rabbi aurait reçu en rêve, du prophète Élie, la mission d'établir une « doctrine secrète » et l'aurait rédigée avec neuf de ses élèves, dans une grotte. La rumeur court alors que le manuscrit de cette « doctrine secrète » aurait été transmis par un élève de ce Bar Yohai à un rabbin-marchand qui l'aurait utilisé pour envelopper des épices ; ce manuscrit serait ensuite passé de main en main, de lettré en lettré, jusqu'à ce que, dix siècles plus tard, sur un marché de Valladolid, un certain Moïse de León l'ait découvert sous le nom de *Zohar*, et l'ait gardé secret. À sa mort, sa femme l'aurait vendu et il serait devenu public.

De fait, un kabbaliste palestinien du XIIIe siècle, de passage en Espagne, Isaac ben Samuel d'Acre, semble confirmer cette version lorsqu'il raconte avoir rencontré un jour de 1280 un certain Moïse de León qui lui aurait expliqué avoir donné comme dot à sa fille un « *livre antique écrit par Shimon bar Yohai* », ce qui choqua beaucoup le visiteur et contribua à alimenter la légende. De ce Moïse de León, on ne sait presque rien, si ce n'est qu'il vécut en Espagne entre 1240 et 1305. Il est vraisemblable qu'il ne fit, dans ce livre écrit vers 1270, que compiler, dans un but très précis et conjoncturel, de nombreuses réflexions d'auteurs beaucoup plus anciens.

Le *Zohar* s'adresse en effet d'abord aux juifs de ce temps, le XIII^e siècle, pris dans de terribles débats : Dieu nous a-t-Il oubliés dans l'exil ? Que valent nos textes s'ils ne nous permettent pas, comme la philosophie grecque, de comprendre l'Univers ? Que peut-on opposer à la foi des chrétiens ? À celle des musulmans ? Comment résister au Mal ? Aux désirs ? À quoi sert-il de prier Dieu et de tenter de L'émouvoir pour Le convaincre de pardonner nos fautes, s'Il est rationnel, comme le dit Maimonide ? Que faire pour prévoir ou accélérer la venue du Messie ? Qui nous ramènera à Sion ?

Le *Zohar* propose de trouver dans la Torah des réponses à toutes ces questions. Et d'abord aux cinq principales énigmes du moment : les limites de la sexualité ; la lutte entre le Bien et le Mal ; la présence de Dieu dans l'exil ; la création de l'Univers ; l'attente du Messie.

Sa méthode est claire : chercher dans la Torah un sens caché en décryptant la symbolique des personnages et des situations. Il écrit : « *Malheur à celui qui croit que la Torah ne contient que des récits communs et des paroles ordinaires, car s'il en était ainsi, nous pourrions encore de notre temps composer une loi beaucoup plus admirable... Dans chaque parole gît un mystère profond, et les mondes inférieur et supérieur sont pesés sur la même balance. Les anges envoyés sur la Terre n'ont-ils pas pu prendre des vêtements humains, autrement ce monde n'aurait pas pu les recevoir ? Comment alors la Torah, laquelle est tout entière destinée à notre usage, pourrait-elle se passer de vêtements ? [...] La morale qui en ressort est son corps ; enfin le sens caché, mystérieux, est son âme [...] Les simples ne prennent garde qu'au vêtement et ne voient pas ce qui est en dessous. Ceux qui sont supérieurs cherchent le corps. Les sages et les initiés, au service du Roi d'en haut, ne considèrent que l'âme, qui est la racine de toute loi. De même aussi pour les choses d'en haut, il y a un vêtement, un corps et une âme*[10]. »

Tous les mystères de la Bible sont ainsi expliqués ligne après ligne à partir des récits qui s'y trouvent, suivant un mode de raisonnement qui nous laisse aujourd'hui pantois. En voici six exemples :

• À quoi sert le Mal ? À créer les conditions de l'émergence du Bien. Il faut donc se réjouir de tous les événements, même les pires. Une illustration en est l'histoire d'un roi qui envoya à son fils la plus experte prostituée de la ville pour tester sa capacité à tenir sa promesse de rester chaste ; il résista non à la prostituée, mais à celle que celle-ci envoya à sa place de peur de susciter la colère du roi. Le *Zohar* en déduit que non seulement le jeune homme incarne évidemment le Bien, mais que la prostituée et sa remplaçante le représentent aussi, car, sans elles, on n'aurait jamais reconnu les qualités du fils. Tel est le rôle du Mal : créer les conditions du Bien. Et le rôle de la transgression est de créer les conditions du répentir.

• Que devient l'âme après la mort ? Pour le *Zohar*, l'âme est divisée en trois parties : les deux premières, dont l'existence est liée au corps, peuvent pécher et disparaissent avec le corps ; la troisième, dont l'existence est antérieure au corps, reste pure et remonte après la mort « dans les hauteurs vers Dieu ». Il concilie ainsi le caractère définitif de la mort, fin absolue, et la survie d'une partie de la conscience individuelle dans une conscience collective.

• Qu'est-ce qui prouve que le peuple juif a été distingué par Dieu ? C'est que Dieu a créé l'une après

l'autre les dix dimensions de l'Univers, ne libérant le peuple juif qu'à la fin du processus, avec la dernière *sephira*, celle qui s'apparente à un visage : « *Lorsque les lumières des* sephirot *se mettent à briller, à se répandre et à s'unir, le visage de la communauté d'Israël est resplendissant* » (*Zohar*, II, 232b).

• Pourquoi Moïse n'est-il pas enterré en Terre sainte, comme Joseph dont il a transporté le corps depuis l'Égypte ? Parce que la Bible dit que Moïse « *emporta avec lui les ossements de Joseph* » (Ex 13, 19), ce que le *Zohar*, utilisant d'autres significations des mêmes mots hébreux, réinterprète par : « *Moïse épousa l'essence de Dieu* », c'est-à-dire la *Chekhinah*, la Transcendance. Or, Jacob est, selon le *Zohar*, « *le premier époux de la* Chekhinah », car il est le premier Hébreu à avoir voyagé hors de Canaan. Selon la Torah, une veuve remariée doit rejoindre son premier mari après la mort du second pour être avec le premier au moment de la Résurrection (question dont les théologiens chrétiens discuteront pendant des siècles). Il est donc normal que la *Chekhinah* soit retournée auprès de Jacob à la mort de Moïse, privant ce dernier de la perspective d'une résurrection, et donc de la Terre sainte où elle aura lieu. Métaphore dans la métaphore, pas si éloignée qu'on pourrait le croire de la méthode scientifique cherchant à dégager un corollaire d'un corollaire d'un théorème. Théorème : « L'immanence détermine la réincarnation. » Corollaire : « Moïse, privé d'immanence, est privé de réincarnation. » Corollaire du corollaire : « Privé de réincarnation, Moïse ne doit pas être enterré en Israël. »

• Quel est le sens caché du *Cantique des Cantiques* ? Est-ce une histoire d'amour humain ou divin ?

Ni l'un ni l'autre, dit le *Zohar*, qui note que 7 versets du *Cantique* mentionnent Salomon, et que 3 font référence au Roi, sans préciser son nom. Ce qui renvoie, dit-il aux dix *sephirot* (trois supérieures et sept inférieures). Cela démontre, dit-il, que l'ensemble du *Cantique des Cantiques* n'est pas une histoire d'amour, ni humain ni divin, mais un message caché sur l'Arbre de vie et l'essence du divin, qu'il explique en détail.

• Qui est vraiment Ruth ? Pourquoi cette histoire d'une convertie occupe-t-elle un livre entier de la Bible ? Parce qu'elle n'est pas qu'une femme, mais la représentation dans le monde réel de la *Chekhinah* (l'immanence, la présence de Dieu) qui suit l'homme où qu'il aille. Elle est le côté féminin du divin, le seul à être accessible à la compréhension humaine...

Au total, ce texte faussement simple prête un sens lumineux, profond, passionnant à chaque verset de la Bible.

Au XIIIᵉ siècle, le *Zohar* se répand comme une traînée de poudre parmi des communautés en désarroi. Non pas seulement en raison de ce qu'il dit, ni parce qu'il permet aux hommes du XIIIᵉ siècle de donner un sens nouveau à un texte, la Torah, commenté depuis déjà plus de quinze siècles, mais parce qu'il renvoie aux énigmes les plus modernes, aujourd'hui encore non résolues.

Étonnant judaïsme, prêt à toutes les audaces sans jamais céder au schisme. Émouvant judaïsme, à la recherche éperdue d'un message secret que Dieu aurait laissé aux hommes en se retirant. Message pour tous les hommes perdus face à la misère, aux injustices, aux martyres. Pour tous les hommes dans cette quête, refusant d'être abandonnés, et y puisant de siècle en siècle, au-delà des malheurs, espérance et consolation.

# Références bibliographiques

*Index des sources traditionnelles*

1. La Bible : *L'Ancien Testament*, introd. par E. Dhorme, Paris, Gallimard, La Pléiade, 1956.

2. La Bible, *Écrits intertestamentaires*, sous la dir. d'A. Dupont-Sommer et M. Philonenko, Paris, Gallimard, La Pléiade, 1987.

3. La Bible, *Le Nouveau Testament*, trad. et notes de Jean Grosjean et Michel Léturmy, Paris, Gallimard, La Pléiade, 1971.

4. *Le Cantique des Cantiques*, trad. par C. Grégory, Paris, Le Club français du livre, 1962.

5. *La Hagada de Pâque*, présentée et commentée par Adin Steinsaltz, trad. de l'anglais par Jean-Jacques Gugenheim, Paris, Bibliophane, 2003.

6. *Le Pentateuque* avec commentaires de Rachi et notes explicatives, sous la dir. d'Élie Munk, 5 vol., Paris, Fondation Odette S. Levy, 1964-1968.

7. *Le Sepher Yetsirah, livre kabbalistique de la formation*, textes, trad. et commentaires par Georges Lahy, Roquevaire, G. Lahy, 1995.

8. Le Talmud, *Ketoubot 1*, édition Steinsaltz, Paris, JC Lattès, 1994.

9. *Traité des Principes* ou Recueil de Préceptes et de Sentences des Pères de la synagogue (*Pirqué Abhoth*), Paris, Librairie Ducharler, 1961.

10. *Le Zohar, Lamentations*, trad. de l'hébreu et de l'araméen, notes par Ch. Mopsik, Lagrasse, Verdier, 2000.

11. *La Kabbale, Pages classées du Zohar*, trad Jean de Pauly, préface d'Edmond Fleg, Paris, éd. du Chant Nouveau, 1946.

*Ouvrages collectifs et anthologies*

12. *Anthologie du judaïsme*, sous la direction de Francine Cicurel, Paris, Nathan, 2007.

13. *Anthologie de la poésie en hébreu moderne*, éd. d'Emmanuel Mosès, Paris, Gallimard, 2001.

14. *Anthologie de nouvelles israéliennes contemporaines*, éd. établie par Nilly Mirsky, Paris, Gallimard, 1998.

15. *Anthologie juive, des origines à nos jours,* éd. établie par Edmond Fleg, Paris, Flammarion, 1967.

16. *Dictionnaire culturel de la Bible*, sous la direction de Danielle Fouilloux, Paris, Cerf-Nathan, 1990.

17. *Dictionnaire encyclopédique du judaïsme*, adapté en français sous la direction de Sylvie A. Goldberg, Paris, Robert Laffont-Bouquins, 1996.

18. *Encyclopædia Judaica*, sous la direction de Cecil Roth et Geoffrey Wigoder, Jérusalem, Keter Publ. House, 1972.

19. *La Société juive à travers l'histoire*, sous la direction de Shmuel Trigano, 4 volumes, Paris, Fayard, 1992-1994.

20. *Le Guide culturel des juifs d'Europe*, Paris, Le Seuil-Fondation Jacques et Jacqueline Lévy-Willard, 2002.

21. *Les Cultures des Juifs*, sous la direction de David Biale, Paris-Tel-Aviv, Éclat, 2002.

22. *Réceptions de la Kabale*, sous la direction de Pierre Gisel et Lucie Kaennel, Paris-Tel-Aviv, Éclat, 2007.

23. *L'Univers de la Bible*, tome X : *Dictionnaire de la Bible et des 3 religions du Livre*, sous la direction de R.F. Poswick et G. Rainotte, Paris, éd. Lidis, 1985.

*Autres ouvrages utilisés*

24. Aboulafia (Abraham ben Samuel), *La Lampe divine*, Roquevaire, Lahy, 2008.

25. Aboulafia (Abraham ben Samuel), *L'Épître des sept voies*, Paris, Éclat, 1985.

26. Aboulafia (Abraham ben Samuel), *Le Livre du signe,* Roquevaire, Lahy, 2007.

27. Abravanel (Don Isaac), *Commentaire du récit de la Création*, Lagrasse, Verdier, 1999.

28. Agnon (Samuel Yosef), *Contes de Jérusalem*, Paris, Albin Michel, 1979.

29. Akiba (rabbi ben Joseph), *The Book of formation, Sepher Yetzirah*, trad. de l'hébreu et notes de K. Sensing, Londres, Rider & Son, 1923.

30. Ansky (Michel), *Les Juifs d'Algérie du décret Crémieux à la Libération*, Paris, éd. du Centre, 1950.

31. Armstrong (Karen), *A History of God. From Abraham to the Present : the 4000-year quest for God*, Londres, Michelin House, 1993.

32. Asch (Sholem), *Moïse*, trad. de l'américain par Eugène Bestaux, Paris, Calmann-Lévy, 1954.

33. Ashlag (rabbi Yehuda), *An Entrance to the Zohar*, compiled and edited by Dr. Philip S. Berg, Jérusalem, Research Center of Kabbalah, 1974.

34. Attali (Jacques), *Les Juifs, le monde et l'argent*, Paris, Fayard, 2002.

35. Attali (Jacques), *Un homme d'influence*, Paris, Fayard, 1985.

36. Ba'al Shem Tov (Israël ben Eliezer dit le Besht), *Testament hassidique*, introd., trad. et notes par Laurent Cohen, Paris, Bibliophane/Daniel Radford, 2004.

37. Ba'al Shem Tov (Israël ben Eliezer dit le Besht), *Vivre en bonne entente avec Dieu*, paroles recueillies par Martin Buber, Paris, Seuil, 1995.

38. Babel (Isaac), *Contes d'Odessa*, Paris, Folio, Gallimard, 1979.

39. Badinter (Robert), *Libres et égaux... L'émancipation des Juifs 1789-1791*, Paris, Fayard, 1989.

40. Baeck (Léo), *Ce peuple. L'existence juive*, Frankfurt am Main, 1955, et Paris, Armand Colin, 2007 pour la traduction française.

41. Barash (Asher), *Ce qu'on raconte chez nous*, trad. de l'hébreu par M. Catane, Jérusalem, Organisation sioniste mondiale, 1956.

42. Barnavi (Élie), *Histoire universelle des Juifs : de la Genèse au XXI<sup>e</sup> siècle*, Paris, Hachette-Littérature, 2002.

43. Bar-Zvi (Michaël) et Franck (Claude), *Le Sionisme*, Paris, Les Provinciales, 2002.

44. Baudelaire (Charles), *Les Fleurs du mal*, 1857.

45. Bellow (Saul), *Les Aventures d'Augie March*, Paris, LGF, 1983.

46. Ben Shlomo (Yosef), *Introduction à la pensée du rav Kook* (contient un choix de textes du rav Kook), Paris, éd. du Cerf, 1992.

47. Bensimon (Doris) et Errera (Eglal), *Israéliens : des juifs et des arabes*, Paris, éd. Complexe, 1989.

48. Bensimon (Doris), *Les Juifs dans le monde au tournant du XXI<sup>e</sup> siècle*, Paris, Albin Michel, 1994.

49. Bernard (Tristan), *Contes, répliques et bons mots*, Paris, le Livre club du libraire, 1967.

50. Biale (David), *Préface et Introduction* à l'ouvrage *Les Cultures des Juifs*, Paris, Éclat, 2005, p. 15-37.

51. Bialik (Hayyim Nahman), *Poèmes*, Jérusalem, Organisation sioniste mondiale, Département de la jeunesse et du hé-halouts, 1967.

52. Birnbaum (Nathan), *Die nationale Wiedergeburt des jüdischen Volkes in seinem Land...*, Vienne, 1893.

53. Birnbaum (Pierre), *Destins juifs : de la Révolution française à Carpentras*, Paris, Calmann-Lévy, 1995.

54. Birnbaum (Pierre) & Katznelson (Ira) eds., *Paths of Emancipation : Jews, States and Citizenship*, Princeton, 1995.

55. Blidstein (Gerald J.), *La Halakha comme norme socio-constitutionnelle*, in *La Société juive à travers l'histoire*, Paris, Fayard, 1992, t. II, p. 67-113.

56. Boccace, *Le Décaméron*, Paris, Gallimard, 2006.

57. Bologne (Jean Claude), *Les Allusions bibliques*, Paris, Larousse, 1991.

58. Buber (Martin), *Israel und Palästina, zur Geschichte einer Idee*, Zürich, Artemis Verlag s.d., 1950.

59. Buber (Martin), *Les Récits hassidiques*, Monaco, éd. du Rocher, 1978.

60. Calimani (Riccardo), *Histoire du ghetto de Venise*, préf. E. Wiesel, Paris, Stock, 1988.

61. Cassin (René), *La Déclaration universelle des droits de l'homme de 1948*, séance publique de l'Académie des sciences morales et politiques, décembre 1958, Paris, Institut de France, 1958.

62. Charpentier (Étienne), *Pour lire l'Ancien Testament*, Paris, éd. du Cerf, 1980.

63. Charyn (Jérôme), *Marilyn-la-Dingue, Zyeux-Bleus, Kermesse à Manhattan, Isaac le mystérieux*, Paris, Gallimard, 1992.

64. Chestov (Léon), *Sur la balance de Job. Pérégrinations de l'âme*, Paris, Flammarion, 1992.

65. Chouraqui (André), *Le Cantique des Cantiques*, traduction et présentation, Paris, PUF, 1970.

66. Chouraqui (André), *La Bible*, traduite et commentée, Paris, JC Lattès, 1992.

67. Chouraqui (André), *Le Coran : l'appel*, traduction et présentation, Paris, R. Laffont, 1990.

68. Chouraqui (André), *Évangiles*, traduction et présentation, Paris, Desclée de Brouwer, 1979.

69. Chouraqui (André), *Moïse*, Monaco, éd. du Rocher, 1995.

70. Cioran, *Des larmes et des saints*, Paris, LGF, Biblio essais, 1988.

71. Cohen (Raphaël), *Les Chemins de la Torah*, Le Hameau éditeur, 1986.

72. Cohen (Raphaël), *Ouvertures sur le Talmud*, Paris, J. Grancher, 1990.

73. Cohen (Richard I.), *Visibilité urbaine et visions bibliques : La culture juive en Europe de l'Ouest et en Europe centrale à l'époque moderne*, in *Les Cultures des Juifs*, Paris, Éclat, 2005, p. 645-703.

74. Cohen (Stuart A.), *Les Figures du pouvoir*, in *La Société juive à travers l'histoire*, Paris, Fayard, 1992, t. II, p. 115-151.

75. Comte (Fernand), *Les Grandes Figures des mythologies,* Paris, Bordas, 1988.

76. Cordovero (Moïse ben Jacob), *La Douce Lumière*, Lagrasse, Verdier, 1997.

77. Cordovero (Moïse ben Jacob), *Le Palmier de Déborah*, Lagrasse, Verdier, 1985.

78. Costa (Uriel da), *Une vie humaine*, trad. du latin par A. Duff, Paris, Rieder, 1926.

79. Dieckhoff (Alain), *L'Invention d'une nation. Israël et la modernité politique*, Paris, Gallimard, 1993.

80. Dohm (Christian Wilhem von), *De la réforme politique des Juifs*, Dessau, 1782, trad. J. Bernoulli, rééd. Paris, Stock, 1964.

81. Doubnov (Simon), *Histoire moderne du peuple juif : 1789-1938*, préf. Pierre Vidal-Naquet, Paris, éd. du Cerf, 1994.

82. Doubnov (Simon), *Histoire d'un soldat juif : 1881-1915*, préf. Léon Poliakov, Paris, éd. du Cerf, 1988.

83. Doubnov (Simon), *Le Livre de ma vie : souvenirs et réflexions, matériaux pour l'histoire de mon temps,* Paris, éd. du Cerf, 2001.

84. Doubnov (Simon), *Précis d'histoire juive des origines à 1934,* 1$^{re}$ éd. 1936, Paris, éd. du Cerf, 1992.

85. Doubnov (Simon), *History of the Jews*, 5 vol. New York et Londres, South Brunswick, 1967-1973.

86. Doubnov (Simon), *History of the Jews in Russia and Poland*, New York, Ktav Publ. House, 1975.

87. Doryon (Israël), « *L'homme Moïse* » *: Freud et le monothéisme hébreu*, Paris, Zikarone, 1972.

88. Draï (Raphaël), *La Communication prophétique : le Dieu caché et sa révélation*, Paris, Fayard, 1990.

89. Drewermann (Eugen), *Strukturen des Bösen*, vol II, Münich, éd. F. Schöningh 1978, et trad. franç. J.P. Bagot *Le Mal*, t. II « *Approche psychanalytique du récit yahviste des origines* », Paris, Desclée de Brouwer, 1996.

90. Einstein (Albert), *Comment je vois le monde*, Paris, Flammarion, 1995.

91. Eisenberg (Josy), *Histoire moderne du peuple juif d'Abraham à nos jours*, Paris, Stock, 1997.

92. Eisenberg (Josy), *Le Chandelier d'or, entretiens avec Adin Steinsaltz*, Lagrasse, Verdier, 1988.

93. Eisenberg (Josy) et Abecassis (Armand), *À Bible ouverte*, Paris, Albin Michel, 1978.

94. Eisenberg (Josy) et Abecassis (Armand), *Et Dieu créa Ève, À Bible ouverte*, II, Paris, Albin Michel, 1979.

95. Eisenberg (Josy) et Abecassis (Armand), *Moi, le gardien de mon frère ? À Bible ouverte*, III, Paris, Albin Michel, 1980.

96. Eisenberg (Josy) et Abecassis (Armand), *Jacob, Rachel, Léa et les autres, À Bible ouverte*, IV, Paris, Albin Michel, 1981.

97. Eisenberg (Josy) et Dupuy (B), *L'Étoile de Jacob, À Bible ouverte*, V, Paris, éd. du Cerf, 1989.

98. Eisenberg (Josy) et Gross (Benjamin), *Le Testament de Moïse, À Bible ouverte*, VI, Paris, Albin Michel, 1996.

99. Elazar (Daniel J.), *Fondements de la politie juive*, in *La Société juive à travers l'histoire*, Paris, Fayard, 1992, t. II, p. 19-65.

100. Enderlin (Charles), *Le Rêve brisé : Histoire de l'échec du processus de paix au Proche-Orient 1995-2002*, Paris, Fayard, 2002.

101. Enderlin (Charles), *Par le feu et le sang : le combat clandestin pour l'indépendance d'Israël 1936-1948*, Paris, Albin Michel, 2008.

102. Epstein (Isidore), *Le Judaïsme. Origines et histoire*, Paris, Petite Bibliothèque Payot, 1962.

103. Epstein (Simon), *Histoire du peuple juif au XXe siècle de 1914 à nos jours*, Paris, Pluriel, 1998.

104. Etkes (Emmanuel), *Le Mouvement hassidique à ses débuts : aspects sociaux*, in *La Société juive à travers l'histoire*, Paris, Fayard, 1992, t. I, p. 491-529.

105. Faur (José), *Texte et société : histoire du texte révélé*, in *La Société juive à travers l'histoire*, Paris, Fayard, 1992, t. I p. 35-113.

106. Firestone (Reuven), *La Culture juive aux premiers temps de l'Islam*, in *Les Cultures des Juifs*, Paris, Éclat, 2005, p. 261-292.

107. Flavius Josèphe, *Histoire ancienne des Juifs – La Guerre des Juifs contre les Romains*, Paris, éd. Lidis, 1968.

108. Fleg (Edmond), *Anthologie juive des origines à nos jours*, éd. intégrale, Paris, Flammarion, 1967.

109. Fleg (Edmond), *Le Livre de la splendeur*, pages du *Zohar* choisies par Edmond Fleg et traduites du chaldaïque par Jean de Pauly, Paris, JC Lattès, 1980.

110. Freud (Sigmund), *Préface* à l'édition hébraïque de *Totem et Tabou*, Paris, Gallimard, 1993.

111. Friedman (Daniel) & Santamaria (Ulysses), *Les Enfants de la reine de Saba*, Paris, Métailié, 1994.

112. Friesel (Evyatar), *Défense, assistance, continuité, fondation : les institutions sociales modernes*, in *La Société juive à travers l'histoire*, Paris, Fayard, 1992, t. II, p. 219-257

113. Gafni (Isaïah), *Culture rabbinique à Babylone*, in *Les Cultures des Juifs*, Paris, Éclat, 2005, p. 225-260.

114. Gampel (Benjamin R.), *Lettre à un maître indocile – les mutations de la culture séfarade en Ibérie chrétienne*, in *Les Cultures des Juifs*, Paris, Éclat, 2005, p. 369-418.

115. Gandhi (Mahatma), *Autobiographie ou Mes expériences de vérité*, Paris, PUF, 1982.

116. Gdalia (Janine) et Goldmann (Annie), *Le Judaïsme au féminin*, Paris, Balland, 1989.

117. Gérard (André-Marie), *Dictionnaire de la Bible*, Paris, Robert Laffont, 1989.

118. Gikatila (Joseph), *Les Portes de la lumière*, trad. Georges Lahy, Roquevaire, éd. Lahy, 2001.

119. Glasberg (Alexandre), *À la recherche d'une patrie, la France devant l'immigration*, Paris, éd. Réalité, 1946.

120. Glasberg (Alexandre), *Vers une nouvelle charte sociale : l'espoir palestinien*, Paris, éd. Réalité, 1948.

121. Goitein (S.D.), *Letters of Jewish Traders*, New York, Princeton University Press, 1973.

122. Goscinny (René), *Aventures d'Astérix*, Paris, Dargaud, 1962.

123. Graetz (Michael), *Les Juifs en France au XIX^e siècle : de la Révolution française à l'Alliance israélite universelle*, Paris, Le Seuil, 1989.

124. Greilsammer (Ilan), *La Nouvelle Histoire d'Israël. Essai sur une identité nationale*, Paris, Gallimard, 1998.

125. Gruen (Erich S.), *Judaïsme hellénistique*, in *Les Cultures des Juifs*, Paris, Éclat, 2005, p. 99-147.

126. Ha-Am (Ahad), *Au carrefour*, textes choisis trad. de l'hébreu par A. Gottlieb, Paris, Lipschutz, 1939.

127. Hadas-Lebel (Mireille), *Jérusalem contre Rome*, Paris, éd. du Cerf, 1990.

128. Hadas-Lebel (Mireille), *Le Juif de Rome*, Paris, Fayard, 1989.

129. Ha-Levi (Yehouda), *Kuzari : Apologie de la religion méprisée*, introd. et notes de Ch. Touati, Paris/Louvain, Peeters, 2006.

130. Ha-Levi (Yehouda), *Ninety-two poems and hymns,* Albany (N.Y.), State University of New York, 2000.

131. Halévy (Joseph), *Excursion chez les Falacha en Abyssinie*, Paris, imp. L. Martinet, 1869.

132. Halevi (Z'ev ben Simon), *L'Arbre de vie, introduction à la cabale*, Paris, Albin Michel, 1989.

133. Hamburger (Jacob), *Real-Encyclopädie für Bibel und Talmud*, Leipzig, K.F. Kölher, 1870-1892.

134. Ha-Naguid (Samuel), *Guerre, amour, vin et vanité*, trad. et présentation de Frans de Haes, Monaco, éd. du Rocher, 2001.

135. Hayoun (Maurice Ruben), *Le Zohar : aux origines de la mystique juive*, Paris, éd. Noësis, 1999.

136. Hayoun (Maurice Ruben), *Les Lumières de Cordoue à Berlin : une histoire intellectuelle du judaïsme*, Paris, JC Lattès, 1996.

137. Hayoun (Maurice Ruben), *Maimonide et la pensée juive*, Paris, PUF, 1994.

138. Hayoun (Maurice Ruben), *Maimonide ou l'autre Moïse*, Paris, Pocket, 2004.

139. Hayyim de Volozhyn, *L'Âme de la vie*, préface d'E. Levinas, Lagrasse, Verdier, 2006.

140. Heine (Heinrich), *Écrits juifs*, Paris, éd. du Sambre, 2006.

141. Heine (Heinrich), *Le Rabbin de Bacharach*, Paris, Balland, 1992.

142. Heine (Heinrich), *Sur l'histoire de la religion et de la philosophie en Allemagne,* Paris, Imprimerie nationale, 1993.

143. Hendel (Ronald S.), *Israël parmi les Nations : Culture biblique au Proche-Orient dans l'Antiquité*, in *Les Cultures des Juifs*, Paris, Éclat, 2005, p. 69-97.

144. Henze (Paul B.), *Layers of Time : A History of Ethopia*, New York, Palgrave, 2000.

145. Herzl (Theodor), *L'État juif*, Paris, L'Herne, 1970.

146. Heschel (Abraham), *Les Bâtisseurs du Temps*, Paris, éd. de Minuit, 1957.

147. Heschel (Abraham), *Maimonide*, Paris, Payot, 1936.

148. Hess (Moses), *The Holy History of Mankind and Others Writings*, trad. de l'allemand par Shlomo Avineri, Cambridge, Cambridge University Press, 2004.

149. Hirschfeld (Ariel), *Lieu et langue : La culture hébraïque en Israël, 1890-1990*, in *Les Cultures des Juifs*, Paris, Éclat, 2005, p. 885-929.

150. Horowitz (Elliott), *Les Juifs en Italie à l'aube de l'époque moderne*, in *Les Cultures des Juifs*, Paris, Éclat, 2005, p. 519-567.

151. Hugo (Victor), *La Légende des Siècles*, 1877.

152. Ibn Ezra (Abraham), *Le Livre des fondements astrologiques* précédé du *Commencement de la sapience des signes*, introd., trad. et notes de Jacques Halbronn, Paris, Retz, 1977.

153. Ibn Ezra (Abraham), *Traité sur le fondement de la crainte et le secret de la Torah*, in Georges Lahy *L'Alphabet hébreu et ses symboles*, Roquevaire, G. Lahy, 1997.

154. Ibn Gabirol (Salomon ben Yehudah), *La Couronne du Royaume*, trad. et présentation d'André Chouraqui, Saint-Clément-la-Rivière, Fata Morgana, 1997.

155. Ibn Gabirol (Salomon ben Yehudah), *Le Livre de la source de la vie*, trad. et notes de J. Schlanger, Paris, Aubier-Montaigne, 1970.

156. Ibn Paqûda (rabbi Bahya ben Joseph), *Les Devoirs du cœur*, trad. et présentation d'André Chouraqui, Paris, Bibliophane/Daniel, Radford, 2002.

157. Ibn Rushd (Muhammad ibn Ahmad, dit Averroès), *L'Accord de la religion et de la philosophie*, Paris, Sinbad, 1988.

158. Isaac (Jules), *L'Antisémitisme a-t-il des racines chrétiennes ?*, Paris, Fasquelle, 1960.

159. Isaac (Jules), *La Dispersion d'Israël, fait histori-que et mythe théologique*, Alger, éd. de la Commission culturelle juive d'Alger, 1954.

160. Jabotinsky (Vladimir), *Was Wollen die Zionisten-Revisionisten ?*, Paris, Imprimerie polyglotte, 1926.

161. Jacob d'Ancône, *La Cité de la lumière,* Paris, Fayard, 2000.

162. Jerome K. Jerome (Jerome Klapka dit), *Trois hommes dans un bateau*, Paris, Gallimard, 1988.

163. Johnson (Paul), *Une histoire des Juifs*, Paris, JC Lattès, 1989.

164. Kafka (Franz), *La Métamorphose*, trad. Alexandre Vialatte, Paris, Gallimard, 1958.

165. Kaplan (Jacob), *Un enseignement de l'estime*, Paris, Stock, 1982.

166. Kaplan (Josef), *Bom Judesmo : La diaspora sépharade en Occident*, in *Les Cultures des Juifs*, Paris, Éclat, 2005, p. 569-593.

167. Kaplan (Josef), *Les Nouveaux-Juifs d'Amsterdam*, Paris, Chandeigne, 1999.

168. Kaplan (Steve), *The Bete Israel (Falasha in Ethiopia : from Earliest Times to the Twentieth Century)*, New York University Press, nouvelle éd. 1994.

169. Katz (Jacob), *Exclusion et tolérance : chrétiens et juifs du Moyen Âge à l'ère des Lumières*, Paris, Lieu commun, 1987.

170. Katz (Jacob), *Toward Modernity : The European Jewish Model*, New Brunswick N.J., 1987.

171. Kierkegaard (Sören), *La Répétition*, éd. et trad. Tisseau, Paris, 1948, lettres du 19 septembre et suivantes sur Job.

172. Kochan (Lionel), *La Fin de la kehila*, in *La Société juive à travers l'histoire*, Paris, Fayard, 1992, t. I, p. 531-563.

173. Koestler (Arthur), *Analyse d'un miracle*, trad. de *Promise and Fullfilment : Palestine 1917-1949*, Belfort, Circé, 1998.

174. Koestler (Arthur), *La Treizième Tribu : l'empire khazar et son héritage*, Paris, Livre de Poche, 1978.

175. Kook (rav Abraham Isaac), *Les Lumières du retour*, Paris, Albin Michel, Présences du judaïsme, 1998.

176. Kriegel (Maurice), *Les Juifs de l'Europe méditerranéenne à la fin du Moyen Âge*, Paris, Hachette-Littératures, 1979.

177. Lahy (Georges), *Dictionnaire encyclopédique de la Kabbale*, éd Lahy, 2001.

178. Lampronti (Isaac), *La Crainte d'Isaac : encyclopédie talmudique*, Jérusalem, Mossad Harav Kook, 1961-1970.

179. Lazare (Lucien), *Dictionnaire des justes de France*, Paris, Fayard, 2003.

180. Lazarus (Emma), *Selected Poems*, New York, the Library of Americ, 2005.

181. Leibniz (Wilhelm Gottlieb), *Essais de Théodicée*, 1710.

182. Lemaire (André), *Histoire du peuple hébreu*, Paris, PUF, « Que sais-je ? », 2008.

183. Lemaistre de Sacy (Louis-Isaac), traduction de l'*Ecclésiaste* en français d'après l'hébreu, postface de G. Rabinovitch, Paris, Mille et une nuits, 1994.

184. Léon de Modène, *Le Bouclier et la targe, une polémique sur l'identité juive au XVII^e siècle*, trad. et notes de Jean-Pierre Osier, Paris, Centre d'Études Isaac Abravanel, 1980.

185. Levinas (Emmanuel), *Difficile liberté : Essais sur le judaïsme,* Paris, LGF, 1984.

186. Levinas (Emmanuel), *De Dieu qui vient à l'idée*, Paris, Vrin, 1982.

187. Levinas (Emmanuel), *L'Au-delà du verset : lectures et discours talmudiques*, Paris, éd. de Minuit, 1981.

188. Levinas (Emmanuel), *Quatre lectures talmudiques,* Paris, éd. de Minuit, 1976.

189. Levinas (Emmanuel), *Du sacré au saint : cinq nouvelles lectures talmudiques*, Paris, éd. de Minuit, 1977.

190. Levinas (Emmanuel), *Nouvelles lectures talmudiques*, Paris, éd. de Minuit, 1996.

191. Luria (Isaac ben Salomon), *Traité des révolutions des âmes*, trad. E. Jégut, Plan-de-la-Tour, éd. d'Aujourd'hui, 1984.

192. Luria (Isaac ben Salomon), *Zohar. Hébreu et araméen, et commentaires*, Jérusalem, Môsad ha-rab Qûq, 1939-1946.

193. Maharal de Prague (Yehuda Lajb ben Betsalel), *« Que la lumière soit » : la flamme de la mitsva*, trad. et commentaire de Benjamin Gross, Paris, Albin Michel, 1995.

194. Maharal de Prague (Yehuda Labj ben Betsalel), *Les Hauts Faits de l'Éternel*, trad. et notes d'Édouard Gourévitch, Paris, éd. du Cerf, 1994.

195. Maharal de Prague (Yehuda Labj ben Betsalel), *Le Puits de l'exil*, trad. et notes d'Édouard Gourévitch, Paris, Berg international, 1982.

196. Maimonide (Moïse), *Crisis and Leadership : epistles of Maimonide (« epistle on martyrdom », etc.)*, Philadelphia, Jewish publication society of America, 1985.

197. Maimonide (Moïse), *Le Guide des Égarés – Le Traité des huit chapitres*, nouvelle édition revue par C. Mopsik, Lagrasse, Verdier, 1979.

198. Maimonide (Moïse), *Le Guide des Égarés*, pages trad. de l'arabe par Salomon Fonk, Paris, Rieder, 1930.

199. Makarian (Christian) *Le Choc Jésus Mahomet*, Paris, JC Lattès, 2008.

200. Malka (Juda ibn), *La Consolation de l'expatrié spirituel : un commentaire sur le Livre de la Création (Sefer Yesîrâh)*, Paris, Éclat, 2008.

201. Malka (Salomon), *Monsieur Chouchani : l'énigme d'un maître du xxᵉ siècle*, entretiens avec Élie Wiesel suivis d'une enquête, Paris, JC Lattès, 1994.

202. Malka (Victor), *Rachi*, Paris, PUF, 1993.

203. Christian Makarian, *Le Choc Jésus et Mahomet*, Paris, JC Lattès, 2008.

204. Marlowe (Christopher), *Le Juif de Malte*, Paris, l'Avant-Scène, 1976.

205. Marx (Karl), *La Question juive*, Paris, Aubier, 1971.

206. Meir (Samuel ben Meir dit Rashbam), *Rashbam's Commentary on Leviticus and Numbers : an annotated translation*, Providence (R.I.), Brown Judaic Studies, 2001.

207. Meiri (rabbi Menahem ben Solomon), *Commentaires sur des traités du Talmud*, en hébreu, Tel-Aviv, 1956.

208. Menasseh ben Israël, *Espérance d'Israël*, Paris, Vrin, 1979.

209. Menasseh ben Israël, *Justice pour les Juifs*, Paris, éd. du Cerf, 1995.

210. Mendele (Mendel Moïkher Sforim), *Fisher le boiteux*, trad. du yiddish par Aby Wieviorka, Paris, éd. du Cerf, 1996.

211. Mendelssohn (Moïse), *Jérusalem ou Pouvoir religieux et judaïsme*, Paris, Presses d'Aujour-d'hui, 1982.

212. Mendelssohn (Moïse), *Qu'est-ce que les Lumières ?*, avec le texte d'E. Kant, *Réponse à la question*

« *Qu'est-ce que les Lumières ?* », Paris, Mille et une nuits, 2006.

213. Meyers (Eric M.), *La Culture juive en Palestine gréco-romaine*, in *Les Cultures des Juifs*, Paris, Éclat, 2005, p. 149-189.

214. Moïse de León, *Sepher ha-Zohar*, trad. du chaldaïque et notes de Jean de Pauly, 6 vol., Paris, Maisonneuve et Larose, 1985.

215. Montaigne (Michel Eyquem de), *Essais*, 1580.

216. Mopsik (Charles), *Chemins de la Cabale*, Vingt-cinq essais sur la mystique juive, Paris-Tel-Aviv, Éclat, 2004.

217. Mopsik (Charles), *Les Grands Textes de la Cabale : les rites qui font Dieu*, Lagrasse, Verdier, 2002.

218. Mopsik (Charles), *Cabale et cabalistes*, Paris, Bayard, 1997.

219. Mopsik (Charles) éditeur, *Lettre sur la sainteté. La relation de l'homme avec sa femme* (*Igueret ha-Qodech*), présenté, traduit de l'hébreu et édité par Charles Mopsik, Lagrasse, Verdier, 1993.

220. Mopsik (Charles), *La Cabale*, Paris, éd. Jacques Grancher, 1988.

221. Munk (Élie), *La Voix de la Torah, commentaire du Pentateuque*, Paris, Fondation Samuel et Odette Levy, 1978.

222. Munk (Rav. Michael L.), « *Olam HaOtiot* »/ *The Wisdom in the Hebrew Alphabet : The Sacred Letters as a Guide to Jewish Deed and Thought*, Artscroll, 1983.

223. Musil (Robert), *L'Homme sans qualités*, trad. Philippe Jaccottet, Paris, Seuil, 1979.

224. Nahman de Bratslav (rabbi Nachman de Breslau), *Une arme si douce : prière pour tous les instants*, Paris, La Table Ronde, 2000.

225. Nahman de Bratslav, *La chaise vide : pour trouver l'espoir et la joie*, Paris, La Table Ronde, 1995.

226. Nahman de Bratslav, *Le Maître de prière, six contes,* adaptation et commentaire d'Adin Steinsaltz, Paris, Albin Michel, 1994.

227. Nahmanide (Moïse ben Nahman de Gérone dit Ramban), *La Dispute de Barcelone, suivie du commentaire sur Isaïe 52-53*, Lagrasse, Verdier, 2008.

228. Neher (André), *L'Identité juive*, Paris, Seghers, 1977, rééd. Payot-Rivages, 2007.

229. Neher-Bernheim (Renée), *Histoire juive de la Révolution à l'État d'Israël*, Paris, Points-Seuil, 2002.

230. Oz (Amos), *Les Voix d'Israël*, Paris, Calmann-Lévy, 1983.

231. Ouaknin (Marc-Alain), *Mystères de la kabbale*, Paris, éd. Assouline, 2002.

232. Ouaknin (Marc-Alain), *Le Livre brûlé : philosophie du Talmud,* Paris, Seuil Points Sagesse, 1993.

233. Ouaknin (Marc-Alain), *Tsimtoum, introduction à la méditation hébraïque*, Paris, Albin Michel, 1992.

234. Pardès (Ilana), *Imaginaire de la naissance de l'ancien Israël : Métaphores nationales dans la Bible*, in *Les Cultures des Juifs*, Paris, Éclat, 2005, p. 39-67.

235. Pascal (Blaise), *Pensées*, 1657.

236. Peres (Shimon), *Le Voyage imaginaire : avec Théodore Herzl en Israël*, Paris, Éditions n° 1, 1998.

237. Peres (Shimon), *Un chemin pour la paix*, entretiens avec Christiane Vulvert, Boulogne, éd. Timée, 2007.

238. Perutz (Leo), *Le Cavalier suédois*, Paris, Phébus, 1999.

239. Perutz (Leo), *Le Judas de Léonard*, Paris, Phébus, 2003.

240. Perutz (Leo), *Le Maître du Jugement dernier*, Paris, LGF, 2001.

241. Perutz (Leo), *Le Marquis de Bolibar*, Paris, LGF, 1995.

242. Perutz (Leo), *La Neige de Saint-Pierre*, Paris, Fayard, 1987.

243. Perutz (Leo), *La Nuit sous le pont de pierre*, Paris, LGF, 1990.

244. Perutz (Leo), *Où roules-tu, petite pomme ?*, Paris, LGF, 1992.

245. Potock (Chaïm), *Une histoire du peuple juif*, 1970, Paris, Ramsay, 2007.

246. Quirin (James), *The Evolution of the Ethiopian Jews : A History of the Bete Israel (Falasha) to 1920*, University of Pennsylvany Press, 1992.

247. Rachi (Salomon Ben Isaac, dit Rachi de Troyes), *Houmach Rachi : le commentaire de Rachi sur la Torah*, sous la direction de Meïr Thomas, 5 tomes, Créteil, éd. Ness, 2000-2001.

248. Rodrigue (Aron), *De l'instruction à l'émancipation : les enseignements de l'Alliance israélite universelle et les Juifs d'Orient, 1830-1939*, Paris, Calmann-Lévy, 1989.

249. Rosenzweig (Franz), *L'Étoile de la rédemption*, Paris, Seuil, 2003.

250. Rosman (Moshe), *Une tradition novatrice : La culture juive dans la communauté Pologne-Lituanie*, in *Les Cultures des Juifs*, Paris, Éclat, 2005, p. 477-517.

251. Roth (Cecil), *Encyclopædia Judaica. Introduction, index*, Jérusalem, Keter publ. House, 1972.

252. Roth (Cecil), *Histoire du peuple juif des origines à 1962*, Paris, Stock, 1980.

253. Roth (Philip), *Portnoy et son complexe*, Paris, Gallimard, 1970.

254. Saadiah ben Yosef (Saadia Gaon), *Commentaire sur le « Sefer Yetzirah »*, trad. Mayer Lambert, Lagrasse, Verdier, 2001.

255. Saadiah ben Yosef (Saadia Gaon), *The Book of beliefs and opinions*, trad. de l'hébreu et l'arabe par Samuel Rosenblatt, New York, Yale University Press, 1948.

256. Sabar (Shalom), *Naissance et magie : Folklore juif et culture matérielle*, in *Les Cultures des Juifs*, Paris, Éclat, 2005, p. 595-637.

257. Safran (Alexandre), *La Cabale* (en collaboration avec Esther Starobinski-Safran), 1960, Paris, Payot pour la 3ᵉ éd., 2006.

258. Safran (Alexandre), *« Un tison arraché aux flammes », mémoires*, Paris, Stock, 1989.

259. Safran (Alexandre), *Sagesse de la Kabbale*, Paris, Stock, 1986.

260. Salfati (Pierre-Henri), *Le Talmud*, Paris, Albin Michel, 2009.

261. Sanders (E. P.), *The Historical Figure of Jesus*, Londres, Allen Lane, 1993.

262. Scheindlein (Raymond P.), *Marchands et intellectuels, rabbins et poètes : la culture judéo-arabe à l'âge d'or de l'Islam*, in *Les Cultures des Juifs*, Paris, Éclat, 2005, p. 301-367.

263. Schnitzler (Arthur), *Une jeunesse viennoise : 1862-1889. Autobiographie*, Paris, Hachette, 1987.

264. Scholem (Gershom), *« Lilith »*, art. in *Encyclopædia Judaïca* repris dans *La Kabbale : une introduction. Origine, thèmes et biographie*, Paris, éd. du Cerf, 1998.

265. Scholem (Gershom), *Le Golem de Prague et le golem de Rehovot*, postface à l'ouvrage de Norman Wiener *God and Golem*, Paris, Éclat, 2001.

266. Scholem (Gershom), *La Kabbale et sa symbolique*, Paris, Petite Bibliothèque Payot, 2003.

267. Scholem (Gershom), *Sabbataï Tsevi, le messie mystique 1626-1676*, Lagrasse, Verdier, 1983.

268. Scholem (Gershom), *Les Origines de la Kabbale*, Paris, Aubier-Montaigne, 1966.

269. Scholem (Gershom) & Strauss (Léo), *Philosophie et cabale : correspondance 1933-1973*, Paris, Éclat, 2006.

270. Sellier (Philippe), texte d'introduction à l'Ecclésiaste, in *La Bible*, trad. Lemaitre de Sacy, Paris, Robert Laffont, « Bouquins », 2008.

271. Shakespeare (William), *Le Marchand de Venise*, Paris, LGF, 2005.

272. Shlonsky (Abraham), *Shirim*, Tel-Aviv, 1971.

273. Siegel (Jerry) et Schuster (Joe), *Superman*, Paris, Futuropolis, 1981.

274. Singer (Isaac Bashevis), *Au tribunal de mon père. Souvenirs*, Paris, Stock, 1990.

275. Sirat (Colette), *La Philosophie juive médiévale en terre d'Islam*, Paris, Presses du CNRS, 1988.

276. Sirat (René-Samuel), préface à *Judaïsme et droits de l'homme* sous la direction de Marc Agi, Paris, Des idées et des hommes, 2007.

277. Sirat (René-Samuel), *Juifs, Chrétiens, Musulmans : lectures qui rassemblent, lectures qui séparent,* Paris, Bayard, 2007.

278. Smilevitch (Éric), *Commentaires du Traité des Pères* et *Pirqé Avot*, introduction et trad. du traité et des commentaires, Lagrasse, Verdier, 1990.

279. Souffir (Daniel), *ABC de la Kabbale*, Paris, éd. Jacques Grancher, 2008.

280. Spinoza (Baruch), *Abrégé de grammaire hébraïque*, trad. et notes J. Askénazi, Paris, J. Vrin, 1987.

281. Spinoza (Baruch), *L'Éthique*, trad. et notes de Robert Misrahi, Paris-Tel-Aviv, Éclat, 2005.

282. Spinoza (Baruch), *Traité de la réforme de l'entendement et de la meilleure voie à suivre pour parvenir à la vraie connaissance des choses*, trad. et notes d'A. Koyré, Paris, J. Vrin, 1990.

283. Spinoza (Baruch), *Traité théologico-politique*, Paris, Flammarion, 2005.

284. Steinsaltz (Adin), *Les Clefs du Talmud guide et lexiques*, Paris, JC Lattès, 1994.

285. Stendhal, *Le Juif*, in *Romans et Nouvelles*, t. II, Paris, Gallimard, La Pléiade, 1948.

286. Stern (Fritz), *Golden Iron*, New York, Vintage Books, 1979.

287. Stern (Menahem), *La Société juive à l'époque du second Temple : prêtrise et autres classes*, in *La Société juive à travers l'histoire*, Paris, Fayard, 1992, t. I.

288. Stora (Benjamin), *Les Trois Exils : Juifs d'Algérie,* Paris, Hachette-Littératures, 2006.

289. Strauss, Leo, *Maïmonide*, Paris, PUF, 1988.

290. Tamari (Meir), « *With all your Possessions* » : *Jewish Ethics and Economic Life*, New York, The Free Press, 1987.

291. Tchernikhovsky (Saül), *Poèmes,* in Eisig Silberschlag, *Saul Tchernikhovsky poet of revolt*, N.Y., Cornell University Press, 1968.

292. Tresmontant (Claude), *Le Prophétisme hébreu*, Paris, J. Gabalda et Cie éditeurs, 1982.

293. Trigano (Shmuel), *La République et les juifs*, Paris, Les Presses d'aujourd'hui, 1982.

294. Valensi (Lucette), *L'Horizon culturel des Juifs d'Afrique du Nord : une réalité chatoyante*, in *Les Cultures des Juifs*, Paris, Éclat, 2005.

295. Vital (Hayyim ben Josef), *Book of visions – Book of secrets*, trad. et notes de Morris Faierstein, New York, Paulist Press, 1999.

296. Weber (Max), *Le Judaïsme antique,* Paris, Plon, 1970.

297. Weizmann, Chaïm, *Naissance d'Israël*, Paris, Gallimard, 1957.

298. Whitfield (Stephen J.), *Déclaration d'indépendance : Culture juive américaine au XX$^e$ siècle*, in *Les Cultures des Juifs*, Paris, Éclat, 2005.

299. Whitfield (Stephen J.), *In Search of American Jewish Culture*, Hanovre, 1999.

300. Wiesel (Élie), *Célébration hassidique : portraits et légendes*, Paris, Seuil, 1986.

301. Wilke (Carsten L.), *Histoire des juifs portugais,* Paris, Chandeigne, 2007.

302. Winock (Michel), *La France et les juifs,* Paris, Points-Seuil, 2004.

303. Yassif (Eli), *L'« Autre » Israël : Cultures populaires dans l'Israël contemporain*, in *Les Cultures des Juifs*, Paris, Éclat, 2005.

304. Yovel (Yirmiyahu), *Spinoza et autres hérétiques*, Paris, Seuil, 1991.

305. Zafrani (Haïm), *Éthique et mystique : judaïsme en terre d'Islam*, Paris, Maisonneuve et Larose, 1991.

306. Zafrani (Haïm), *Mille ans de vie juive au Maroc*, Paris, Maisonneuve et Larose, 1983.

307. Zalman de Wilno (Élie ben Salomon, gaon de Vilna), *Biographie et textes* réunis par Maymon, Jérusalem, Môsad harab Qûq, 1954.

308. Zipperstein (Steven J.), *The Jews of Odessa : A Cultural History, 1794-1881*, Stanford, 1985.

309. Zweig (Stefan), *Le Monde d'hier. Souvenirs d'un Européen*, Paris, LGF, 1996.

310. Zweig (Stefan), *Jérémie*, Paris, Rieder, 1929.

*Revues bibliques*

311. *Les Cahiers Évangile*, n° 105, « La justice dans l'Ancien Testament », Paris, éd. du Cerf, septembre 1998.

312. *Le Monde de la Bible* (spécial « Caïn et Abel », n° 105), Paris, août 1997.

# Table

*Table* 535

Essais

*Analyse économique de la vie politique*, PUF, 1973.
*Modèles politiques*, PUF, 1974.
*L'Anti-économique* (avec Marc Guillaume), PUF, 1975.
*La Parole et l'Outil*, PUF, 1976.
*Bruits*, PUF, 1977, nouvelle édition Fayard, 2000.
*La Nouvelle Économie française*, Flammarion, 1978.
*L'Ordre cannibale, Histoire de la médecine*, Grasset, 1979.
*Les Trois Mondes*, Fayard, 1981.
*Histoires du Temps*, Fayard, 1982.
*La Figure de Fraser*, Fayard, 1984.
*Au propre et au figuré, Histoire de la propriété*, Fayard, 1988.
*Lignes d'horizon*, Fayard, 1990.
*1492*, Fayard, 1991.
*Économie de l'Apocalypse*, Fayard, 1994.
*Chemins de sagesse : traité du labyrinthe*, Fayard, 1996.
*Dictionnaire du XXIᵉ siècle*, Fayard, 1998.
*Fraternités*, Fayard, 1999.
*La Voie humaine*, Fayard, 2000.
*Les Juifs, le monde et l'argent*, Fayard, 2002.
*L'Homme nomade*, Fayard, 2003.
*Foi et raison*, Bibliothèque nationale de France, 2004.
*Une brève histoire de l'avenir*, Fayard, 2006.
*La Crise, et après ?*, Fayard, 2008.

Romans

*La Vie éternelle, roman*, Fayard, 1989.
*Le Premier Jour après moi*, Fayard, 1990.
*Il viendra*, Fayard, 1994.
*Au-delà de nulle part*, Fayard, 1997.
*La Femme du menteur*, Fayard, 1999.
*Nouv'elles*, Fayard, 2002.
*La Confrérie des Éveillés*, Fayard, 2004.

Biographies

*Siegmund Warburg, un homme d'influence*, Fayard, 1985.
*Blaise Pascal ou le génie français*, Fayard, 2000.
*Karl Marx ou l'esprit du monde*, Fayard, 2005.
*Gandhî ou l'éveil des humiliés*, Fayard, 2007.

Théâtre

*Les Portes du Ciel*, Fayard, 1999.
*Du cristal à la fumée*, Fayard, 2008.

Contes pour enfants

*Manuel, l'enfant-rêve* (ill. par Philippe Druillet), Stock, 1995.

Mémoires

*Verbatim I*, Fayard, 1993.
*Europe(s)*, Fayard, 1994.
*Verbatim II*, Fayard, 1995.
*Verbatim III*, Fayard, 1995.
*C'était François Mitterrand*, Fayard, 2005.

Rapports

*Pour un modèle européen d'enseignement supérieur*, Stock, 1998.
*L'Avenir du travail*, Fayard/Manpower, 2007.
*300 décisions pour changer la France*, rapport de la Commission pour la libération de la croissance française, XO, 2008.

Beaux livres

*Mémoire de sabliers, collections, mode d'emploi*,
éditions de l'Amateur, 1997.
*Amours. Histoires des relations entre les hommes et les femmes*,
avec Stéphanie Bonvicini, Fayard, 2007.

Paul LOMBARD
Dictionnaire amoureux de Marseille

Peter MAYLE
Dictionnaire amoureux de la Provence

Christian MILLAU
Dictionnaire amoureux de la gastronomie

Bernard PIVOT
Dictionnaire amoureux du vin

Pierre-Jean RÉMY
Dictionnaire amoureux de l'Opéra

Pierre ROSENBERG
Dictionnaire amoureux du Louvre

Jean-Noël SCHIFANO
Dictionnaire amoureux de Naples

Alain SCHIFRES
Dictionnaire amoureux des menus plaisirs

Robert SOLÉ
Dictionnaire amoureux de l'Egypte

Philippe SOLLERS
Dictionnaire amoureux de Venise

Denis TILLINAC
Dictionnaire amoureux de la France

Mario VARGAS LLOSA
Dictionnaire amoureux de l'Amérique latine

Dominique VENNER
Dictionnaire amoureux de la chasse

Jacques VERGÈS
Dictionnaire amoureux de la justice

Frédéric VITOUX
Dictionnaire amoureux des chats

## *À paraître*

Catherine BENSAID
Dictionnaire amoureux de la psychanalyse

Composition et mise en page

Cet ouvrage a été achevé d'imprimer en janvier 2009
dans les ateliers de Normandie Roto Impression s.a.s.
61250 Lonrai

Dépôt légal : janvier 2009 – N° d'édition : 14409
N° d'impression : 090027
*Imprimé en France*